의사국가고시 | 레지던트시험 | 전문의시험 | 준비를 위한

HANDBOOK
POWER
Internal Medicine
Pulmonology

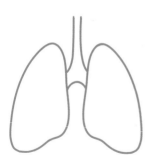

POWER
MANUAL
SERIES

호흡기내과

군자출판사

Power 내과 03 3rd edition

첫 째 판 1쇄 발행 | 2009년 9월 25일
셋 째 판 1쇄 인쇄 | 2019년 10월 7일
셋 째 판 1쇄 발행 | 2019년 10월 22일

지 은 이	신규성
발 행 인	장주연
출 판 기 획	김도성
책 임 편 집	조형석, 안경희
표지디자인	김재욱
발 행 처	군자출판사(주)
	등록 제 4-139호(1991. 6. 24)
	본사 (10881) **파주출판단지** 경기도 파주시 서패동 474-1(화동길 338)
	Tel. (031) 943-1888 Fax. (031) 955-9545
	홈페이지	www.koonja.co.kr

ISBN 979-11-5955-494-0
     979-11-5955-490-2(세트)

정가 12,000원
세트 90,000원

머리말

6년 만에 파워내과-핸드북의 세 번째 개정판이 나오게 되었습니다. 그동안 많은 분야에서 진단과 치료에 큰 변화가 있었고, 그에 따라 파워내과(본책)는 상당히 두꺼워졌습니다. 핸드북은 휴대성이 중요하기 때문에 파워내과 내용의 일부가 빠지기는 했지만, 각종 시험 준비에는 충분하리라 생각합니다. 가능한 자주 휴대하면서 참고하고, 부족하거나 더 궁금한 부분은 교과서나 논문 등을 통해 확인하는 습관을 들이면 의사로서의 지식을 쌓는 데는 충분할 것으로 생각합니다.

요즘의 의학계는 가치추구 면에서 많은 변화를 겪고 있습니다. 인증제도의 활성화 등을 통해 의료의 질은 향상되고 있고, 전공의법을 통해 인턴/레지던트들도 삶의 질을 찾게 되었습니다. 이는 사회 전체적 변화의 일환으로 우리나라가 이미 선진국에 진입했기 때문입니다. 다만 빠르게 발전하다 보니 아직 과거 적폐의 잔재들이 남아있거나 새로운 문젯거리가 생기기도 합니다. 사이비극우 사이트에 중독되어 대표랍시고 설쳐대는 일부 의사들도 그 중 하나일 것입니다.

가장 유능한 인재로 의대에 들어온 만큼 그에 걸맞은 도덕성과 사회역사적 소양을 갖추어야 하는데, 오히려 사회의 공통 선(善)과 정의를 짓밟는 반인륜적 무리들에 동조한다면 그런 의사에게는 생명을 다룰 자격이 없습니다. 시험공부만 열심히 하며 자신의 이익만 추구하는 삶은 그런 괴물을 만들어 낼 위험성이 있습니다. 파워내과 및 핸드북의 취지는 시험공부의 부담을 가볍게 해보자는 것이므로, 의학 이외에 다른 인문사회적 학습과 경험에 더 많은 시간을 투자할 수 있기를 바랍니다.

끝으로 이번 개정판이 나오기까지 애써주신 군자출판사의 장주연 사장님과 김도성 차장님, 조형석님을 비롯한 직원 여러분들 모두에게도 감사를 드립니다.

2019년 10월 1일

신 규 성

목차
contents

호흡기
내과

1
서론

해부학

- 기도 : 기관(trachea) → 기관지(bronchus) → 세기관지(bronchiole) → 말단 세기관지(terminal bronchiole) → 호흡 세기관지(respiratory brochiole) → 폐포관(alveolar duct) → 폐포(alveolus)
  - 말단 세기관지까지는 가스 교환에 관여하지 않으므로 해부학적 사강(anatomical dead space)이라 부름 (= conducting zone)
  - 말단 세기관지는 cartilage로 쌓여 있지 않음
- 폐포 상피세포(alveolar cells)
  ① type Ⅰ cell ; 크고 넓적한 모양, 폐포 면적의 대부분(90~95%) 차지
  ② type Ⅱ cell ; 폐포 면적의 5~7% 차지 (숫자로는 65%), surfactant 생산, 폐포의 손상시에는 분화하여 type Ⅰ cell로 됨
- 소엽(lobule) : interlobular septa에 둘러싸인 해부학적 요소, 크기 약 2 cm, 다각형 모양, 중심부에 폐동맥과 기관지가 같이 존재 (interlobular septum : 폐정맥 및 lymphatics를 함유)
- 세엽(acinus) : 가스 교환이 일어나는 기능적 단위

진찰

* 호흡기 진찰의 순서 ; 시진 → 촉진 → 타진 → 청진

1. 시진 (inspection)

- 기이호흡(paradoxical respiration) ; 흡기시 흉곽 하부 및 상복부가 안쪽으로 함몰되는 현상
  - 원인 ; 장기간의 기도폐색(e.g., COPD), 다발성 늑골골절로 인한 flail chest
- Cheyne-Stokes 호흡 ; 약 15초의 호흡정지와 약 1분의 과호흡이 주기적으로 반복되는 현상
  - 원인 ; CNS 질환, 심한 심부전, 말기 신부전, 심한 폐렴 등
- 손가락 곤봉증(digital clubbing)의 원인
  - lung ca., ILD, cystic fibrosis, mesothelioma ...
  - 흉부의 만성 감염 (e.g., bronchiectasis, lung abscess, empyema, COPD)
  - 청색증을 동반한 선천성 심장병, 기타 만성 염증/감염성 질환 (e.g., IBD, PBC, endocarditis)

2. 촉진 (palpation)

- 목소리진동음/성음진탕(vocal fremitus)
  - 환자가 말하는 소리가 흉벽에서 진동으로 촉진되는 현상
  - 증가 ; pneumonia, TB, pul edema, pul tumor, thick walled cavity
  - 감소 ; emphysema, large bullae, endobronchial tumor, pleural effusion, pneumothorax, thin walled cavity, atelectasis

3. 타진 (percussion)

- 타진음의 분류
  ① 공명음(resonance) : 폐의 정상 공명음, 약간 낮은 음조 & 긴 지속시간 e.g.) 천식, ILD
  ② 과공명음(hyperresonance) : 더 깊고 더 낮으며 큰 청음
    - emphysema (hyperinflation), pneumothorax 등시 폐 청음에서 들림
  ③ 고음(tympany) : 높고 맑은 소리 (정상적으로 위 부근에서 들림)
  ④ 탁음(dullness) : 짧고 높으며 작은 소리 (정상적으로 간, 심장, 종격동 위치에서 들림)
    - 흉벽에 가까운 폐에 경변, 침윤, 무기폐 발생시 공기감소로 발생
    - 흉수 저류시엔 400 cc 이상 고이면 타진으로 확인 가능
  ⑤ 절대탁음(flat) : 극히 짧고 높은 소리, 공기가 전혀 없는 실질성 장기에서 들림 (e.g., 간, 근육)
- 폐-간 경계(lung-liver border) : 절대탁음이 나타나는 높이
  ① 우측 쇄골중앙선(midclavicular line) : 제6 늑간(ICS)
  ② 중겨드랑선(midaxillary line) : 제8 늑간
  ③ 견갑선(midscapular line) : 제10 늑간
  ④ 후정중선(midspinal line) : 제10 흉추의 극상돌기 높이

4. 청진 (auscultation)

(1) 호흡음

- 폐포음(vesicular breath sounds) : 약한 바람부는 듯한 저음조의 소리, 흡기음이 호기음보다 크고 길다 (정상 호흡음임)
- **음 전도(transmission)의 증가** ; 경화(consolidation), infarction, atelectasis 등에서
  ↳ 공기 대신 액체나 세포가 폐 조직을 채워 단단하게 된 상태(e.g., 폐렴)
  - 기관지음(bronchial breath sound) : 폐포음보다 거칠고 속이 빈 것 같은 소리, (large-airway sound), 흡기와 호기의 길이는 동일하고 호기가 크다
  - 기관지성(bronchophony) : 환자가 말하는 것이 크고 가깝게 들림
  - 흉성(whispered pectoriloquy) : 환자자 작게 속삭이는 것이 더 크고 선명하게 들림
  - 양명성음(egophony) : bronchophony의 일종으로, 환자가 '이'라고 소리내는 것이 '아'로 들림 (E to A sign) … 폐의 consolidation과 pleural fluid가 공존할 때 잘 들림(e.g., 폐렴)
- **음 전도의 감소** ; endobronchial obstruction이나 pleural space에 다량의 공기/액체로
  → 호흡음이 약해지거나 소실됨

(2) 부가음(additional sounds)

- 악설음/수포음(거품소리, crackle, rale) ; 폐포 및 소기도가 열리면서 나는 소리로
  폐포가 액체로 차일 때, 간질 섬유화(e.g., ILD), microatelectasis 등 때 들림
  - 흡기 초기 (coarse) ; 심한 심부전, COPD, bronchiectasis
  - 흡기 말기 (대부분 fine) ; 폐실질/간질의 질환과 관련 (e.g., 폐렴, ILD)
    - c.f.) 폐렴(alveolar fluid)은 wet crackle, 간질 섬유화(ILD)는 dry crackle이라고도 부름
      - egophony도 들리면 폐렴
  - 흡기 말기 수포음은 정상인에서도 들릴 수 있으나, 체위를 바꾸면 소실됨
  - ILD에서는 흡기말기의 velcro rale (fine crackle, crepitation)이 특징적
- 천명음(wheezing) ; 좁아진 기도를 공기가 흐르면서 생기는 연속적인 소리('삑' 또는 '휘~')
  - 흡기시 기도 내강이 넓어지므로, 대부분의 천명음은 호기시 뚜렷함
  - (a) 단조성 천명 ; 호흡에 따라 기도의 내강이 변하지 않을 때 발생,
    대부분 국소적 & 지속적 / 기침 후에도 변하지 않는 "localized fixed wheezing"
    ⇨ 원인 ; 기관지암, 기관지협착(e.g., 기관지결핵), 이물 흡인
  - (b) 복조성 천명 (훨씬 흔함) ; 기도 내강이 전반적으로 좁아져 있거나, 좁아진 정도가 균등하지
    않을 때 발생
    ⇨ 원인 ; 천식, COPD, bronchospasm ...
- 건성 수포음(삑삑거림, rhonchi) ; 천명음 중에서 진동음으로 들리는 것 (low-pitched wheezing)
  ⇨ 원인 ; 주기관지내 종양, 기관지내 분비물 진동 (기침하거나 suction 이후 사라질 수)
- 흉막 마찰음(pleural friction rub) ; inflamed pleural surfaces가 서로 마찰되며 나는 소리로,
  흡기와 호기시에 모두 들림 (기침에 의해 변하지 않음)
- 협착음(그렁거림, stridor) ; 상부기도 폐쇄시 천명음이 흡기시에 오히려 크게 들리는 것
  ⇨ 원인 ; 소아에서 laryngomalacia, croup, epiglottitis 등
    성인에서 성대마비, larynx tumor, laryngitis 등

■ 대표적 호흡기 질환에서의 흉부 진찰 소견 ★

질환	종격동	타진음	성음진탕	성음청진	호흡음	부잡음
경화(폐렴)	중앙	비교적 탁음	증가	증가 (기관지성)	기관지호흡음	수포음
흉수저류	반대측 편위	탁음	감소	감소	감소	없음 or friction rub
기흉	반대측 편위	고음. 과공명음	감소	감소	감소	없음
무기폐(atelectasis) : 기도 폐쇄시	동측 편위	비교적 탁음	감소/소실	감소/소실	감소/소실	없음
과팽창(폐기종)	중앙	과공명음	정상/감소	정상/감소	감소	없음/천명음
천식	중앙	공명음	정상	정상	폐포음	천명음
ILD	중앙	공명음	정상	정상	폐포음	수포음

기침 (cough)

1. 기전

- deep inspiration → glottis 폐쇄 → 근육수축 → intrathoracic & intraairway pr. ↑
  → glottis 개방 → airway와 대기압간의 큰 압력차, tracheal narrowing으로 인해
  음속에 가까운 flow rate 발생 → 기도의 mucus & foreign materials 제거
- 기침 장애(impaired cough)의 원인
  ① 호흡근(e.g., abdominal, intercostal)의 근력 약화
  ② chest wall deformity
  ③ glottis 폐쇄 장애 or tracheostomy, endotracheal intubation
  ④ 기관연화(tracheomalacia)
  ⑤ 기도 분비 과다(e.g., cystic fibrosis에 의한 bronchiectasis)
  ⑥ 중심성 호흡 저하(e.g., 마취, 진정, 혼수)

2. 임상소견에 의한 감별진단

- 가래를 동반한 기침 (productive cough) : 기관지염, 기관지 확장증, 폐농양 ...
- 쉿소리 기침 : 기관염, 습관성 기침
- 개가 짖는 듯한 기침 : 후두 질환 (e.g., croup)
- 발작성 기침 : 백일해, 이물 흡인
- 스타카토양 기침 : *Chlamydia* 폐렴
- 야간 기침 : 부비동염, 천식, CHF
- 아침에 일어날 때 심한 기침 : 기관지 확장증, 만성 기관지염
- 수면시 소실되는 기침 : 습관성 기침, 경증의 과민성 기도 반응
- 가슴이 답답하고 쌕쌕 소리남, 운동 유발성 기침 : 천식
- 식사와 관계있는 기침 : GERD, tracheoesophageal fistula, 식도 계실
- 체위변화로 유발되는 기침 : lung abscess, bronchiectasis

3. 급성 기침(acute cough)

- 정의 : 지속기간 3주 미만의 기침
- 원인 - 우선 Life-threatening vs Non-life-threatening인지를 감별
  (1) life-threatening ; 심한 폐렴, 천식/COPD의 급성악화, 폐색전증, 심부전, 흡인 ...
  (2) non-life-threatening
      ① 감염 ; 감기(m/c), 부비동염, 백일해, 경미한 폐렴 ...
      ② 기저질환의 악화 ; 천식, COPD, 기관지확장증, 후비루증후군(상기도기침증후군, UACS) ...
      ③ 환경/직업성 allergen or irritant (chemical, smoke)에 노출
          (→ 원인을 모르고 계속 노출되면 subacute cough도 가능)

4. 아급성 기침(subacute cough)

- 정의 : 3~8주간 지속되는 기침
- 원인 – 우선 Postinfectious vs Non-postinfectious를 감별
  - (1) postinfectious cough
    - ① 기관기관지염(e.g., 백일해), 폐렴, post-viral tussive syndrome ...
    - ② UACS, 천식, 기관지염, GERD 등이 새로 발생 or 악화
  - (2) non-postinfectious → chronic cough와 동일하게 W/U

5. 만성 기침(chronic cough)

- 정의 : <u>8주</u> 이상 지속되는 기침
- 원인이 매우 다양, 여러 가지 원인이 동시에 있는 경우가 흔함(40%)
- <u>흡연자는 우선 담배를 끊고 F/U (→ 대부분 4주 이내 회복됨)</u>
- 원인 (CXR 정상인 비흡연자에서)
  - ① <u>상기도기침증후군(upper airway cough syndrome, UACS)</u> … m/c (41%)
    - = <u>후비루증후군(postnasal drip/drainage [PND] syndrome)</u>, Rhinosinusitis
    - – 원인 ; 비염, 비인후염, 부비동염 ... (감염, 알레르기, 혈관운동성 비염 등)
    - – 기전 ; 후두인두(hypopharynx)의 cough-reflex pathway sensory receptors 자극 or
      배출되는 분비물이 trachea로 aspiration
    - – 특이 소견은 없고, 다음 소견들이 단서가 됨 ; post-nasal drip, 헛기침(throat clearing),
      재채기(sneezing), 콧물, 비강내 분비물, post. pharyneal wall이 조약돌(cobblestone) 모양 ...
    - – 진단 및 경험적 치료 ; oral 1세대 antihistamine or antihistamine-decongestant (A/D)
    - – 치료 ┌ allergic rhinitis → intranasal steroid
              └ nonallergic UACS → oral A/D, intranasal steroid, ipratropium bromide 등
  - ② <u>기관지 천식</u> : 24%
    - – cough-variant asthma : 다른 증상 없이 기침만 있는 천식, 소아에 흔함
    - – 유발인자와의 관련성, PEF의 변동성/기관지확장제에 반응, methacholine 유발검사 등 양성
  - ③ <u>위식도역류질환(GERD)</u> : 21% → 소화기내과 참조
  - ④ 비천식성 <u>호산구 기관지염(nonasthmatic eosinophilic bronchitis, NAEB)</u> : 5%
    - – 아토피나 천식의 과거력, 가역적 기도폐쇄, 기도과민성 등이 없이 만성 기침이 나타남
    - – 진단 ; 유도객담(induced sputum)검사에서 eosinophils↑(≥3%), mast cells↑
      (확진은 bronchial musosal biopsy로 가능하지만 대개는 필요 없음)
    - – 치료 ; inhaled steroid에 반응 좋음(대부분 4주 이내 호전) → therapeutic trial도 가능
  - ⑤ <u>ACEi</u> : 2%
    - – ACEi 복용자의 5~30%에서 발생, 용량과 관련 없음!, 대부분 ARB로 대체하면 호전됨
    - – bradykinin 축적에 의한 감각신경 감작 때문 (e.g., neurokinin-2 receptor gene의 다형성)
  - ⑥ mild ILD, bronchiectasis, carcinoid tumor, 폐암, 만성 감염, NTM 등을 CXR에서 놓친 경우
- 흡연자에서는 COPD (m/c), 폐암 등이 흔한 원인
- 진단적 검사 ; <u>sinus X-ray (PNS view)</u>, CBC (eosinophil count), serum IgE, skin test, PFT,
  <u>methacholine 기관지유발검사</u>, <u>24hr pH monitoring</u>, sputum eosinophil, HRCT, bronchoscopy

6. 진해제(antitussive agents)

- 중추작용 진해제
  - 마약성 ; codeine, hydrocodone, morphine … 남용의 우려가 있으므로 2차적으로 고려
  - 비마약성 ; <u>dextromethorphan</u> (m/c), 1세대 antihistamines (e.g., dexbrompheniramine, diphenhydramine) [c.f., benproperine과 ziperol은 여러 부작용으로 잘 사용 안됨]
  - GABA analogs (gabapentin, pregabalin) ; 항경련제지만 진해 효과가 있어 3차적으로 고려 가능
- 말초작용 진해제 ; levodropropizine (m/c), benzonatate, guaifenesin (+거담작용), moguisteine
- 기타 ; amitriptyline, baclofen, inhaled steroid, ipratropium bromide, macrolide antibiotics

■ 객담/가래 (sputum)

1. 객담이 증가하는 경우

- COPD (특히 bronchitis), 기관지확장증, 폐농양, 폐부종, 결핵, 폐렴, 폐암, bronchopleural fistula
- 정상적으로 하루 10~40 mL (~100 mL까지)의 객담은 분비되나, 보통 무의식적으로 삼키므로 느끼지 못함

2. 객담의 성상에 따른 원인 추정

- 악취 ; 혐기성 세균 감염 (폐농양, 괴사성 폐렴) / 생선비린내 ; 기생충 감염
- 거품이 많고 양이 풍부 ; bronchoalveolar cell ca. / 거품이 분홍색 ; 폐부종(CHF)
- 녹슨 쇠 색깔 ; pneumococcal 폐렴
- 점도가 높고 피가 섞인 (current jelly) ; *Klebsiella* 폐렴
- 많은 양의 화농성 ; 기관지확장증, 폐농양, 기관지염

■ 객혈 (hemoptysis)

1. 원인

- <u>bronchitis, bronchogenic carcinoma</u>, bronchiectasis, 결핵 등이 m/c 원인
  - ↳ 대개 mild~moderate bleeding
  - (c.f., miliary TB, metastatic lung cancer에서는 드묾)
- viral or pneumococcal pneumonia에서도 발생할 수 있으나, 보통 소량이고 만약 발생해도 다른 심한 기저질환의 존재가 더 의심됨
- 기관기관지(tracheobronchial tree)가 m/c 출혈 부위
- <u>bronchial artery</u>가 주된 원인 혈관 (∵ 대부분 흉부 대동맥에서 기시 → high-pressure)
  - → pulmonary angiography는 도움이 안 되고, bronchial artery angiography를 시행해야 도움
- 모든 검사에도 불구하고 약 30%는 원인을 찾지 못함 (idiopathic hemoptysis)

Ⅰ 기도(기관기관지)의 원인 (m/c)
　종양 ; bronchogenic carcinoma, endobronchial metastatic tumor,
　　bronchial carcinoid
　기관지염(bronchitis) → 소량의 blood-tinged sputum
　기관지확장증, 기관석, 기도손상, Foreign body
② 폐실질의 원인
　결핵, 폐렴, 폐농양, Mycetoma ("fungus ball"), *Paragonimus westermani*
　Nectotizing pneumonia, Idiopathic pulmonary hemosiderosis
　Goodpasture's syndrome (anti-GBM dz.), Wegener's granulomatosis,
　Lupus pneumonitis, Behçet's disease, Primary APS
③ 혈관성 질환
　Pulmonary arteriovenous malformation (PAVM)
　Pulmonary embolism, Pulmonary veno-occlusive disease
　Pulmonary venous pressure 상승 (특히 mitral stenosis), HF, Tricuspid endocarditis
④ 기타
　Pulmonary endometriosis (catamenial hemoptysis)
　전신적 응고/지혈장애(e.g., DIC, ITP, TTP/HUS, vWD) or 항응고제의 사용
　상기도 (비인두) 출혈, 위장관 출혈 (→ dark red, acidic pH)

2. 진단

(1) Hx. & P/Ex
(2) chest X-ray
　① 정상 ┬ bronchitis 의심 소견 → 경과 관찰
　　　　　├ bronchitis 의심 소견 없으면 → bronchoscopy and/or HRCT 고려
　　　　　└ cancer 의심 소견(e.g., 고령, 흡연) → bronchoscopy & HRCT
　② mass → bronchoscopy & HRCT
　③ parenchymal lesion → HRCT
(3) bronchoscopy : 출혈 부위 및 원인 파악에 가장 먼저 시행하는 검사
　┬ rigid : 대량 객혈시 유리 (but, 전신 마취 필요)
　└ flexible : 기도 하부까지 접근 가능
(4) angiography : bronchoscopy에서 (-)이고 출혈 지속시 권장 (∵ embolization 치료 가능)
(5) HRCT : 대량 객혈시에는 사용하기 어려움, bronchoscopy에서 (-)이고 지혈된 환자에서 권장

객혈과 토혈의 감별점 ★

		객혈(hemoptysis)	토혈(hematemesis)
전구증상		목구멍의 통증, 기침의 욕구	오심, 위 불쾌감
발생		기침에 의함	구토에 의함
객출물의 성질	색깔	대개 선홍색	전반적인 암갈색
	거품	(+)	(-)
	pH	알칼리성	산성
	내용	백혈구, 적혈구, hemosiderin (+), macrophage	음식물 찌꺼기
대변		정상	Melena, stool OB (+)

3. 대량 객혈 (massive hemoptysis)

(1) 정의

- 혈역학적 불안정을 초래하거나 호흡을 어렵게 하는 정도의 양의 객혈, 내과적 응급
- 기준 : <u>100~600 mL/day</u> 이상 (c.f., 일반적으로 ≥500 mL/day or ≥100 mL/hr)

(2) 원인

- 흔한 원인 ; <u>폐결핵(m/c)</u>, <u>기관지확장증</u>, 폐농양, 폐암, fungal ball (aspergillosis)
- 기타 ; Rasmussen aneurysm, cystic fibrosis, bronchial adenoma, lung contusion, mitral stenosis, pul. infarction, AV malformation, CHD, leptospirosis, paragonimiasis ...

(3) 치료

- 보존적 요법
  - airway protection (intubation)과 환기 및 순환의 유지가 가장 우선
  - lateral decubitus position : 출혈 부위가 <u>아래로</u> 향하도록 (∵ 정상 폐로 흡인 방지)
  - antitussive : codeine, morphine
- rigid bronchoscopy ; 기관지세척(N/S), 레이저, 전기소작, 풍선봉쇄 등
- angiography & embolization (성공률 >85%) : 양측성/다발성 출혈, 수술 어려운 경우에 효과적
- 수술(폐절제술) : 모든 치료에 반응이 없거나, 비수술적 치료로 안정된 후 완치를 위해 선택적으로 실시

호흡곤란 (dyspnea)

- 호흡곤란시 기본적인 진단적 검사
  (1) plain CXR → COPD, fibrosis, CHF, pul. HTN, neoplasms 등
  (2) 폐기능검사(PFT) → asthma, COPD, ILD, respiratory muscle weakness 등
  (3) 혈액검사
    - CBC → anemia, infection 등
    - ABGA, electrolytes, Cr → acidosis or alkalosis, 신부전 등
    - BNP → HF / 갑상선기능검사(TFT) → hyperthyroidism
  (4) 심장초음파 → 심실기능, 판막이상, 폐동맥압 (→ pul. HTN) 등 확인
  (5) CT → ILD, sarcoidosis, pul. embolism, neoplasms 등
- 추가적인 검사 ; cardiopulmonary exercise testing, cardiac catheterization, lung biopsy, psychiatric evaluation 등 고려
- 자세에 따른 호흡곤란의 형태
  - 기좌호흡(orthopnea) : 누우면(supine) 호흡곤란이 심해지고, 일어서거나 앉으면 감소됨
    예) 폐 울혈, 심장 질환, 양측 횡격막마비, AV malformation, 일부 COPD/asthma
  - 편평호흡(platypnea) : 기좌호흡과 반대로 일어서면 호흡곤란이 심해지고, 누우면 감소됨
    예) hepatopulmonary syndrome, 폐절제술, COPD (V/Q mismatch), hypovolemia

- 측위호흡(trepopnea) : 병변 쪽을 아래로 하여 측와위시(lateral decubitus position) 호흡곤란
  예) lung vascular shunting
  c.f.) 폐의 관류(blood perfusion)는 아래쪽(dependent) 폐로 증가됨
    → 환기(ventilation)도 dependent 쪽으로 잘 되어야 호흡에 유리함

진단을 위한 검사

1. 단순 흉부X선 (plain chest X-ray, CXR)

(1) 음영의 증가

① 경화(consolidation)
- 폐포 안이 공기 대신 다른 물질(e.g., 액체, 세포)로 충만된 것으로 폐포성 폐질환의 영상 소견
- 원인 ; 폐렴, 삼출성 폐결핵, 폐농양, 폐출혈 (외상, 항응고제, 경색)
- CXR 소견 ; 공기-기관지 조영(air-bronchogram), 불명확한 윤곽(fluffy margin),
  조기응결 (early coalescence), 분절성 혹은 대엽성 분포 (segmental or lobar distribution),
  급성변화 (rapid timing), 폐포성 결절 (alveolar nodule) ...

② 고립 국한된 음영 결절(nodule <3 cm) or 종괴(mass ≥3 cm)
  ; 종양, 국소감염(세균성 농양, 결핵, 진균), Wegener's granulomatosis, rheumatoid nodule,
  혈관기형, 기관지낭종, 기도 이물 ...

③ 국소 혼탁(침윤, infiltrate)
  ; 폐렴, 종양, 방사선폐렴, 폐경색, COP (BOOP), bronchocentric granulomatosis

④ 미만성(diffuse) 음영 증가
  (a) 간질성(interstitial) ; IPF, 전신질환과 관련된 폐섬유화, 유육종증, 약물에 의한 폐질환, 진폐증,
    과민성 폐렴, 감염(e.g., *Pneumocystis*, virus), eosinophilic granuloma
  (b) 폐포성(alveolar) ; 심인성 폐부종, ARDS, 폐포출혈, 감염(e.g., *Pneumocystis*, 폐렴), 유육종증
  (c) 결절성(nodular) ; 전이성 종양, 감염의 혈행성 전이(e.g., miliary TB), 진폐증,
    eosinophilic granuloma
  (d) 침윤성(infiltrative) ; 세균성 폐렴, 다발성 폐색전증, 규폐증(silicosis), Goodpasture's synd.

⑤ 간질성 음영 증가
- 소엽간중격비후(interlobular septal thickening)
  ┌ Kerley's B line : 폐 주변부에서 흉막과 직각으로 주행하는 1~2 cm의 짧은 가는 선
  └ Kerley's A line : 폐문을 향하는 2~6 cm의 비스듬한 선
- 원인 ; 폐부종, 림프관성 전이, 유육종증 ...

(2) 음영의 감소 (radiolucency 증가)

① 국소적 ; cyst, bulla, bronchial tumor, foreign body ...
② 전반적 ; COPD (emphysema), asthma, brochiolitis ...

(3) Silhouette sign

- 같은 음영의 두 구조물이 인접해 있으면 사이의 경계가 소실되는 것

• 폐 병변 (e.g., 폐렴)의 위치 파악에 도움

Silhouette 구조물	폐 병변의 위치
심장의 우상 경계면, 상행 대동맥	RUL의 ant. segment
심장의 우측 경계면	RML (medial)
심장의 좌상 경계면	LUL의 ant. segment
심장의 좌측 경계면	Lingula (ant.)
대동맥 융기	LUL의 apex (post.)
앞쪽 횡격막	Lower lobes (ant.)

(4) 무기폐(atelectasis) ≒ 폐허탈(collapse)

• 폐 일부 or 전체의 공기 감소 (대개 폐 부피 감소를 동반함), CXR에서 음영 증가
• obstruction/resorption atelectasis (m/c) ; mucus plug, asthma, COPD, bronchiectasis, TB, 종양
• compression/passive atelectasis ; 흉강이 공기나 삼출물 등으로 찰 경우(e.g., 기흉, 흉막삼출)
• adhesive atelectasis ; surfactant 감소로(e.g., ARDS, pul. embolism, hyaline membrane dz.)
• cicatrization/contraction atelectasis ; 반흔/섬유화에 의한 무기폐(e.g., granulomatous dz., necrotising pneumonia, radiation fibrosis)

(5) 정상 소견을 보일 수 있는 질환들

; solitary lesions (<6 mm ø), acute thromboembolism, early interstitial pneumonia, granulomatous dz. (e.g., miliary TB), interstitial dz. (e.g., scleroderma, SLE), bronchitis, bronchiectasis, emphysema (mild~moderate), 부분 기도폐색만 동반한 endobronchial mass

2. 전산화 단층촬영 (CT)

(1) 고해상도 CT (HRCT, high-resolution CT)

• 1~2 mm의 절편 두께로 촬영 (일반 CT는 대개 7~10 mm 두께)
• 폐실질 및 기도를 미세하게 관찰하는데 유용
• 제2 소엽(secondary pul. lobule)까지의 병변을 파악 가능
  (e.g., bronchiectasis, emphysema, diffuse parenchymal dz., ILD 등)
• 작은 결절은 놓칠 수 있으므로, 종양의 screening 목적으로는 이용 안함

(2) 나선형 CT (helical/spiral CT)

• 스캔하는 동안 환자 테이블을 연속적으로 움직이면서 영상을 얻는 방법
  (일반 CT와 같은 평면 데이터가 아닌 연속된 volume 데이터임)
• 환자가 숨을 한번 참는 동안 폐 전체를 검사 가능 (→ 검사 시간 단축)
• 3차원 영상 구성이 가능 → 기도협착, 혈관질환(e.g., 폐색전증) 진단에 유용
* MDCT (multi-detector CT) : 스캔 시간 더욱 단축 (더 세밀한 촬영 가능)
  - 매우 우수한 3차원 영상을 얻을 수 있음 (e.g., virtual bronchoscopy)
  - CT angiography, 심장 검사 등에도 유용
* LDCT (low-dose spiral CT) : 폐암(폐결절)의 screening에 유용 (sensitivity↑)
  - 장점 ; 방사선 노출량이 적음 / 단점 ; 위양성

(3) 조영증강(CE, contrast enhancement)
- 혈류가 많은 조직을 혈류가 적은 조직으로부터 구분하기 위해 시행
- 이용 : 폐결절의 악성/양성 감별, 대동맥/폐동맥 질환의 진단 (e.g., aortic dissection, PE)

3. 자기공명영상 (MRI)
- 폐실질 질환의 발견에는 CT보다 해상도 떨어짐
- 조직 종류에 따라 음영 차이를 보임 (CT는 밀도에 따라) → lung apex, mediastinum, spine, thoracoabdominal junction 주변의 병변 관찰에 유리, 조영 없이 혈관과 비혈관 조직을 구별 가능

4. 양전자방출단층촬영 (PET)
- ^{18}F-fluoro-2-deoxyglucose (FDG)가 대사가 활발한 악성세포에 의해 섭취된 뒤 방출하는 양전자를 검출하여 영상을 얻는 검사법
- 이용 ; 고립성 폐결절(SPN)의 악성/양성 감별, 폐암의 병기 결정 (N 병기 결정에 CT보다 유용), 치료 후 반응의 평가
- SPN의 진단 민감도 95%, 특이도 80% (but, 결핵성 육아종도 양성)

5. 기관지내시경 (bronchoscopy)

(1) 종류
① flexible bronchoscopy (대부분)
- 조작 및 사용이 간편, 얕은진정/국소마취 하에 신속한 검사 가능
- <u>subsegmental bronchi</u>까지의 거의 모든 기도를 관찰 가능

② rigid bronchoscopy
- 장점 : 큰 통로를 통해 대량의 suction or 환자의 ventilation 가능
- 단점 ┌ 수술실에서 전신마취 하에 시행
      │ segmental bronchus 이하 부위는 관찰하기 어려움
      └ 인공호흡기 사용 환자, 두개/척추 손상 환자에서는 시행 곤란
- 이용 ┌ trachea나 main stem bronchus tumors의 biopsy
      │ 대량 출혈 또는 분비물의 suction
      └ 기도 폐쇄의 치료 (e.g., 이물, 종양, 혈전, broncholiths)
         → laser therapy, cryotherapy, electrocautery, stent placement ...

(2) 적응증
: 거의 모든 호흡기질환에서 적용이 가능 (→ 주로 기관/기관지내 병변을 확인하기 위해 시행)
① 객혈(hemoptysis), 만성기침 등의 증상
② 천명음(wheezing)
- 국소적인 천명 (localized wheezing)
- 지속적인 치료에도 반응이 없는 천식
- CXR 이상 소견이 동반된 천식

③ 원인을 모르는 비정상 CXR 소견

덩어리성 병변	한쪽 폐의 과팽창/음영저하
재발하거나 지속되는 폐침윤	종격동/폐문부의 이상
지속적인 폐허탈/무기폐(atelectasis)	기관 주위의 림프절 종대/덩어리

④ 지속적인 기흉, 기관지-흉막루, 흉수, 기관/기관지 화상, 흉부 외상

⑤ 횡격막 마비 (∵ 기도의 종양, 전이성 폐문 림프절 종대)

⑥ 감염성 폐질환
- 적절한 치료에도 불구하고 계속 진행 or 면역저하자
- 미생물 검사를 위한 sampling 가능

⑦ 미만성 폐실질 질환
- open lung biopsy 전에 TBLB, BAL 등을 시행
- TB (e.g., 기관지 결핵), sarcoidosis, alveolar proteinosis, histiocytosis, 종양의 림프관 전이 등 진단 가능한 원인을 R/O

⑧ 종양 : 폐암의 진단(biopsy, cytology) 및 병기 판정

(3) 진단수기

- 전처치 ; 진정제/항불안제(e.g., midazolam), 국소마취제(lidocaine)
  - atropine (주로 rigid bronchoscopy 때 사용) : 분비물↓, 서맥 방지
  - 국소마취제 : 세균 배양을 억제하고 cytology 검사에도 영향을 미칠 수 있으므로 가급적 소량을 사용해야 됨
- sample 얻는 법 ; washing, brushing, biopsy, cryobiopsy
- 기관지폐포 세척술(bronchoalveolar lavage, BAL) : 감염(특히 P. jiroveci), 호산구성 폐렴, diffuse alveolar hemorrhage, pulmonary alveolar proteinosis, sarcoidosis 등의 진단에 유용
- 경기관지 폐생검(transbronchial lung biopsy, TBLB, TBB) : 폐암, 속립성 결핵, 진폐증, 과민성 폐렴, 간질성폐질환, P. jiroveci 폐렴 등의 진단에 이용
- transbronchial lung cryobiopsy (TBLC) : 출혈이 적어 TBLB보다 큰 조직을 얻을 수 있음
- 경기관지 침흡인술(transbronchial needle aspiration, TBNA) : 종양 진단, 병기 결정 (LN 흡인)
- fluorescence bronchoscopy (autofluorescence bronchoscopy, AFB) : 전암성 병변 or 조기 폐암 발견에 유용, 정상 점막보다 어두운 적색/갈색(bright red or brown color)으로 나타남
- endobronchial ultrasound (EBUS) : 기관지 주변, 종격동 병변(e.g., LN) 파악/biopsy에 유리

(4) 합병증

① 국소마취와 관련된 합병증 (lidocaine → 심혈관계 및 중추신경계 독성)

② 저산소증 : 굵은 flexible bronchoscopy 사용, BAL 등 때 발생 증가
   (보통 PO_2 10 mmHg 정도는 일시적으로 감소됨)

③ 기관지 수축

④ 부정맥 (주로 저산소증 때문)

⑤ 발열 및 감염

⑥ 기흉 (TBLB 후 1.5~5%에서 발생)

⑦ 출혈(hemoptysis)

6. Video-assisted thoracic surgery (VATS), thoracoscopy

- 흉벽을 작게 절개하고 흉강경(thoracoscopy)을 삽입, 진단/치료에 이용하는 것
- 장점 ; 수술후 통증/폐기능장애 감소, 입원기간 단축, 미용상 우수
  → 개흉술(e.g., open lung biopsy)을 대부분 대체
- 합병증 ; 폐혈관 손상(출혈), 반대측 폐의 기흉, 부정맥, 심근허혈 ...

VATS의 적응증	
진단적 목적	**치료적 목적**
1. 흉막 질환 (e.g., 흉막삼출, 흉막결핵, 중피종)	1. 흉막유착술 (e.g., 악성흉막삼출)
2. 미만성 폐질환 (e.g., ILD)	2. Recurrent spontaneous pneumothorax
3. 고립성폐결절(SPN) : needle biopsy	: bullectomy
4. 악성 종양의 병기 결정	3. 폐결절 절제, 폐암의 폐엽절제술(lobectomy)
5. 종격동 종양	4. 종격동 종양 절제술
6. 심낭 질환	5. 다한증 수술
	6. 식도 질환의 수술 (e.g., achalasia, myoma)

폐이식 (lung transplantation)

1. 적응증 및 금기

1. Idiopathic pulmonary fibrosis (m/c, ~30%, 우리나라는 약 50%)
2. COPD (과거에 m/c, ~27%)
3. Cystic fibrosis (~15%)
4. α_1-antitrypsin deficiency emphyema
5. Idiopathic PAH
6. Sarcoidosis
7. Bronchiectasis
8. Eisenmenger's syndrome (→ 심장-폐 이식)

c.f.) 생체 부분 폐이식도 일부 시도중
(CF 말기의 젊은이에서 공여자를
기대하기가 불가능 할 때)

- 모든 경우 한쪽 폐이식보다 양쪽 폐이식이 예후 좋다!
- CF와 bronchiectasis는 반드시 양쪽 폐이식

절대적 금기	상대적 금기
지난 2년 이내의 악성종양	65세 이상
(피부 squamous & basal cell tumors은 제외)	심각한/불안정한 임상 상태
치유 어려운 폐 이외 주요 장기 기능부전 (심장, 간, 신장 등)	심하게 제한된 functional status (재활이 어려운)
치유 불가능한 만성 감염 (HBV, HCV, HIV 등)	고도내성 or 고전염성 감염균
심한 흉벽/척추 변형	(e.g., Pseudomonas, Burkholderia, Aspergillus, NTM)
내과 치료의 순응도가 나빴던 환자	심한 비만(BMI >30) or cachexia
치료 불가능한 정신질환	인공호흡기에 의존하는 호흡부전 환자
흡연자, 약물 또는 알코올 중독/남용자 (지난 6개월 이내의)	심하거나 증상이 있는 osteoporosis
	기타 내과적 질환 ; DM, HTN, PUD, GER
	(→ 이식 전에 적절히 치료되어야)

수혜자 선택 지침 (listing for transplantation)	
lidiopathic pulmonary fibrosis (IPF)	6개월의 추적관찰 동안 FVC ≥10% or DL_{CO} >15% 감소 Pulmonary hypertension 6분보행검사 동안 SaO_2 <88% 6분보행검사 거리 <250 m or 6개월 동안 50 m 이상 감소 급성악화로 인한 입원
COPD	BODE index ≥7 FEV_1 <15~20% Moderate~severe pulmonary HTN 작년에 3회 이상의 급성악화 Acute hypercapnic respiratory failure를 동반한 급성악화 병력
Cystic fibrosis, Bronchiectasis	Chronic hypoxemic or hypercapnic respiratory failure Pulmonary hypertension, 폐기능의 급격한 감소 장기간의 noninvasive ventilation 필요, 잦은 입원 WHO functional class IV
Idiopathic pulmonary arterial HTN (PAH)	NYHA functional class III or IV (prostanoid 등의 치료에도 불구하고) Cardiac index <2 L/min/m^2 or RA pressure >15 mmHg 6분보행검사 거리 <350 m Progressive Rt.HF or 심한 pericardial effusion or hemoptysis

2. 경과

- 평균 생존기간 ; IPF 4.7년, COPD 5.5년, iPAH 5.7년, sarcoidosis 6.1년, CF 8.6년 등
- 주요 사망원인
  - ~30일 ; graft failure (~24%), 감염(~19%), 심혈관질환(~11%), 기술적문제(~11%)
  - 이후 첫 1년 ; 감염(~37%), graft failure (~17%)
  - 1년 이후 ; BOS 등의 late graft failure (~40-45%), 감염(~16-20%)

3. 면역억제치료

- induction therapy
  - IL-2 receptor (IL-2R, CD25) antagonists (e.g., basiliximab)이 m/c 사용됨
  - 기타 ; anti-T & B cell Ab (e.g., alemtuzumab), anti-thymocyte globulin
- maintenance therapy … 보통 3제 병합요법
  ① calcineurin inhibitors ; tacrolimus (권장), cyclosporine
  ② nucleotide blocking agents ; mycophenolate (권장), azathioprine
     → 부작용 발생 or rejection에 효과 없으면 rapamycin (mTOR) inhibitors
        (e.g., sirolimus, everolimus)
  ③ prednisone
  ⇨ 기회감염이 주요 합병증 → antimicrobial prophylaxis
    ┌ *Pneumocystis jirovecii* ; TMP-SMX (*S. pneumoniae, Listeria, Nocardia, Toxoplasma*에도 효과적)
    │ 세균 (주로 수술전후) ; ceftazidime, vancomycin 등
    │ 진균 ; inhaled amphotericin B, nystatin suspension, voriconazole 등
    └ CMV ; valganciclovir, ganciclovir / HSV ; acyclovir, valacyclovir, famciclovir

4. 이식후 합병증

(1) Primary graft dysfunction (PGD)

- 대개 이식 3일 이내에 발생하는 acute lung injury (diffuse pul. infiltrates & hypoxemia)
  (→ hyperacute rejection, 폐정맥 폐쇄, 폐부종, 폐렴 등과 감별해야 됨)

참고: PGD의 분류(grading)		
Grade	PaO$_2$/FiO$_2$	폐울혈의 영상 소견
0	>300	✕
1	>300	○
2	200~300	○
3	<200	○ ────→ 추후 CLAD 발생의 위험인자

- 치료 ; ALI에 대한 보존적 치료, 심하면 inhaled NO, inhaled epoprostenol, ECMO 등
- 경미한 경우엔 대부분 회복됨, 심한 경우 (grade 3) 사망률 40~60%

(2) Airway complication

- bronchial anastomotic stenosis ; m/c (10~15%), 이식 몇주~몇개월 뒤 발생, 기관지내시경으로
  치료 가능 (but, 재협착 흔함), 사망률은 낮음
- 기타 excessive granulation tissue, fibrotic stricture, bronchomalacia 등

(3) Infection

- 세균성 폐렴/기관지염 : 수술전후 m/c 합병증
- 바이러스 : 지역사회획득 호흡기바이러스(e.g., influenza, RSV 등)가 m/c ⋯ multiplex PCR
  - CMV는 valganciclovir의 예방적 투여/치료로 많이 줄었지만, 아직 CMV viremia, pneumonia,
    hepatitis, agastroenteritis/colitis 등이 종종 발생 → 대개 ganciclovir로 잘 치료됨
- 진균 : Aspergillus spp.가 가장 문제 (tracheobronchitis, invasive pulmonary, disseminated 등)

(4) Acute rejection

- hyperacute rejection : 이식 ~24시간 이내에 발생, 치명적
  - preformed donor-specific antibodies (DSA) 때문 (주로 HLA에 대한 Ab)
  - 이식전 Ab. screening 및 cross-matching (virtual or direct)으로 인해 매우 드물어졌음
- **acute cellular rejection (ACR)** : 이식 6~12개월에 호발, 초기의 m/c 거부반응 (~18%)
  - donor alloAg. (주로 MHC [HLA])에 대한 T lymphocytes 반응에 의해 발생
  - 진단 (TBLB) ; 세동맥/세기관지의 림프구 침윤이 특징 (CMV 폐렴과 임상양상이 비슷)
  - 치료 ; 단기간의 high-dose steroid, 면역억제치료 강화 → 반응 좋음
- acute humoral (Ab-mediated) rejection (AMR) : 이식 몇주~몇달 뒤 발생
  - DSA (주로 HLA Ab) 때문 : 이식전에 미량 존재하거나 이식후 생성됨 (~35~50%에서)
    ↳ acute AMR 뿐 아니라 ACR 및 CLAD (BOS) 발생과도 관련
  - 진단 ; acute allograft dysfunction, DSA(+), ALI의 조직소견, 폐포 모세혈관에 C4d 침착
  - 치료 ; plasmapheresis, IV Ig, rituximab, bortezomib, carfilzomib, eculizumab 등 고려
    (systemic steroid : ACR보다 효과 적지만 다른 치료와 병용 가능)
  - 예후 나쁨, 생존해도 추후 CLAD 발생 위험↑

(5) Chronic lung allograft dysfunction (CLAD)

- 원인이 뚜렷하지 않고, 면역/비면역 기전이 모두 관여하므로 rejection보다는 CLAD라고 부름
  → BOS와 RAS로 분류, 폐이식후 중장기 morbidity의 주요 원인 (장기 생존 여부에 m/i)
- 정의 : 폐기능 저하가 3주 이상 지속되고, graft dysfunction의 다른 원인들이 R/O된 경우
- bronchiolitis obliterans syndrome (BOS) ⋯ chronic rejection의 전형
  - 흔함(5년 뒤 48%, 10년 뒤 76% 발생), 조직검사로 확진되면 bronchiolitis obliterans (BO)
  - 위험인자 ; PGD, ACR, AMR, anti-HLA Ab, lymphocytic bronchiolitis, viral infection,
    colonization (*P. aeruginosa, Aspergillus* 등), GERD, autoimmunity, air pollution
  - 치료 (확립된 치료는 없음) ; 면역억제치료 변화/강화, long-term azithromycin,
    extracorporeal photophoresis, total lymphoid irradiation, ALG or ATG 등
  - 치료반응은 나쁨, 사망률 25~55%, 평균 3~4년 생존, 최후엔 재이식 고려
- restrictive allograft syndrome (RAS) = restrictive CLAD (rCLAD)
  - BOS보다 드물며, 때때로 BOS도 동반 가능
  - 치료는 steroid or BOS와 비슷하게, 예후는 BOS보다 나쁨 (평균 ~1.5년 생존)

	BOS	RAS
폐기능	Obstructive, FEV₁ <80%	Restrictive, TLC <90% or FVC & FEV₁ <80%
CXR, HRCT	Hyperinflation, air trapping, bronchiectasis	Fibrotic changes (infiltrates), 폐상엽에 호발
조직소견	Obliterative bronchiolitis (BO)	Parenchymal/pleural fibrosis ± BO

(6) 기타

- phrenic nerve injury (→ 횡격막 기능 이상) / vagal nerve injury (→ gastroparesis)
- 면역억제제의 부작용/독성과 관련된 것이 많음 ; HTN, 신부전, 고지혈증, DM, 악성종양 등

수술 관련 호흡기 위험도

수술 후 호흡기 합병증 발생의 위험인자

전반적인 건강상태 (American Society of Anesthesiologists [ASA]* Class >II)
울혈성 심부전
Serum albumin <3.5 g/L
고령(>60세)
COPD
기능적 의존
체중감소, 감각/신경 장애, 흡연, 음주

> 이전의 호흡기 감염 : 불확실
> 비만 : 흉부 수술에서는 위험 증가X
> (다른 여러 수술에서는 위험인자)

폐절제술의 spirometry 한계치 [폐 합병증↑]
FEV₁ <2 L or 60~70% predicted
MVV <50% predicted
PEF <100 L or 50% predicted
PaCO₂ ≥45 mmHg
PaO₂ ≤50 mmHg

*American Society of Anesthesiologists' (ASA) Clinical Classification	
ASA I	선택적 수술을 받는 건강한 환자
ASA II	일상생활에 영향을 미치지 않는, 단일 계통 또는 잘 조절되는 질병을 가진 환자
ASA III	일상생활을 제한하는, 다중 계통 또는 잘 조절된 주요 계통 질환을 가진 환자
ASA IV	조절되지 않거나 말기 단계 인 중증 무력 환자
ASA V	24시간 이내에 사망이 임박한 환자

수술 관련 호흡기 합병증 감소를 위한 조치	
수술 전	금연 (최소 수술 8주 이전 ~ 수술 후 10일) 교육/훈련 ; 심호흡운동(deep breathing exercises), 강화 폐활량계(incentive spirometry), 　　효과적인 기침 훈련 및 통증 조절 등 폐쇄성 폐질환에서 기도 기능 향상 (e.g., 기관지확장제, steroid, 흉부재활치료) 필요시 감염 및 분비물 조절, 체중 감량
수술 중	수술/마취 시간 최소화, 가능하면 장기지속형 근이완제는 피함 가능한 상복부나 흉곽의 절개 회피, 흡인 방지 및 적절한 기관지 확장 유지
수술 후	조기 활동 및 보행, 기침 격려 폐 확장 훈련 ; deep breathing exercises, incentive spirometry, CPAP 적절한 진통제 제공 (가능하면 마약성 진통제는 피함) 선택적인 nasogastric tube 사용, 혈전색전증 예방 조치

- 수술에 따른 폐기능 변화 ; 폐용적 감소, 횡격막 부전, 가스교환 장애, 호흡억제, 폐 방어기전 약화
- 수술 후 호흡기 합병증 ; atelectasis, 감염(bronchitis, pneumonia), 호흡 부전, 장기간 기계호흡,
  기존의 만성폐질환 악화, bronchospasm, pulmonary thromboembolism ...

흡연 (smoking)

흡연에 의해 발생위험이 증가되는 질환들	
악성종양 폐암(10~15배), 후두암(10배), 구강/하인두암 (4~5배), 식도암(2~5배), 췌장암(2~4배), 방광암, 신우암, 비강암, 부비동암, 비인두암, 간암, 위암, 신장암, 자궁경부암, 골수성백혈병 등 **심혈관질환** SCD, AMI, unstable angina, aortic aneurysm, 말초혈관질환 (e.g., Buerger's dz.) **뇌혈관질환** Ischemic stroke **폐질환** COPD, asthma, pneumonia, viral respiratory infection	**소화기질환** peptic ulcer, esophageal reflux **구강질환** oral cancer, leukoplakia, gingivitis, gingival recession, 치아 착색/변색 **임신 및 영아 관련 질환** 수태율 감소, 자연유산, 조산, abruptio placentae, PROM, 저체중아, 주산기 사망률 증가, 영아급사증후군, 영아호흡곤란증후군 **기타** 조기폐경, 골다공증, 백내장, 조기에 피부주름 발생, 약물의 대사/효과 변화

- 담배의 발암물질
  - 가장 위험한 물질 ; benzopyrene 등의 PAH (polycyclic aromatic hydrocarbons), nicotine-derived nitrosamine ketone (NNK) 등의 tabacco-specific nitrosoamines
  - 기타 ; 휘발성 및 비휘발성 nitrosoamine, aromatic amines, benzene, aldehydes, ethylene oxide, 1,3-butadiene, arsenic, 방사선물질(polonium-210, lead-210) ...
- 담배의 주요성분 및 유해작용
  ① 타르 : 대부분의 발암물질을 포함하며, 그 자체로도 독성이 있음
  ② 니코틴 : 습관성 중독 물질, 금단증상의 주 원인 (발암물질은 아님)
    - 뇌의 dopaminergic system의 활성화가 중요한 역할
    - 반감기는 약 2시간 (완전히 체외로 빠져나가는 데는 약 3일 걸림)
  ③ 일산화탄소(CO) : Hb과 결합하여 혈액의 산소운반 저해
- 흡연이 폐에 미치는 영향
  ① respiratory epithelial ciliary movement 장애
  ② alveolar macrophage의 기능 저하
  ③ mucus-secreting glands의 증식 및 비대
  ④ antiprotease 억제
  ⑤ PMN에서 proteolytic enzymes 분비
  ⑥ 기도 저항 증가 (∵ 평활근 수축)
- 흡연에 의한 폐기능의 변화
  - small airway obstruction (FEF$_{25-75\%}$↓) ··· 가장 초기의 변화
  - 연령에 따른 FEV$_1$ 감소 속도의 가속화
    - 비흡연자는 1년에 20~30 mL 씩 감소
    - 흡연자는 2~3배의 속도로 감소
    - 금연을 하면 감소 속도만 정상으로 회복 (감소 자체는 회복×)
- 흡연자의 BAL 소견
  - macrophages >95% (비흡연자의 5배 이상)
  - neutrophils 1~2% (비흡연자에서는 거의 발견 안 됨)
  - T lymphocytes (특히 CD8+) 증가
- 금연의 약물요법 (금연보조제)
  ① first-line therapy
    - 항우울제(e.g., bupropion)
    - nicotine replacement therapy ; varenicline ($\alpha_4\beta_2$ nicotinic acetylcholine receptor partial agonist, 가장 효과적), nicotine gum, patch, inhaler, nasal spray 등
    - bupropion과 varenicline 모두 자살 충동을 유발할 수 있으므로 주의 깊게 사용
  ② second-line therapy (first-line 실패시)
    ; clonidine, nortriptyline

* 저타르 담배 ; 기존보다 더 강하게 & 자주 피우게 되기 때문에 암 발생률이 감소하지는 않음
* 액상형 전자담배 ; 기존 담배보다 훨씬 덜 해롭고, 간접흡연의 문제도 거의 없음
* 궐련형 전자담배 ; 장기간 더 지켜봐야 하지만, 기존 담배와 비슷하게 해로울 것으로 추정됨

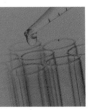

2
폐기능검사

PULMONARY FUNCTION TEST (PFT)

1. 폐활량측정법 (spirometry)

(1) 폐활량(vital capacity) 및 정적 폐용적(static lung volume)

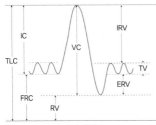

폐용적의 각 부분

┌─ TV (VT: tidal volume) : 평상(일회) 호흡량 (안정시 호흡주기 동안 들이쉬거나 내쉬는 공기량)
│ RV (residual volume) : 잔기량 (최대로 내쉰 후 폐에 남아있는 공기량)
│ IRV (inspiratory reserve volume) : 흡기 예비기량 (TV의 흡기말부터 최대한 마실 수 있는 공기량)
│ ERV (expiratory reserve volume) : 호기 예비기량 (TV의 호기말부터 최대한 내쉴 수 있는 공기량)
│ VC (vital capacity) : 폐활량(= ERV + IC) (= TLC − RV) (최대로 들이쉬고 내쉬는 공기량)
│ IC (inspiratory capacity) : 흡기용량(= IRV + VT) (FRC부터 최대한 들이마실 수 있는 공기량)
│ FRC (functional residual capacity) : 기능성 잔기용량(= RV + ERV)
└─ TLC (total lung capacity) : 총폐용량(= RV + VC or FRC + IC)

• <u>FRC</u> : chest wall의 compliance (늘어나려는 힘)와 lung의 elastic recoil (줄어들려는 힘)이
   같아서 평형을 이루는 상태의 lung volume = 정상(TV) 호기 말에 폐에 존재하는 공기량
• TLC, FRC, RV 등은 spirometry 만으로는 측정 불가능함!! (→ 폐용적 검사)

(2) 최대노력성 호기곡선 (maximal-effort expiratory spirogram)

: 최대로 숨을 들이마신 뒤 가능한 빠르고 세게 내쉬게 하여 얻은 곡선

- 초반부 25% : 환자의 노력에 많은 영향을 받음(e.g., 호흡근육, 호흡수)
- 후반부 75% : 환자의 노력과 관계없이 폐의 물리역학적 특성에 의해 결정
  (e.g., elastic recoil, airflow resistance, airway wall compliance)

① 노력성 폐활량 (forced vital capacity, FVC)
- restrictive lung dz.의 지표 (보통 80% 이상이 정상)
- air trapping index = (VC−FVC)/VC×100　(5% 이상이면 기도폐쇄)

② 1초간 노력성 호기량 (forced expiratory volume at 1 sec, FEV_1)
- obstructive lung dz.의 지표
- airflow obstruction의 진단에 sensitive & specific (재현성도 높음)

③ FEV_1/FVC (%)
- airway obstruction을 표시하는 지표
- 대략적인 기준치 (보통 약 70% 이상이면 정상, 연령이 증가하면 감소)

80%~	: normal
60%~80%	: mild obstruction
40%~60%	: moderate obstruction
~40%	: severe obstruction

④ 노력성 호기 중간 기류량 (forced mid-expiratory flow, $FEF_{25-75\%}$)
- 동의어 : maximal mid-expiratory flow rate (MMEFR)
- 노력성 호기량의 중간 50% 부분의 평균속도로, 환자의 노력과 가장 관계없는 부분
- 특히 폐쇄성 질환(small airway dz.)의 조기 진단에 가장 sensitive!
- 정상인에서도 많은 변이를 보이고 (specificity↓), 재현성도 떨어지므로 해석에 유의
  (e.g., 폐용적[TLC, VC]이 작은 사람은 비정상적으로 낮게 나옴)

⑤ 노력성 호기 조기 기류량 ($FEV_{200-1200}$)
- 동의어 : maximal expiratory flow rate (MEFR)
- 첫 200 ml부터 1200 ml까지의 1 ℓ를 불어내는 동안의 평균속도
- large airway의 기능을 반영

⑥ 최고 호기유속 (peak expiratory flow rate, PEFR, PEF)
- 곡선에서 가장 경사가 가파른 부분 (초반부), 환자의 노력에 많은 영향을 받음
  (→ 환자가 제대로 숨을 내쉬지 못하면 병변이 없더라도 비정상적으로 나타남)
- central large airway 폐쇄시 이상소견을 보임

c.f.) 폐기능검사의 predicted value : 다수의 정상인을 대상으로 시행한 폐기능검사 자료로 얻은
　　　regression curve로부터 도출된 공식에 해당 환자의 성별, 연령, 키를 대입하면 계산됨
　　　(검사 결과가 predicted value의 80~120%면 정상으로 평가함)

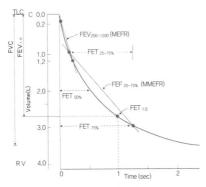

최대 노력성 호기곡선 상의 지표들

(3) 최대환기량(maximal voluntary ventilation, MVV)

- 환자가 자발적인 최대 노력으로 1분간 호흡할 수 있는 기량
  (실제로는 12~15초 최대 호흡을 한 뒤 1분간의 양으로 환산함)
- 호흡곤란의 정도와 상관관계가 있다
- 운동능력 및 수술전후의 평가에 이용 (muscle power를 평가한다)

* 분당환기량(minute ventilation) = RR × TV (V_T)

  TV (V_T) = minute ventilation / RR

(4) 사강(dead space)

$$Dead\ space = \frac{PaCO_2 - P_ECO_2}{PaCO_2} \times TV = TV \times (1 - \frac{P_ECO_2}{PaCO_2})$$

┌ P_aCO_2 : arterial CO_2 tension
│ P_ECO_2 : mean expired CO_2 tension
└ TV : tidal volume

- 정상인의 anatomical dead space 호흡량은 TV의 약 30%
  → 즉 1회 호흡량의 70%만 alveolar zone에 도달
  (예; TV이 500 mL이면 사강은 150 mL)
- physiologic dead space : 혈류가 흐르지 않는 폐포 공간
  - TV의 약 36% (예; TV이 500 mL이면 180 mL)

(5) PFT에 의한 환기장애의 분류

① 폐쇄성 환기장애 : **FEV$_1$/FVC** ↓ (<70*%) *젊은 연령에서는 75~80%까지도
  ⌈ FEV$_1$이 주로 감소 (FVC도 감소할 수 있으나 FEV$_1$의 감소 정도보다는 훨씬 덜함)
  ⌊ 호기시 air trapping으로 RV ↑ → RV/TLC ↑↑

② 제한성 환기장애 : FEV$_1$/FVC **정상 or ↑**
  ⌈ **FVC가 주로 감소** (<80%) … 폐용적(TLC$_{[확진]}$, VC) 감소가 hallmark
  ⌊ FEV$_1$은 폐활량의 감소에 따라 2차적으로 감소할 수 있으나, 비교적 정상을 유지

③ 혼합형 환기장애 (폐쇄성 + 제한성) : FEV$_1$/FVC <70% & FVC <80%
   (정확한 제한성 장애의 동반여부는 TLC 감소로 확인해야 됨)

Obstructive/Restrictive 환기장애의 PFT 소견 ★

Tests	Obstructive	Restrictive
Spirometry		
FVC (L)	N or ↓	↓ (<80%)
FEV$_1$ (L)	↓	N or ↓
FEV$_1$/FVC (%)	↓ (<70%)*	N or ↑
FEV$_{25-75\%}$ (L/s)	↓	N or ↓
PEFR (L/s)	↓	N or ↓
MVV (L/min)	↓	N or ↓
MIP (cmH$_2$O)	N	N**
Lung volumes		
VC (L)	N or ↓	↓
TLC (L)	N or ↑	↓
FRC (L)	↑	N or ↓
ERV (L)	N or ↓	N or ↓
RV (L)	↑	↓, N or ↑***
RV/TLC (air trapping)	↑↑	N or ↑
slope of phase III	↑	N or ↑

: 일반적으로 연령, 성, 키 등을 통한 예측 참고치의 80~120%를 정상으로 봄

* Mild obstructive (small airways) disease에서는 FEV$_1$/FVC는 비교적 정상, FEF$_{25-75\%}$ 감소
** MIP : neuromuscular weakness에서는 ↓, 나머지는 정상
*** RV : parenchymal dz.에서는 ↓, extraparenchymal dz.에서는 다양

PFT에 따른 폐질환의 분류 ★

Obstructive	Restrictive –Parenchymal	Restrictive –Extraparenchymal
Asthma (DL$_{CO}$ ↑)	Sarcoidosis	Neuromuscular dz.
COPD (chronic bronchitis,	Idiopathic pulmonary fibrosis	Diaphragmatic weakness/paralysis
emphysema)	Hypersensitivity	Myasthenia gravis
↳ DL$_{CO}$ ↓	pneumonitis	Guillain–Barr syndrome
Bronchiectasis	Pneumoconiosis	Muscular dystrophies
Cystic fibrosis	Drug or radiation	Cervical spine injury
Bronchiolitis	–induced ILD	Chest wall dz. ; Kyphoscoliosis, Obesity*,
	ARDS	Ankylosing spondylitis …
		Extrinsic compression ; Pleural effusion, Ascites

* Obesity : chest wall의 outward recoil만 감소, FRC & ERV ↓, TLC & RV 정상 (심한 비만 때는 감소할 수)

c.f.) kyphoscoliosis ; TLC↓, RV는 거의 일정
 - 80%가 원인 불명, Cobb angle로 severity 평가
 - Tx ; preventive/supportitve (수술해도 호전은 불확실)

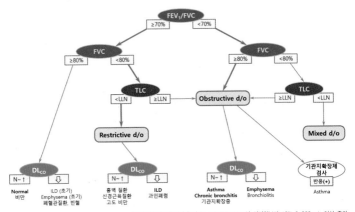

*기관지확장제 검사 (+) 기준 = FVC or FEV₁이 기저치보다 12% & 200 mL 이상 증가

2. 유량기량곡선 (flow-volume curve/loop)

: 최대 노력성 호기시 및 흡기시 유량과 기량의 변화를 동시에 측정하여 나타낸 곡선

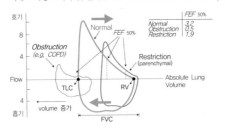

Normal, Obstruction, Restriction에서의 flow-volume curve ★

- FEF₅₀% : FVC 50%에서의 노력성 호기유량(forced expiratory flow)

┌ obstructive : 호기시 곡선이 오목, 최대호기유량(peak expiratory flow) 감소, FEF₅₀% 크게 감소
└ restrictive : 폐활량(FVC)이 주로 감소하고, 유량은 별로 감소하지 않기 때문에 키가 크고
　　　　　　 폭이 좁은 모양

A. MILD
obstruction

B. Severe
obstruction

C. Restriction

D. Obstruction
& restriction

E. Poor
cooperration

inspiratory plateau

F. Extrathoracic
obstruction
(variable)

expiratory plateau

G. Intrathoracic
obstruction
(variable)

H. Fixed intra or
extrathoracic
obstruction

sawtooth

I. Sleep apnes

shoulder

J. Normal variant

Variable extrathoracic
obstruction

Expiration

$P_{tr} > P_{atm}$

Inspiration

$P_{tr} < P_{atm}$

호기

0   TLC   RV

TLC   RV
inspiratory plateau

흡기

Variable intrathoracic
obstruction

Expiration

$P_{tr} < P_{atm}$

Inspiration

$P_{tr} > P_{atm}$

호기

expiratory plateau

0   TLC   RV

TLC   RV

흡기

(P_{atm}: atmospheric pressure, P_{pl}: Pleural pressure, P_{tr}: intratracheal pressure)

■ 상기도 폐쇄 (upper airway obstruction)
(1) 고정형 폐쇄 (fixed obstruction) : intra- or extrathoracic
- 압력 차이에 영향을 받지 않으므로 호기와 흡기시 모두 plateau 발생
- 예 ; tracheal stenosis (e.g., intubation, 기도 화상), (endo)tracheal neoplasms
(2) 가변형 흉곽외 폐쇄 (variable extrathoracic obstruction)
- 호기시에는 내경이 확장되어 유량에 이상이 없으나, 흡기시에는 대기압에 비해 상기도
압력이 낮아지기 때문에 상기도 내경이 좁아져서 inspiratory plateau가 발생
- 예 ; croup, laryngitis, tracheomalacia, laryngeal/tracheal trauma or tumor,
uni/bilateral vocal cord paralysis, vocal cord adhesions ...
(3) 가변형 흉곽내 폐쇄 (variable intrathoracic obstruction)
- 흡기시에는 흉곽내압(P_{pl})이 음압이 되어 기도폐쇄부위가 확장되어 유량에 이상이 없으나,
호기시에는 반대로 expiratory plateau가 발생
- 예 ; 기관 하부 or 주기관지의 국소 종양, tracheomalacia, COPD, bronchial asthma ...

3. 폐용적(lung volume)의 측정

- TLC, FRC, RV는 폐용적 측정법에 의해서만 측정 가능함 (간접적)
- 폐용적 예측의 관여인자 : 키(m/i), 나이, 성별, 몸무게, 체지방, 인종, 흡연력 등
- 임상 활용 ; 제한 환기장애 진단 (m/i), 폐쇄 환기장애에서 과다팽장(hyperinflation) 진단

(1) 체적변동기록법(body plethysmography) : m/c, 가장 정확, compliance도 구할 수 있음
(2) 불활성가스(inert gas) 방법 : 인체에 무해하며 신체에서 생산되거나 이용되지 않는 가스를 사용
  ① 질소 세척법(nitrogen washout)
  ② 헬륨 희석법(helium dilution)
  – 단점 : 환기가 잘 되지 않는 기도폐쇄(e.g., COPD), bleb, bullae 등이 존재하는 경우
    실제 폐용적보다 낮게 측정될 수 있음
(3) 면적측정법(planimetry)

4. 최대 흡기압/호기압

- 최대 흡기와 호기시에 구강에 연결된 마우스페스에서 압력을 측정한 것, 호흡근의 근력 평가
- 최대 흡기(구강)압 [maximal inspiratory (mouth) pressure, MIP/MIMP]
  : 평균 −100 cmH₂O (男), −70 cmH₂O (女)
- 최대 호기(구강)압 [maximal expiratory (mouth) pressure, MEP/MEMP]
  : 평균 +170 cmH₂O (男), +110 cmH₂O (女)
- 이용 ; 호흡근 약화, 원인 불명 폐활량 감소, 신경근육질환의 F/U, 기계환기의 weaning 예측 등

5. 기도저항 (airway resistance)

- 생리학적인 실제 기도저항치를 측정하는 것 (대개 체적변동기록법을 이용)
- R = ΔP (대기압 − alveolar pressure) / flow
- 말초 소기도를 주로 침범하는 COPD의 초기진단에는 예민하지 못하고, 심한 만성기관지염이나
  천식의 진단 및 경과 판단에 이용 가능
- 임상에서 폐쇄성 폐질환의 진단 및 severity 판단은 보통 노력성 호기유량곡선(spirometry)을 이용함

6. 폐 탄성/유순도 (lung compliance)

- 폐의 확장성(distensibility)을 표시하는 지표로 elastic property의 기능
- 정의 : transpulmonary pressure 변화에 따른 폐용적의 변화 ($\Delta V / \Delta P$)
  (↳ alveolar pr. − pleural pr. ≒ 구강압 − 식도내압)
- 정적폐탄성 (static lung compliance) : 호흡이 정지되었을 때 측정 [정상: 50~80 mL/cmH₂O]
  폐용적의 차이에 의한 변동을 없애기 위해 compliance/FRC로서 나타냄
  ┌ 증가 : emphysema ★
  └ 감소 : 폐 부종/울혈, atelectasis (ARDS), pneumonia, restrictive lung dz., surfactant 소실 ...

$$\text{Static lung compliance (mL/cmH}_2\text{O)} = \frac{\text{TV (tidal volume)}}{\text{inspiratory plateau pr.}}$$

• 동적폐탄성 (dynamic lung compliance)

$$\text{Dynamic lung compliance (mL/cmH}_2\text{O)} = \frac{\text{TV (tidal volume)}}{\text{peak inspiratory pr.} - \text{PEEP}}$$

- 흡기말과 호기말의 폐용적 차이(ΔV)를 transpulmonary pr. (ΔP)로 나눈 것
- frequency dependent lung compliance 또는 effective respiratory system compliance라고도 부름
- 정상인에서는 호흡 횟수를 증가시켜도 동일하게 유지되나,
  기도폐쇄가 있는 경우에는 호흡 횟수를 증가시킬수록 감소
- 감소하는 경우 ; airway obstruction, secretions, small-diameter endotracheal tube

■ Small airway 기능을 보는 검사

① maximal mid-expiratory flow rate (MMEFR, FEF$_{25-75\%}$)
② dynamic lung compliance (= frequency dependent compliance)
③ closing volume (single breath N_2 washout curve)
④ helium-oxygen flow volume curves (room air 호흡시와 비교)
  ; maximal expiratory flows ($\Delta \dot{V} E_{max,50\%}$), volume of isoflow ($V_{ISO}\dot{V}$)
⑤ forced oscillation technique (FOT), impulse oscillometry (IOS)

7. 폐쇄용적 (closing volume)

■ Single breath N_2 washout curve

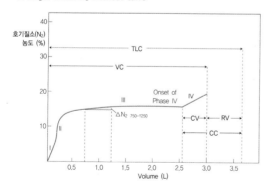

• RV까지 숨을 내쉰 다음, 100% O_2를 총폐용량까지 1번 흡입 후, 서서히 숨을 내쉬면서
  구강에서 N_2 농도를 측정하여 그래프를 그린 것
  ┌ 1단계 : 상기도(dead space) 내의 100% O_2만 나옴
  │ 2단계 : dead space + alveolar air (서서히 N_2 농도가 증가)
  │ 3단계 : 상부/하부 alveolar air가 동시에 배출되어 일정한 농도 유지 (plateau)
  └ 4단계 : 하부의 기도가 폐쇄 (∵ 하부 흉막강압이 상부보다 높음)

→ 상부에서만 N_2가 배출 (고농도의 N_2)

(∵ 평소에는 상부 폐를 이용하지 않으므로, 상부에서 ventilation이 상대적으로
적으므로, N_2가 덜 희석되어 높은 N_2 농도를 유지)

- closing volume (CV) : 기도폐쇄가 일어나는 폐용적 (4단계의 시작점)

  ┌ 정상인에서는 FRC 이하에서 나타나므로 평상 호흡시 아무 영향 없다
  └ small airway obstruction시 FRC 이상에서 나타남 (CV 증가)

- CV이 증가하는 경우 ; 폐기종, 기관지염, 세기관지염, 천식, 흡연, 노인, CHF
  → 평상 호흡시에도 하부기도의 폐쇄가 일어나 V/Q mismatch 초래

- 폐쇄용량(closing capacity) = (CV + RV) / TLC

- 불균등 환기(uneven ventilation) 부위가 존재하는 경우, 그 부위에는 O_2가 덜 들어가
  높은 N_2 농도를 유지 → 호기시 3단계 slope의 경사도 증가 (환기장애의 진단에 도움)

가스 교환의 장애

1. 정상 호흡기능을 유지하기 위한 조건

① 폐포(alveoli)까지 신선한 공기를 적절히 공급하는 것 (환기, ventilation)

② 적절한 혈액의 순환 (관류, perfusion)

③ 폐포와 모세혈관 사이에서 가스의 원활한 이동 (확산, diffusion)

④ 폐포 가스와 모세혈관 혈액 사이의 적절한 접촉 (ventilation-perfusion matching)

2. Oxyhemoglobin dissociation curve

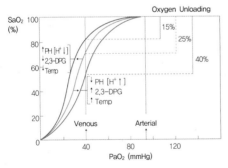

- SaO_2 90% ≒ PaO_2 60 mmHg

- 산소농도(O_2 content) = 1.34 × Hb × SaO_2 (%) + (0.0031 × PaO_2)

	Shift to	
	Left	Right
O_2 affinity ($\rightarrow SaO_2$)	증가	감소
조직에 O_2 delivery	감소	증가
온도(체온)	↓	↑
$[H^+]$	↓ (pH ↑)	↑ (pH ↓)
$PaCO_2$	↓	↑
2,3-DPG	↓	↑
기타	Abnormal Hb, CO 중독	빈혈, 저혈압, 고지대

- 2,3-DPG (diphosphoglycerate)
  - O_2보다 Hb에 대한 결합력 크다
  - 증가하면 → Hb의 산소친화도를 감소시켜 → O_2는 Hb에서 해리되어 조직으로 공급 ↑
- Bohr's effect : $PaCO_2$가 증가하면 (→ pH↓; $[H^+]$↑), H^+의 Hb에의 결합이 증가하고
  O_2는 Hb에서 해리되어, 곡선이 오른쪽으로 이동 (Shift to the right)
- Haldane effect : CO_2 해리곡선은 HbO_2가 많이 형성될수록 오른쪽으로 이동
  (∵ deoxy-Hb이 oxy-Hb보다 CO_2에 대한 affinity 크다)

c.f.) 혈액 내에서의 O_2, CO_2의 운반
  - O_2 ┌ 97% : Hb에 결합
        └ 3% : dissolved state
  - CO_2 ┌ 20~30% : Hb에 결합
         ├ 60~70% : HCO_3^- ion 형태로
         └ 7~10% : dissolved state

3. Pulse oxymetry

- cutaneous arterial blood에서 산소포화도(oxygen saturation, SaO_2)를 구함, noninvasive
- 원리 ; oxygenated Hb과 nonoxygenated Hb을 측정하여 oxygenated Hb % (SaO_2)를 계산
- 단점
  ① oxyhemoglobin dissociation curve의 영향
    - 60 mmHg 이상의 PaO_2에서는 PaO_2의 변화를 정확히 반영하지 못함
    - PaO_2과 SaO_2의 관계는 온도, pH, 2,3-DPG 등의 영향을 받음
  ② cutaneous perfusion 감소시 측정이 어렵거나 불가능할 수 있음
    (e.g., low CO, vasoconstriction)
  ③ carboxyHb, metHb 등은 측정하지 못한다. (→ false SaO_2↑ 가능)

c.f.) CO-oximeter
  - arterial blood sample에서 SaO_2를 구함 (ABGA)
  - oxyHb, deoxyHb, carboxyHb, metHb 모두를 측정 가능

* 흔히 사용되는 SaO_2 ≥90%라는 목표는 CO_2 elimination에 대해서는 전혀 알 수 없기 때문에 clinically acceptable $PaCO_2$를 보장하지는 못한다.

4. Alveolar ventilation

• gas exchange는 alveolar ventilation에 의존 (→ $PaCO_2$가 가장 잘 반영)

$$PaCO_2 = 0.863 \times \frac{Vco_2}{V_A}$$

* VCO_2가 일정할 때, $PaCO_2$는 alveolar ventilation (V_A)과 반비례 관계!

┌ $PaCO_2$: 동맥혈 CO_2 분압 (mmHg)
├ VCO_2 : 분당 체내 CO_2 생성량 (mL/min)
└ V_A : 폐포환기(alveolar ventilation, L/min)

5. Arterial hypoxemia의 감별진단 ★

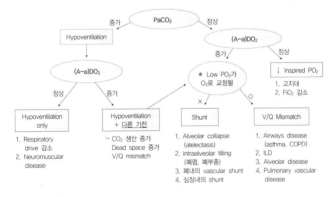

(1) 저산소혈증의 기전

① 폐포 환기 저하 (hypoventilation) : $PaCO_2$ 증가가 특징
② 환기-관류 불균형 (V/Q mismatching) – m/c
③ 단락(right-to-left shunt)
④ 확산 장애 (diffusion 감소) : 대부분 V/Q mismatching을 동반
⑤ 낮은 흡입 산소 농도 (low inspired PO_2) : FiO_2 <21%

(2) 감별 point

; $PaCO_2$, (A-a)DO_2, supplemental O_2에 대한 반응

(3) Alveolar–arterial O_2 difference : $(A–a)DO_2 = \underline{PAO_2} - PaO_2$
- $\underline{PAO_2}$ (alveolar PO_2)를 먼저 계산하고, PaO_2를 뺌

$$\underline{PAO_2} = FiO_2 \times (P_B - P_{H2O}) - PaCO_2/R$$

- FiO₂ : 흡입 산소(inspired O_2) 농도 (보통 0.21, 21%)
- PB : barometric pressure (해수면에서 760 mmHg)
- P_{H2O} : water vapor pr (37℃에서 완전 포화시 47 mmHg)
- R : respiratory quotient (보통 0.8)

$$\underline{PAO_2} = 150 - \underline{1.25 \times PaCO_2}$$
$\Rightarrow$ ($\hookrightarrow \frac{5}{4} \times PaCO_2 = PaCO_2/0.8$) [FiO₂=0.21일 때]

- **정상** $(A–a)DO_2$ <15 mmHg (30세 이하) (10년마다 3씩 증가, 노인에선 30까지도 가능)

- $(A–a)DO_2$ 증가 ; shunt, V/Q mismatching, diffusion 장애
- $(A–a)DO_2$ 정상 ; hypoventilation ($PaCO_2$ 증가) 또는 low inspired PO_2만 있을 때

(4) V/Q (ventilation–perfusion) mismatch … 가장 중요!
- 임상적으로 가장 흔한 hypoxia의 원인!
- high V/Q area (→ high PaO_2)에서의 혈류와 low V/Q area (→ low PaO_2)에서의 혈류가 합쳐져서 arterial hypoxia를 일으킴
- O_2 supply에 의해 교정됨! (∵ low V/Q area에서의 PaO_2 ↑)
- 예 ① airway dz. ; asthma, COPD, emphysema
  ② ILD (interstitial lung dz.)
  ③ alveolar dz. ; 폐렴
  ④ pulmonary vascular dz. ; pul. embolism

(5) Shunt
- desaturated blood가 alveolar-capillary level에서 oxygenation되지 않고 통과하는 것
  (ventilation = 0), $(A–a)DO_2$ 증가
- shunt % = FiO₂ 1.0일 때 $(A–a)DO_2/10$
- O_2 supply로 교정 안됨!
- 예 ① atelectasis ; ARDS
  ② intraalveolar fluid filling ; ARDS, 폐부종(CHF), 폐렴
  ③ intracardiac shunt ; 청색증형 선천성 심장병
  ④ pulmonary arteriovenous shunt ; hereditary hemorrhagic telangiectasia
    (Osler-Rendu-Weber syndrome), 간경변

(6) 폐 이외의 원인
- anemia, circulatory insufficiency ; PaO_2 대개 정상, venous PO_2 감소
- CO 중독 ; CO-Hb은 O_2 운반 못함, OxyHb dissociation curve를 좌측으로 이동시킴

	PO₂	PCO₂	(A–a)DO₂	100% O₂에 반응
Low inspired PO₂	↓	N	N	O
Hypoventilation	↓	↑	N	O
Impaired diffusion	↓	N or ↓	↑	O
V/Q mismatching	↓	보통 N	↑	O
Shunt	↓	↓	↑	×

6. 폐확산능 (diffusing capacity of the lung for CO, DL_{CO})

- 확산 : 높은 농도에서 낮은 농도로 분자의 수동적 이동
- 폐확산능 검사 : CO 혼합 가스를 이용하여 측정 (CO가 폐포 모세혈관에 흡수되는 정도가 DL_{CO}),
  - standard single-breath DL_{CO} method (1회 호흡법, m/c) : RV부터 TLC까지 0.3% CO 혼합 가스를 흡입 후 10 (±2) 초간 숨을 참은 뒤 그동안 흡수된 CO 양을 측정함
  - steady-state method : 0.1% CO 혼합 가스를 흡수 속도가 일정해질 때까지 호흡 후 측정함
- 폐확산능의 보정인자 : Hb, CO-Hb, 폐포용적(V_A), 나이, 성별, 키, 고도 등에 대한 보정이 필요함
  - 확산계수(DL_{CO}/V_A) : 측정된 DL_{CO}를 폐포용적(V_A)으로 보정한 것, 폐절제술 환자 등에서 유용
  - 빈혈의 보정(DL_{CO}/Hb) : 성인 남성 = (10.22 + Hb)/1.7, 여성 및 소아 = (9.38 + Hb)/1.7

(1) 영향을 미치는 인자

① alveolar-capillary surface area (폐포의 총면적, ventilated space) : alveolar volume (V_A)
② alveolar-capillary barrier thickness
③ pulmonary capillary blood volume
④ degree of V/Q, pulmonary edema, hemoglobin level

(2) 감소하는 경우

① 폐 팽창 감소 (V_A 감소) ; 호흡근 약화, 흉강 변형, 폐절제술(pneumonectomy)
② interstitial lung dz. (interstitial fibrosis) (∵ alveolar-capillary unit의 scarring으로 인한 pul. capillary blood volume 및 alveolar-capillary bed area 감소에 의해)
③ COPD/emphysema (∵ 기도 폐쇄 or alveolar wall의 파괴로 인한 unventilated space 증가)
④ pul. vascular bed의 volume 및 단면적 감소
  ; primary pulmonary HTN, pulmonary embolism, pulmonary vascular dz.
⑤ membrane change : intraalveolar filling
  ; pneumonia, pulmonary edema, alveolar proteinosis, ARDS
⑥ 빈혈, erect position (∵ dependent portion의 collapse), valsalva maneuver ...

(3) 증가하는 경우 (대부분 perfusion의 증가로)

① pul. capillary blood volume이 증가하는 경우 ; CHF (초기), MS, ASD
② alveolar hemorrhage (∵ alveolar lumen 내의 RBC에 CO가 결합) ; Goodpasture's syndrome
③ asthma (원인은 모름)
④ 적혈구증가증(polycythemia)
⑤ exercise, obesity, pregnancy, supine position, Müller maneuver ...

폐기능	DL$_{CO}$ 정상	DL$_{CO}$ 감소	DL$_{CO}$ 증가
정상		빈혈, 폐혈관질환(폐고혈압), 만성 폐색전증, 초기 폐기종, 초기 간질성폐질환, 자가면역질환의 폐침범	천식 Lt▷Rt 심장내 션트 적혈구증가증 폐 출혈 비만, 운동, 임신
폐쇄장애	천식, 기관지확장증, 만성기관지염	폐기종*, 낭성섬유증, 규폐증(초기), Lymphangioleiomyomatosis	
제한장애	척추후만증, 고도 비만, 신경근육 질환**, pleural effusion	석면증, 베릴륨증, 과민폐렴, 특발폐섬유화증, Langerhans cell histiocytosis, 속립결핵, 유육종증(sarcoidosis), 규폐증(후기)	

* 폐확산능(DL$_{CO}$) 저하 정도는 폐기종의 severity와 상관관계를 보임 (조직학적 및 CT 소견도 상관관계)
** 심해져서 폐포용적(V$_A$)이 감소되면 DL$_{CO}$도 감소 가능

노인의 폐기능 변화

- 호흡근의 약화로 인한 근력 저하
- 늑골의 골다공증, 늑연골의 석회화와 늑골/척추간 관절부의 관절염성 변화, 배부후만증과 흉곽 전후 직경의 증가로 원통형 가슴(barrel chest)과 동반된 흉벽의 경직성 증가
- 폐포와 폐포관 주위의 탄성 조직의 감소로 인한 폐탄성의 감소
  → pressure-volume curve가 이동하여 FRC와 RV 증가

증가되는 것	감소되는 것
FRC	TLC (변화 없거나 약간↓)
RV	VC, FVC
환기관류 불균형	DL$_{CO}$
(A–a)DO$_2$	FEV$_1$, FEV$_1$/FVC
	FEF$_{25\sim75\%}$(MMEFR)

3
세기관지염

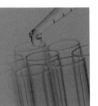

소아에서의 세기관지염

- acute infectious bronchitis
- 대개 2세 이하 소아에서의 acute, common, respiratory illness (흔히 severe)
  - 콧물, 재채기 등의 URI Sx.이 선행
- 원인균 : RSV 등의 virus, *Mycoplasma pneumoniae* ...
- 치료 : humidified O_2, 수액과 전해질 균형 (steroid는 투여 안함)

성인에서의 세기관지염

- bronchiolitis obliterans
- 특징 : cough, dyspnea, crackles, obstructive pul. dysfunction
- 5 clinical types
  ① toxic fume bronchiolitis obliterans : 질소산화물이 m/c 원인
  ② postinfectious bronchiolitis obliterans
    : mycoplasmal or viral infection에 대한 late response
  ③ 결체조직질환 또는 장기이식과 관련된 bronchiolitis obliterans
    : rheumatoid arthritis, penicillamine, PM/DM, 폐 or 심장-폐이식,
      allogenic BMT (chronic GVHD 형태로) 등에서 발생 가능
  ④ 국소 폐병변과 관련된 bronchiolitis obliterans
  ⑤ idiopathic bronchiolitis obliterans with organizing pneumonia (BOOP) : COP
                                                          → 10장 참조

- **■ Respiratory bronchiolitis**
  - 흡연자에서 발생하는 small airway dz.
  - IPF와 비슷한 임상양상 (but, lung compliance 감소는 안 나타남)
  - 진단 ; open lung biopsy
    - terminal & respiratory bronchioles의 metaplasia
    - terminal & respiratory bronchioles, alveolar ducts, alveoli가 pigmented alveolar
      macrophages로 filling
  - centrilobular emphysema의 전단계로 추정됨

4
폐렴

개요

- 정의 : terminal bronchiole 이하의 폐실질의 염증 (주로 급성 감염을 가리킴)
- 분류(category)
  (1) 지역사회획득 폐렴(community-acquired pneumonia, CAP)
  (2) 병원획득 폐렴(hospital-acquired pneumonia, HAP) or Nosocomial pneumonia
    : 급성기 병원에 입원 2일 이후 발생한 폐렴 (입원 당시에는 원인 병원체의 잠복기가 아님)
  (3) 인공호흡기관련 폐렴(ventilator-associated pneumonia, VAP) : 기계호흡(기관삽관) 2일 이후에
    발생한 폐렴, HAP의 일종 (c.f., HAP 연구의 대부분이 VAP를 대상으로 시행됨)
  (4) 의료기관관련 폐렴(health care-associated pneumonia, HCAP) : 급성기 병원을 제외한 각종
    의료서비스/시설(e.g., 의원, 요양병원, 투석실)과 관련된 폐렴, CAP의 일종
    (c.f., 전에는 MDR pathogens이 많을 것으로 예측하여 HAP에 준하여 치료하기도 했으나, 최근 연구 결과
    MDR pathogens은 드물고, CAP에 더 가까운 양상이라 여러 나라에서 폐렴의 분류에서 제외되고 있음)
- 호흡기의 정상 방어기전
  ① 상기도의 해부학적 구조
  ② mucociliary clearance (ciliated cells, mucus layer)
  ③ 병원균의 상기도 부착 방지 ; mucosal pH↓, bacterial & epithelial cell binding analogues,
    secretary IgA, epithelial cells의 박리, 인두의 비병원성 상재균 ...
  ④ 기침 ; 하부기도로 내려온 병원균을 내보냄 (aspiration 방지에 매우 중요)
  ⑤ 하부기도의 비특이적 방어기전 ; macrophage, fibronectin, lysozyme, lactoferrin, IgG, defensin,
    cathelicidin, collectin (surfactant 포함), complement
    * alveolar macrophage ; 폐포당 1개, 수명 20~80일, innate & acquired immunity에 모두 관여
  ⑥ epithelial cells : 병원균의 전파 방지 및 면역기능에 중요
    - phagocytic cells의 모집
    - cytokines 생산 ; IL-8, GM-CSF, macrophage-inflammatory protein 2
    - endothelial adhesion molecules의 발현 조절 (→ PMN 모집)
  ⑦ 특이적 방어기전 (T cell 활성화)
- 미생물의 증식이 아닌, 인체의 염증 반응에 의해 폐렴의 증상/징후가 나타남
  - IL-1, TNF → fever
  - IL-8, G-CSF → neutrophils 모집 (→ 말초혈액의 neutrophilia, 폐의 화농성 분비물)

- macrophages와 neutrophils에서 분비된 염증매개체 → alveolar capillary leak
    (폐포로 fluid 빠져나옴) → rales, CXR상 폐 침윤, hypoxemia, hemoptysis, dyspnea ...
- 전형적인 폐렴의 병리학적 경과
    ① 부종기(edema) : 폐포 내에 단백질성 삼출물 존재, 세균도 혼합
    ② 적색간변기(red hepatization) : 삼출물 내에 RBC와 neutrophils도 존재 (세균도 종종 배양됨)
    ③ 회색간변기(gray hepatization) : RBC는 분해되고, neutrophils이 주, fibrin 침착 많음 (세균 無)
    ④ 융해기(resolution) ; macrophages가 주로 존재, neutrophils/bacteria/fibrin의 찌꺼기는 사라짐

병인

- 감염 (하부기도의 병원균 침입) 경로

경로	발생 예	흔한 원인균
1. 구인두 분비물의 microaspiration (세균성폐렴의 m/c 원인)	심한 기저질환, 항생제 치료, 생리적 스트레스(e.g., 수술) (건강한 정상인도 가능)	구인두 상재균 ; S. pneumoniae, H. influenzae
2. Gross aspiration (macroaspiration)	수술 뒤, CNS 장애 (e.g., 경련, 뇌졸중)	혐기성균, GNB
3. 공기중 미생물의 흡입	결핵균, 진균(Coccidioides, Blastomyces, Histoplasma), Legionella, Q fever (Coxiella burnetti), Influenza 등의 여러 virus	
4. 균혈증 (혈행성 전파)	심내막염, IV catheter 감염, UTI 등	MRSA, E. coli
5. 폐로의 직접 파급	흉막강/종격동 감염, intubation, trauma, amebic liver abscess	

- inhaled particle … size가 중요
  - 직경 >10 μm → 비점막과 상기도에 침착
  - 직경 <5 μm (airborne droplet nuclei) → 하부 기도에 침착
- HAP의 발병기전(위험인자)
    ① 병원균의 oropharyngeal colonization ↑
    - 항생제 사용 (m/i) : normal oropharyngeal flora↓ → 병원균↑
    - 오염된 호흡기구(ventilator) or 장비
    - gastric pH↑ (위 세균↑) ; atrophic gastritis, H_2-RA나 제산제 사용, enteral gastric feeding
    - 위식도 역류
    ② oropharyngeal contents의 하부 기도로의 microaspiration↑
    ; intubation (m/i), 장기간의 ventilator 사용, NG tube, enteral feeding, 의식저하 ...
        ↳ cuff 위로 분비물 저류(→ microaspiration 악화), suction 때 점막 손상, tube에 세균막(biofilm) 형성
    ③ 폐의 host defense↓ (→ aspirated pathogens의 과다증식)
    : COPD, 고령, 심한 기저질환, 면역저하, 알코올 중독, DM, 영양실조, 상복부 수술 ...
    ④ 다른 환자/기구/장비로부터의 교차감염(cross-infection), 의료진의 손, 오염된 음식물 등
    ⑤ 광범위 항생제의 남용이나 감염관리 부실로 인한 내성 병원균의 증가

- 기관삽관(endotracheal intubation)
  ① 세균이 하부 기도로 내려가는 직접적인 통로의 역할
  ② 효과적인 기침을 방해
  ③ 기관 상피(tracheal epithelium)의 손상 (→ tracheal colonization↑)
  ④ 구인두 분비물(oropharyngeal secretion)의 축적 (→ microaspiration↑)
  ⑤ 병원균이 tube에서 증식하여 biofilm을 형성
   (→ suction 사용시 떨어져서 하부기도로 내려갈 수)
  c.f.) endotracheal intubation으로 인해 gross aspiration은 감소됨
- mucociliary clearance의 장애

	기전	예
Environmental	Mucus hypersecretion, epithelial cell injury	습도↓ (m/i) (e.g. dehydration), 온도↓, 흡연, 먼지, 자극성 가스
Infection	Ciliary dysfunction, purulent secretion	세균 감염
	Epithelial cell injury	바이러스 감염
Genetic	Secretion 감소	Cystic fibrosis
	Ciliary dysfunction	Dismotile cilia syndromes
Drugs	Ciliary activity 감소	Anesthetics

  - β-agonists, xanthines (e.g., theophylline), cholinergics → ciliary activity↑
  - 운동 → airflow↑ → mucus clearance↑

원인균

CAP		HCAP
S. pneumoniae (m/c, 15~35%)	ICU 입원 환자	S. aureus (MRSA) (m/c)
Mycoplasma pneumoniae	S. pneumoniae	Pseudomonas aeruginosa
Haemophilus influenzae	S. aureus	Acinetobacter spp.
Chlamydia pneumoniae	Legionella spp.	Enteric aerobic GNB장내세균 (e.g., E. coli,
S. aureus (CA-MRSA 포함)*	P. aeruginosa	Klebsiella, Enterobacter, Proteus, Serratia)
Legionella spp.*	GNB (장내세균)	Oral anaerobes
Moraxella catarrhalis	H. influenzae	
Gram(-) bacilli (GNB)*	Viruses	**AIDS 환자**
Oral anaerobes		
M. tuberculosis		Pneumocystis jiroveci
		M. tuberculosis
Viruses ; Influenza, human metapneumovirus (hMPV), RSV,		S. pneumoniae
coronavirus (SARS, MERS_, adenovirus, parainfluenza ...		H. influenzae
Fungi ; Pneumocystis, Histoplasma, Coccidioides, Blastomyces		CMV

* 주로 severe CAP를 일으킴

: CAP의 약 1/2은 여러 검사에도 불구하고 원인균을 찾지 못함.
 S. pneumoniae는 감소 추세, 호흡기 바이러스는 증가 추세로 약 1/3 차지 (∵ PCR 검사의 증가)

면역저하와 관련된 원인균

심한 neutropenia (<500/μL)		P. aeruginosa, enteric GNB, S. aureus, Aspergillus (neutropenia 오래되면)
세포성 면역결핍 (e.g., HIV infection)	CD4+ cell count	
	<500/μL	M. tuberculosis
	<200/μL	Pneumocystis jiroveci, Histoplasma, Cryptococcus, S. pneumoniae, H. influenzae
	<50/μL	Mycobacterium avium–intracellulare, CMV
장기간의 steroid 치료		M. tuberculosis, Nocardia, Legionella
심한 hypogammaglobulinemia (<200 mg/dL)		Encapsulated bacteria (S. pneumoniae, H. influenza)

기타 숙주 위험인자와 관련된 원인균

Influenza 유행시 ★	S. pneumoniae, S. aureus, H. influenzae
COPD / 흡연	H. influenza, P. aeruginosa, Legionella spp., S. pneumoniae, Moraxella catarrhalis, C. pneumoniae
구조적 폐질환 (e.g., bronchiectasis, cystic fibrosis 등)	P. aeruginosa, Burkholderia cepacia, S. aureus
폐농양(lung abscess)	CA-MRSA, oral anaerobes, fungi, TB, NTM
인공호흡기(mechanical ventilation)	Pseudomonas aeruginosa, S. aureus
고령	S. pneumoniae, H. influenzae, GNB (Klebsiella, E. coli, Proteus, Pseudomonas) ...
의식저하, 치매, 뇌졸중	흡인성 폐렴 ; oral anaerobes, GNB
구강위생 불량 (심한 치은염)	Oral anaerobes
알코올중독	S. pneumoniae, GNB (e.g., K. pneumoniae), oral anaerobes, Acinetobacter spp., TB
IV drug users	S. aureus, anaerobes, TB, Pneumocystis jiroveci
DKA	S. pneumoniae, S. aureus
Pulmonary alveolar proteinosis	Nocardia
최근의 항생제 치료	DRSP, MRSA, P. aeruginosa

특정 병원균 감염의 위험인자 ★

S. pneumoniae	Viral URI (감기), 흡연, 알코올중독, 고령, 치매, 경련, 뇌혈관질환, 심부전, DM, COPD, 천식, NS, 신부전, multiple myeloma, sickle cell dz., splenectomy, AIDS, 면역저하
Invasive pneumococcal dz.	남성, 흑인, 흡연, 만성질환
Klebsiella pneumoniae	알코올중독, DM, 만성폐질환, 입원
Pseudomonas aeruginosa	구조적 폐질환(특히 bronchiectasis), COPD, 알코올중독, 면역저하(neutropenia, HIV 감염, steroid 치료), 영양결핍, 최근 3개월 이내의 광범위 항생제 치료, 입원, 요양원 거주
Enterobacteriaceae	입원, 항생제 치료, 알코올중독, 심부전, 신부전, 가족중 MDR infection
MRSA (community–acquired) CA–MRSA	집 없는 젊은이, 남성 동성연애자, 교도소, 군인, 탁아소, 요양원 운동선수(e.g., 레슬러), DM, CRF (투석), 최근의 influenza 감염 등

■ 임상양상

1. Community-acquired pneumonia (CAP, 지역사회 획득 폐렴)

(1) "Typical" pneumonia syndrome

- 갑자기 발생, 고열, 기침, 화농성 객담, 호흡곤란, 빈호흡, 흉막성 흉통(pleuritic chest pain) ...
- 진찰상 초기에는 폐렴 부위의 호흡음 감소 나타날 수 있음
- 폐 경화(consolidation)의 징후 ; 탁음(dullness), fremitus 증가, egophony, bronchial breath sound, bronchophony, whispering pectoriloquy, crackle ...
- *S. pneumoniae* (m/c), *H. influenzae* 등의 세균이 원인

(2) "Atypical" pneumonia syndrome (비정형 폐렴)

- 서서히 발생, 마른 기침, 호흡곤란
- 객담 배출이 거의 없고, 객담 Gram 염색 및 일반배양에서 균 검출 안 됨!
- 폐외 증상 ; 두통, 근육통, 피로, 인후통, N/V, 설사 ...
- 증상 및 진찰소견 (rales 정도)에 비하여 방사선 소견이 더 심하다
- *Mycoplasma pneumoniae*가 m/c 원인균 (우리나라는 *C. pneumoniae*도 매우 흔함)

① *Mycoplasma* pneumonia
  - bullous myringitis (수포성 고막염), hemolytic anemia, erythema multiforme, encephalitis, myelitis 등의 합병증 발생 가능
  - 사춘기의 m/c community-acquired pneumonia
  - 가까운 인구집단 (군대, 학교, 기숙사, 가정)에서 발생
  - 잠복기가 길고 (2~3주) 전염력이 약해, 전파는 느리다
    (처음 발병자가 회복될 때쯤 다른 사람이 발병)
② *Chlamydia pneumoniae* ; hoarseness, wheezing, 인후통 등이 흔함
③ *Legionella* pneumonia (전염력은 약함)
  - 고열(>40℃), CNS Sx. (의식장애), GI Sx., 간기능 이상, 신기능 이상, 심장 침범, hyponatremia 등도 발생 가능 (다른 비정형 원인균보다 심한 경우가 많음)
  - 오염된 냉각타워/냉방기, 대형건물의 물 오염 등시 호발
  - 위험인자 ; 남성, 흡연, DM, cancers, hematologic malignancy, ESRD, HIV infection, 최근에 호텔 또는 유람선 거주 등
④ primary viral pneumonia (CAP의 약 10% 차지)
  - influenza : 겨울에 community outbreak
  - RSV : 소아나 면역저하자에서
  - CMV : HIV 감염이나 장기이식에 의한 면역저하시에
  - measles, varicella : 특징적인 rash 동반
  - hantavirus : 빠르게 진행하는 호흡부전, 미만성 폐침윤
⑤ *Coxiella burnetti* (Q fever), *Rickettsia, Leptospira interogans*
⑥ *H. capsulatum, C. immitis* ; erythema nodosum 동반 흔함

전형적 폐렴과 비전형적 폐렴의 대표적 특징

	Typical pneumonia	Atypical pneumonia
연령	어느 나이나 가능	젊은이
기침	Productive	Non-productive
발병 양상	Acute	Subacute
Pleurisy	존재	없음
다른 장기의 침범	없음	존재
WBC count	매우 높다, 좌방이동	N ~ ↑
Chest X-ray	Localized infiltrate	Diffuse infiltrate
Radiographic onset	Peripheral	Central
Consolidation의 징후	존재	없음
방사선 소견과 진찰 소견	일치	불일치
객담 Gram 염색	Neutrophils & bacteria	Neutrophils with scanty organism
Abscess 형성	가능	드묾

2. Hospital-acquired pneumonia (HAP, 병원획득 폐렴)

- 기계환기를 받고 있는 ICU 입원 환자에서 호발
  (수술 후 약 10%, 기관삽관 후 약 20%, ARDS 환자의 약 70%에서 HAP 발생)
- 흔한 원인균 ; *S. aureus* (MRSA), *P. aeruginosa*, *Acinetobacter*, enteric GNB 등
- 폐렴은 원내 감염의 3번째 흔한 원인(15~20%), 사망률은 1위 (30~70%)
  - 사망률이 높은 경우 ; bacteremia (sepsis), MDR pathogen, ICU 환자
  - ICU에서 사망률이 높은 경우 ; shock, coma, SIRS, high APACHE II score, 호흡부전,
    양측성 폐침윤, 심각한 기저질환, 면역저하, 기계환기(기관삽관) 기간↑ 등
- VAP (ventilator-associated pneumonia) : 기계환기(기관삽관) 시작 48시간 이후에 발생한 폐렴
  * VAP 발생의 위험인자 ; 장기간의 기계환기 (m/i), 고령, 만성 폐질환, aspiration, 흉부 수술,
    NG tube or intracranial pressure monitor, H2-blocker or antacid, ICU 밖으로 이동,
    이전의 항생제 치료 (특히 3세대 cepha.), 추운 계절에 입원, ARDS, reintubation,
    ventilator circuit 자주 교체, endotracheal cuff pr.↓(<20 cmH2O), supine head position
- HAP (hospital-acquired pneumonia) : 입원 48시간 이후에 발생한 폐렴으로, 입원 당시에는
  병원체의 잠복기가 아니어야 함 (VAP를 포함하는 개념이지만, 통상 VAP가 아닌 원내감염 폐렴을 지칭)
  * VAP와의 차이점
    ① non-MDR pathogen의 비율이 높음
    ② macroaspiration으로 인한 혐기성균도 더 흔함 (대개 초치료 권장 항생제는 혐기성균에도 작용함)
    ③ 원인균의 확진이 더 어려움 (∵ 기관삽관이 없어 하부기도의 검체 채취가 힘듦)
    ④ 환자의 면역상태(숙주방어) 더 우수함 ⇨ 항생제 반응률↑, 사망률↓

■진단

* 폐렴 확진의 gold standard는 없음 (조직검사 + 조직배양이 그나마 유용)
  → 여러 검사방법의 평가에 제한, 연구들의 정확성이 떨어지고 변이가 많음
* CAP와 HAP는 **임상적 진단**이 어렵지 않으나, VAP는 어려울 수 있음(→ invasive procedure 필요)
  ┌ chest X-ray상 새롭게 발생했거나 진행하는 폐 침윤 +
  └ fever (>37.8℃), WBC >10,000/μL, purulent sputum 중 2 이상

1. 영상(chest X-ray) 소견

형태	원인균
Lobar or segmental consolidation (air bronchogram)	S. pneumoniae, K. pneumoniae, H. influenzae, other gram-negative bacilli
Inhomogeneous infiltrates : local lesions (patchy or streaky opacities)	M. pneumoniae, viruses, Legionella spp. (면역저하시)
Diffuse interstitial infiltrates	Legionella spp., viruses (CMV), P. jiroveci
Cavity (e.g., abscess)	M. tuberculosis, S. aureus (pneumatoceles), Gram(-) enteric bacilli (e.g., K. pneumoniae)
Pleural effusion + infiltrate	S. pneumoniae, S. aureus, anaerobes, gram-negative bacilli, Streptococcus pyogenes

* *M. pneumoniae, H. influenzae* : cavity 거의 형성하지 않음
* *Staphylococcus* : multiple patched, pneumatocele, cavity, empyema
* *Klebsiella* (우상엽을 주로 침범) : "bulging fissure"
  - 객담이 무거워 우상엽 병변시 minor fissure가 밑으로 쳐져 발생
  - 실제 bulging fissure보다는 우상엽 용적 증가가 더 흔하며
  - abscess cavity : thin wall이 특징, 대개 주위의 염증 때문에 경계는 불명확
* 면역저하자에서 *Legionella* 감염시 : multiple patched, cavity, abscess
* 면역저하자에서 *Aspergillus* 감염시 : crescent (meniscus) sign

★ 임상적으로 폐렴이 의심되나 chest X-ray가 정상인 경우 (→ 1~2일 후 재검 or CT 시행)
  ① 감염의 초기
  ② 적절한 염증반응이 나타나지 않는 환자 (e.g., agranulocytosis)
  ③ *Pneumocystis* 폐렴 : 약 ~30%에서 위음성 (특히 AIDS 환자)
  ④ emphysema, bullae 또는 폐의 구조적 이상이 있는 경우
  ⑤ 비만
  ⑥ 탈수가 심한 경우

2. 객담 검사

(1) 외관

- scanty & watery : atypical (e.g., *Mycoplasma*, viruses)
- 벽돌색/녹슨 철색 : *Pneumococcus*
- 녹색 : *Pseudomonas* (→ 포도주스 냄새)
- 암갈색(dark red), 끈적끈적(currant jelly) : *Klebsiella*
  (∵ 폐조직의 괴사로 인해 혈액이 객담에 섞이고, 점액이 많아서)

(2) Gram's stain

- 객담이 배양에 적합한지 판정하고, 원인균을 추정 (atypical pneumonia에서는 유용성 떨어짐)
- 객담 배양보다 더 specific & sensitive
  - *S. pneumoniae*와 *H. influenzae*는 잘 죽기 때문에 객담 배양보다 염색에서 sensitivity가 높음
  - but, *S. aureus*와 GNB는 잘 자라고 운반/처리 중에도 증식할 수 있기 때문에,
    객담 배양 (+)라도 폐렴 원인균이려면 염색에서도 나와야 됨
- minimal contamination의 조건 (객담의 적합성 판정)
  * Murray & Washington sputum grouping

Group	저배율(100배) 한 시야 당	
	상피세포	백혈구
1	>25	<10
2	>25	10~25
3	>25	>25
4	10~25	>25
5	<10	>25
6	<10	<10

- 일반적으로 group 5 이상이 적합한 객담 : 상피세포 <10, 백혈구(neutrophils) >25/LPF
- group 1~4는 검체 부적합 (∵ 구강 상피세포로 오염) : 상피세포 ≥10/LPF

- 상피세포 → 상기도 유래
- 백혈구, 폐포 대식세포, mucous threads → 하부 호흡기 유래

- Gram (+)는 남색, (−)는 분홍색 (→ 감염내과 참조)
  - *S. pneumoniae* : encapsulated G(+) cocci
  - *Haemophilus* : small pleomorphic G(−) coccobacilli
- 적합한 객담을 얻기 위한 방법 ; 항생제 치료 전 채취, 채취 전 입을 행굼, 1~2시간 전에는
  음식을 먹지 않음, 채취 후 즉시 검사실로 신속하게 운반 & 배지에 접종

(3) 배양

- sensitivity & specificity 낮다! (각각 약 50%) (∵ contamination)
- 반드시 Gram's stain과 연관지어 해석해야 함
  (배양은 되었지만 Gram's stain에서 관찰되지 않으면 상기도 상재균일 가능성이 높음!)
- 일반적인 방법으로 배양되지 않는 균 ; anaerobes, *Mycoplasma*, *Chlamydia*, *Legionella*,
  Pneumocystis, *Mycobacteria*, fungi ...

• 호흡기 검체에서 동정/검출되었을 때 반드시 병원균인 것

: *M. tuberculosis, Legionella, Pneumocystis, B. dermatitidis, H. capsulatum, C. immitis,*
influenza virus, parainfluenza, RSV, hantavirus, adenovirus ...
(c.f., NTM은 대개 오염균임, 2회 이상 배양 & 영상검사에서 NTM 감염에 합당해야 진단)

• 실제 CAP로 입원한 노인 환자의 약 1/3에서만 배양에 적합한 객담을 얻을 수 있고,
이중 1/3에서만 병원균이 동정됨

(4) 기타 검사

• AFB stain : *Mycobacteria, Nocardia*

• immunologic technique (fluorescent Ab stain) : *Legionella, Pneumocystis* 등

• 진균에 대한 특수 염색 등

3. Invasive procedures (Quantitative culture)

┌ 단순 colonization과 true infection을 감별하는데 필수
└ 주로 HAP (특히 VAP)의 진단에 이용됨

(1) endotracheal aspiration (ETA), tracheobronchial aspirate (TBA)

• 기관삽관으로 하부기도 분비물을 흡인하는 것, $\geq 10^5$ CFU/mL이면 true infection

• sensitivity는 높으나, specificity가 낮다 (항생제를 사용했으면 더욱 낮아짐)

c.f.) transtracheal aspiration (TTA)은 요즘 거의 이용 안함

(2) fiberoptic bronchoscopy (m/c)

• sensitivity & specificity 높고 비교적 안전하여 VAP 진단에 가장 선호됨

• sample 채취 방법

① BAL (bronchoalveolar lavage) : $\geq 10^4$ CFU/mL이면 true infection

② PSB (protected specimen brush) : $\geq 10^3$ CFU/mL이면 true infection

③ TBB (transbronchial biopsy) : $\geq 10^4$ CFU/g이면 true infection

(3) blind (non-bronchoscopic, NB) procedures

• 종류 : blind PSB (NB-PSB), blind mini-BAL (NB-BAL)

• 기관지내시경과 sensitivity & specificity 거의 비슷함 (true infection 기준 CFU는 동일)

• 기관지내시경을 시행할 수 없거나, 위험한 경우에 권장

(4) percutaneous transthoracic needle aspiration (PCNA) : CT-guided

• Cx : pul. hemorrhage, pneumothorax

• mechanical ventilation 중인 환자는 금기

(5) open lung biopsy

• bronchoscopy를 통한 검사 결과가 불확실할 때 이용

• focal lesion 일 경우에 가장 진단적 (diffuse lesion은 bronchoscopy가 유용)

검체 채취 방법별 정량 배양의 정확도

	Sensitivity	Specificity
BAL (m/g)	42~93%	45~100%
mini-BAL	39~80%	66~100%
PSB	36~83%	50~95%
TBA	44~87%	31~92%

c.f.) BAL 검체의 Gram stain (sensitivity 44~90%, specificity 49~100%)
　　→ VAP 의심시 빠른 치료방침 결정에 유용

4. 혈액 배양

- 10~30%의 환자 (CAP의 5~14%)에서만 양성으로 나오지만, 일단 양성으로 나오면 가장 specific!!
- 적응 ┌ 입원이 필요한 모든 moderate~severe CAP 환자에서 항생제 투여 전에 실시 (2회)
　　　└ 기타 ; 이전의 항생제 치료, 발열(>38.5℃) or 저체온(<36℃), 알코올중독, neutropenia,
　　　　　　 asplenia, 보체 결핍, 만성 간질환, 심한 폐쇄성/구조적 폐 질환, cavities,
　　　　　　 pleural effusion, Legionella or pneumococcal 소변항원검사(+), 집 없는 환자 등
- 흔히 검출되는 원인균 ; S. pnemoniae (m/c), S. aureus, E. coli ...
- * pleural effusion : CAP의 ~40% 동반 가능, 흉수 배양의 specificity는 매우 높지만 sensitivity 낮음

5. 항원검사(rapid antigen test)

- L. pneumophilia serogroup 1 urine Ag. test : 진단 민감도 90%, 특이도 99%
  - Legionnaire's dz. 진단에 가장 흔히 이용됨
  - 입원이 필요한 moderate~severe CAP 환자에서 시행
- S. pneumoniae urine Ag. test : 성인에서는 진단 민감도 80%, 특이도 97~100%
  - 입원이 필요한 모든 CAP 환자에서 시행
  - 소아에서는 비인두 보균자에서도 양성으로 나오므로 효용성 약간 떨어짐
- 비인두 swab을 이용한 호흡기바이러스(e.g., influenza) Ag. test : 민감도 50~70%
- 비인두 swab을 이용한 Mycoplasma (ribosomal protein L7/L12) Ag. test : 민감도 60~70%

6. 핵산증폭검사(PCR)

- viruses, 결핵균, fastidious bacteria, M. pneumoniae, C. pneumoniae, L. pneumophila, Bordetella
  pertussis 등은 배양이 매우 어렵거나 오래 걸리기 때문에 PCR 검사가 유용함
- 호흡기 바이러스/세균에 대한 multiplex real-time PCR : 여러 병원체를 빠른 시간에 확인할 수
  있어서 최근에 많이 사용됨, 민감도 및 특이도 높음, 대부분 상기도 검체를 이용
  (but, 상기도 검체에 검출된 병원체가 하기도 폐렴의 원인균이 아닐 수도 있으므로 주의)
- Legionella PCR : urine Ag. test는 serogroup 1만 진단 가능하지만, PCR은 모든 serogroup 진단
- Mycoplasma, Chlamydophila PCR : 기존 항체 검사들에 비해 민감도 및 특이도 매우 높음

7. 기타

- 혈청검사(serology) ; IgM Ab titer가 급성기에서 회복기 때 4배 이상 증가하면 진단적이나, 회복기까지 기다려야 하므로 현재는 거의 사용 안 됨

- biomarkers
  - 혈청 CRP ; acute phase reactant, 감염의 악화 or 치료 실패 파악에 유용
  - 혈청 PCT (procalcitonin) ; acute phase reactant (특히 세균 감염시), 세균 vs 바이러스 감염 감별에 유용, 항생제 치료 필요성 및 중단 결정시 유용 (→ CAP에서 항생제 사용 감소 효과), 예후 판정에도 유용
  - BAL fluid의 sTREM-1 (soluble triggering receptor expressed on myeloid cells-1) ; 세균 감염시 더 증가하나 별로 유용하지는 않음

c.f.) MDR (multi-drug resistance) : 3가지 계열 이상의 항생제에 내성
XDR (extensively drug resistance) : 1~2가지 계열을 제외한 모든 항생제에 내성
PDR (pandrug resistant) : 모든 항생제에 내성

치료

1. Community-acquired pneumonia (CAP)

⌈ 가능한 빨리 경험적 항생제 치료를 시작하는 것이 예후에 중요
⌊ 상대적으로 광범위 항생제를 선택하는 것이 바람직

(1) CAP 환자의 입원 기준

- 현재 2가지 지표가 사용되고 있음 ; PSI, CURB-65 (or CRB-65)
  (어느 지표가 더 우수한지는 불확실하며, 임상적 유용성은 유사함)
- PSI (Pneumonia Severity Index) : 20가지 변수, 복잡 (→ 외래 및 응급실에서는 사용하기 곤란)
- CURB-65 criteria : 5가지 변수 (각 1점, 총 0~5점), 사용/기억하기 쉬워 선호됨 ★

① Confusion	– mild CAP (0~1점) : 낮은 사망률(1.5%), 외래 치료
② Urea (BUN) ≥19 mg/dL	– moderate CAP (2점) : 중간 사망률(9.2%), 입원 치료
③ Respiratory rate ≥30회/분	– severe CAP (3~5점) : 높은 사망률(22%), 입원 치료
④ Blood pressure ≤90/60 mmHg	(4~5점이면 ICU 입원 고려)
⑤ Age ≥65세	

- CRB-65 ; CURB-65에서 BUN이 빠진 것 (총 0~4점), 1점 이상이면 입원 고려

* 흡연력, 음주력, BMI, purulent sputum, CO_2, Cr 등은 아님!

- ICU 입원 결정에는 여러 기준(지표)들의 예측력이 부정확하기 때문에, 다른 여러 상황을 고려해 임상적으로 결정해야 됨 (e.g., 기저질환, 나이)

★ 중증 폐렴(severe pneumonia)으로 ICU 입원 기준 (IDSA/ATS)

IDSA/ATS (Infectious Diseases Society of America & American Thoracic Society)

주기준 (≥1개)	· 침습성 기계환기 필요
	· 패혈성 쇼크로 혈압상승제 치료가 필요

보조기준 (≥3개)
- 호흡수 ≥30회/분
- PaO_2/FiO_2 ≤250 (or SaO_2 ≤90%)
- 방사선학적으로 다엽성 폐렴
- 의식혼탁/지남력 장애
- BUN ≥20 mg/dL
- WBC <4,000/mm³ (or >20,000/mm³) *
- Platelet <100,000/mm³ *
- Hypothermia: 심부 체온 <36℃ *
- 적극적 수액 치료가 필요한 저혈압

기타
- Acidosis (pH <7.30)
- Hypoalbuminemia (albumin <3.5 g/dL)
- Hyponatremia (sodium <130 mEq/L)
- Tachycardia (>125 bpm)
- Tachypnea (>30 breaths/min)

*최근에는 빠지는 연구도 있음

(2) 초기 경험적 항생제 치료

중증도에 따른 추정 원인균	
외래	*S. pneumoniae, M. pneumoniae, H. influenza, C. pneumoniae,* 호흡기 바이러스
일반병실 입원	*S. pneumoniae, M. pneumoniae, C. pneumoniae, H. influenza, Legionella* spp., 호흡기 바이러스
ICU 입원	*S. pneumoniae, S. aureus, K. pneumoniae, E. coli, P. aeruginosa, Enterobacter, H. influenza, Legionella* spp., 호흡기 바이러스

Ⅰ 외래환자 (oral)

① β-lactam 단독 ; amoxicillin, amoxicillin-clavulanate, cefpodoxime, or cefditoren
- β-lactam 단독 요법이 β-lactam + macrolide에 비해 치료 효과가 떨어지지는 않음
- cefuroxime은 국내 *S. pneumoniae* 내성률이 매우 높아 제외됨

② β-lactam + macrolide (azithromycin, clarithromycin, or roxithromycin)
- 비정형 세균이 의심되면 β-lactam에 macrolide 추가
  (↳ *Mycoplasma* spp., *Chlamydia* spp., *Legionella* spp.)
- EM은 낮은 bioavailability, QT 연장, 심혈관계 사망률 증가 등으로 권장되지 않음

③ respiratory fluoroquinolone ; gemifloxacin, levofloxacin, or moxifloxacin
- 결핵을 배제할 수 없는 경우 quinolone 사용 금지 (∵ 결핵 진단 지연 및 내성 유발 위험)
- 특히 quinolone의 부적절한 용량이나 사용기간은 내성 출현을 더욱 가속화시킬 수 있음

• (미국 지침과는 달리) macrolide or DC 단독은 *S. pneumoniae* 내성률이 높아 권장 안됨!
→ 감염내과 Ⅱ-3장 참조

• 비정형 폐렴균에는 cefa. + macrolide (or DC) 또는 fluoroquinolone이 더 효과적
  * azithromycin/clarithromycin은 *H. influenzae*에 대해서는 EM보다 더 효과적이고,
    *C. pneumoniae*와 *M. pneumoniae*에 대해서는 EM과 효과 비슷함

• 최근 3개월 이내 macrolide or quinolone을 사용한 경우 *S. pneumoniae* 내성균 감염 위험
  → macrolide를 사용했던 경우는 quinolone 권장 (반대의 경우도)

■ DRSP (drug-resistant *S. pneumoniae*) 감염의 위험인자
 ; 최근의 항생제 사용 (최근 3개월 이내에 어떤 항생제를 사용했는지가 m/i),
  연령(<2세 or >65세), 어린이집/유치원 근무자, 최근의 입원, HIV 감염

② 일반병실 입원환자 (*P. aeruginosa* 감염 의심×)

① β-lactam IV ; cefotaxime, ceftriaxone, ampicillin/sulbactam, or amoxicillin/clavulanate
  - β-lactam 단독 요법이 β-lactam + macrolide에 비해 치료 효과가 떨어지지는 않음
② β-lactam + macrolide (azithromycin, clarithromycin, or roxithromycin)
  - 비정형 세균도 의심되거나 중증 폐렴일 때에만 β-lactam에 macrolide 추가
③ respiratory fluoroquinolone IV ; gemifloxacin, levofloxacin, or moxifloxacin

③ ICU 입원환자 (*P. aeruginosa* 감염 의심×)

① β-lactam (cefotaxime, ceftriaxone, or ampicillin/sulbactam) IV
  + azithromycin oral/IV
② β-lactam (cefotaxime, ceftriaxone, or ampicillin/sulbactam) IV
  + fluoroquinolone (gemifloxacin, levofloxacin, or moxifloxacin) IV
 • penicillin allergy 환자는 fluoroquinolone + aztreonam IV 권장

④ (ICU) 입원환자 : *P. aeruginosa* 감염 의심시 (기타 내성 Gram 음성균 포함)

> 구조적 폐질환(특히 bronchiectasis), COPD, 최근 3개월 이내의 광범위 항생제 치료,
> 알코올중독, 면역저하(neutropenia, HIV 감염, steroid 치료), 영양결핍, 입원, 요양원 거주,
> 객담 Gram 염색에서 G(−) bacilli 등

① antipneumococcal & antipseudomonal β-lactam
    (IV piperacillin/tazobactam, cefepime, imipenem, or meropenem)
  + antipseudomonal fluoroquinolone (ciprofloxacin or high-dose levofloxacin IV)
② antipneumococcal & antipseudomonal β-lactam
  + AG (amikacin or tobramycin) + azithromycin IV
③ antipneumococcal & antipseudomonal β-lactam
  + AG + antipneumococcal fluoroquinolone (gemifloxacin, levofloxacin, moxifloxacin) IV

⑤ (ICU) 입원환자 : CA-MRSA 감염 의심시

> Septic shock, 기계호흡이 필요한 respiratory failure, Necrotizing/cavitary pneumonia,
> Empyema, 객담 Gram 염색에서 G(+) cocci in clusters, ESRD (투석), IV drug users,
> 남자 동성연애자, 밀집된 환경(e.g., 교소도, 군인, 탁아소, 요양원)
> 접촉이 많은 운동선수(e.g., 레슬러), 최근의 influenza 감염/예방접종,
> 최근 3개월 이내의 광범위 항생제 치료(특히 fluoroquinolone)

 • IV linezolid or vancomycin (± clindamycin) 추가
              ↳ toxin (e.g., PVL) 생성을 억제함
 • CA-MRSA는 hospital-acquired MRSA보다 내성 정도는 약함

(3) 치료기간 및 경구치료로의 전환

- 치료기간 : 환자의 상태/경과/반응, 원인균 등에 따라 결정, 확립된 기준은 없음 (최소 5일 이상)

  ┌ typical bacterial CAP (*S. pneumoniae* 포함) : 7~10일

  └ atypical pneumonia (e.g., *M. pneumoniae, C. pneumoniae, Legionella*)

  　 : 10~14일 이상 (대개 2~3주)

  - azithromycin, fluoroquinolone, telithromycin 등은 5일도 가능 (uncomplicated CAP에서)
  - 더 오랜 치료가 필요한 경우 ; bacteremia, metastatic infection, 고위험균 감염

    　 (e.g., *P. aeruginosa*, CA-MRSA), 초기 치료가 비효과적, severe CAP 등

- 경구 항생제 치료로의 전환 시점 : <u>치료 반응 평가</u>

  ① 기침 및 호흡곤란의 호전

  ② 해열 (m/i) : 8시간 동안 체온 37.8℃ 미만 유지

  ③ WBC count 정상화

  ④ 충분한 경구 섭취량 및 정상적인 위장관 흡수 기능

- 건강한 CAP 환자는 대개 2일 뒤 fever, 4일 뒤 leukocytosis 호전됨 (P/Ex. 호전은 더 오래 걸림)
- CXR 호전은 6주 (4~12주) 걸림 → uncomplicated CAP 환자는 퇴원 전 CXR F/U은 안함
- 50세 이상, 남성, 흡연자 등 폐암 발생 위험군은 치료 7~12주 이후 CXR 시행
- CT 등 좀 더 정밀한 검사가 필요한 경우

  ① 항생제 치료에 임상적인 호전을 보이지 않는 경우

  ② 입원시 pleural effusion이 동반되었던 경우

  ③ postobstructive pneumonia

  ④ 특정 원인균 ; *S. aureus*, aerobic GNB, oral anaerobes 등

(4) 경험적 항생제 치료의 실패 원인 (대개 치료 3일 째 평가) ★

① 비감염성 질환의 오진 ; pul. edema (CHF), pul. embolism, pul. contusion/hemorrhage,

　 폐암, radiation or hypersensitivity pneumonitis, eosinophilic pneumonia, sarcoidosis,

　 COP (BOOP), 약제유발성 폐질환, 폐를 침범한 connective tissue dz. (e.g., WG) ...

② 원인균의 문제 ; 미생물학적 오진, 비세균 감염, 내성균, 균교대 감염 등

　 (e.g., CA-MRSA, *M. tuberculosis, Pneumocystis* 등의 진균, 바이러스)

③ 약제의 문제

　 - 항생제의 선택, 용량, 투여경로, 투여간격 잘못

　 - 약물 부작용(e.g., hypersensitivity, drug fever, *Clostridium difficile* colitis) or 상호작용

④ 환자의 문제

　 - 폐렴 합병증 ; atelectasis, parapneumonic effusion, empyema, lung abscess, phlebitis

　 - 전이성 감염 ; brain abscess, meningitis, endocarditis, splenic abscess, osteomyelitis ...

　 - 방어능력 저하 ; 기관지폐색(e.g., 이물질), 면역저하, 심한 동반질환

(5) 기타 치료

- hydration, oxygen, assisted ventilation (필요시)
- steroid의 보조적 사용 (e.g., methylprednisolone IV)
  - severe CAP에서 폐렴에 대한 염증반응을 줄일 목적으로 고려 가능
  - 심하거나 조절되지 않는 염증반응으로 사망 위험이 높은 경우 적응
    ↳ sepsis or respiratory failure : FiO_2 50% 이상 필요 + metabolic acidosis (pH <7.3, lactate >4 mmol/L, or CRP >150 mg/L)
  - adrenal insufficiency에 의한 저혈압 시에도 사용
  - 금기 : 최근의 GI bleeding, uncontrolled DM, 심한 면역저하, virus에 의한 CAP
- 과거 연구되었던 activated protein C (drotrecogin-α)은 효과 없고 부작용 때문에 사용×
- 심한 influenza 폐렴 ⇨ 가능한 빨리 antiviral Tx

2. Hospital-acquired & Ventilator-associated pneumonia (HAP/VAP)

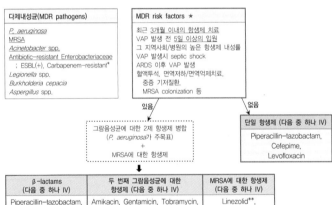

(1) 경험적 항생제 치료

- 미생물학적 진단을 위한 검체를 채취한 뒤 즉시 경험적 항생제 치료 시작
- 치료 방침 결정에는 <u>MDR pathogens 위험인자</u> 존재 여부가 가장 중요
- CAP와의 차이점 : MDR이 대부분, *Legionella*를 제외하고는 atypical pathogens이 매우 드묾

- 다제내성균 중 MRSA와 VRE는 큰 변화가 없거나 소폭 증가했지만, carbepenem 내성 G(-)균이 증가하여 문제 ; CRE (carbepenem-resistant *Enterobacteriaceae*), CRAB (~ *A. baumannii*), CRPA (~ *P. aeruginosa*)
  ↳ 이중 CPE (carbapenemase-producing ~)가 큰 문제 (plasmid를 통해 내성 전파)

(2) 이후의 치료 및 F/U

- 원인균이 진단되면 대개 그 원인균에 특이적인 항생제 monotherapy로 전환함
  (*Pseudomonas* 폐렴은 대부분 병합요법 계속 유지 권장)
- 치료 성공 (e.g., 3일째 CPIS가 6점 이하) → 7~8일간의 항생제 치료 뒤 중단
- 치료 실패도 흔함 (특히 MDR pathogen) ; *P. aeruginosa*의 40~50%, MRSA의 40% 실패
- 치료 중 새로운 β-lactam 내성 출현도 중요한 문제임
  (특히 *Pseudomonas*와 *Enterobacter* spp. 감염시)
- endotracheal tube의 biofilm 때문에 동일균에 의한 재발도 가능
  (but, *Pseudomonas* 재발의 약 1/2는 새로운 균주에 의한 것임)

■ HAP에서 특정 내성균의 위험인자

- *P. aeruginosa* ; 입원, 요양원, 구조적 폐질환(특히 기관지확장증), COPD, 기계적 환기, steroid 치료, 최근의 항생제 치료, 영양결핍, 면역저하, 심한 기저질환
- *Acinetobacter* ; 입원, 요양원, 신경외과 수술, 뇌손상, ARDS, 흡인(aspiration)
- *Stenotrophomonas maltophilia* ; 장기간 ICU 입원, tracheostomy, cefepime 치료, 심한 폐 좌상
- MRSA ; 입원, 요양원, 이전의 항생제 치료(특히 quinolones, macrolides), 수술, 투석, home infusion therapy, home wound care, 가족 중 MDR 감염자, enteral feeding, late-onset VAP ...
- ESBL-producing *Enterobacteriaceae* ; 입원, 요양원, 기관삽관, 최근의 항생제 치료, 가족 중 MDR 감염자, 중심정맥 삽관
- CRE/CPE ; CRE/CPE 유행중인 병원에 입원 or 국가로 여행, 광범위 cephalosporins and/or carbapenems 치료, ICU 입원, 기계호흡, 외상, DM, 악성종양, 장기이식, catheters 유치 등

(3) 예방

- 철저한 감염관리 ; 손씻기, 기도흡인 등의 조작시 무균장비 (일회용) 사용
- 의식이 없는 환자의 intubation시 예방적 항생제 요법 → early-onset VAP 감소
  (but, 항생제 사용 기간이 길어지면 MDR pathogen에 의한 VAP 발생 위험 증가)
- 기계적 환기 필요시 가능하면 noninvasive ventilation (nasal or full-face mask) 사용 or 기관삽관시에는 조기에 발관(extubation) (∵ tube가 중요한 위험인자)
- 호흡회로(e.g., tube)의 잦은 교체는 필요 없음! (→ 육안으로 더럽거나, 고장 났을 때만 교체)
- 보조 내강(→ 성문후 분비물을 지속적으로 흡인)을 가진 endotracheal tube 사용
  (e.g., Hi-Lo Evac) → early-onset VAP 발생 감소
- heat & moisture exchanger → late-onset VAP 감소
- enteral feeding 환자는 작은 구경의 feeding tube 사용
- head elevation (침대에서 30°~45°), kinetic bed, 흉부 물리요법

- 장내 세균 과다증식 방지를 위한 조치들은 일반적으로 별 효과 없음
  (∵ MRSA, *P. aeruginosa*, *Acinetobacter* spp. 등은 주로 코와 피부에 존재)
  → 일부에서만 효과적 (e.g., 간이식 환자, 복부의 대수술, 장 폐쇄)

VAP의 예방		
기본	VAP 발생, 기계호흡/입원 기간, 사망률, 비용 등 감소 효과 (위험대비 효과가 월등함)	적응이 되면 noninvasive ventilation (NIV) 사용 가능하면 진정제 사용 안함 or 최소화 매일 발관(extubation) 가능성 확인 진정제를 끊고 기계환기 이탈 (자발 호흡) 시도 조기 활동 독려 2~3일 이상의 기계호흡이 예상되는 경우 성문하 분비물을 지속적으로 흡인 가능한 endotracheal tube 사용 Ventilator circuit은 더럽거나, 고장 났을 때만 교체 Head elevation (침대에서 30˚~45˚)
추가고려	효과는 있지만, 위험에 대한 자료 부족	선택적 구강 및 소화기 오염제거(decontamination)
	VAP 감소 가능, 기계호흡/입원 기간과 사망률은 자료 부족	Chlorhexidine으로 매일 구강위생 시행 예방적 유산균(probiotics) 투여 매우 얇은 polyurethane endotracheal tube cuffs Endotracheal tube cuff pressure 자동 조절 Tracheal suction 전에 saline 점적(instillation) 전동칫솔
일반적으로 권장 안됨	VAP 감소, 기계호흡/입원 기간과 사망률에는 영향 없음	Silver-coated endotracheal tubes Kinetic beds, Prone positioning
	모두 영향 없음 (VAP 예방 이외의 목적으로 가능)	조기에 tracheotomy, Stress ulcer의 예방 위 내용물 잔여량 측정 조기에 비경구영양(parenteral nutrition)
권장 안됨	모두 영향 없음	Closed (in-line) endotracheal suctioning

* 기계호흡(intubation) 기간을 최소화하는 것이 가장 중요함!

* CAP의 예방 ; 예방접종(influenza, pneumococcus), 금연 등

예후/합병증

- 많은 CAP 환자가 외래로 치료받지만 (사망률<5%),
  입원이 필요한 경우엔 사망률 5~15% (ICU는 20~50%)
- 사망률이 높은 원인균 (MDR pathogens의 사망률이 훨씬 높음)
  - *P. aeruginosa*가 가장 높음 (>50%)
  - *E. coli*, *S. aureus*, *Acinetobacter* spp. 등도 높음 (30~35%)
  - *S. pneumoniae* 중에서는 serotype 3이 높음
  - group A *Streptococcus* 중에서는 M serotype 1, 3이 높음
- 폐렴의 합병증
  - necrotizing pneumonia, abscess, vascular invasion (infarction), cavitation,
    pleura 침범 (empyema, bronchopleural fistula) ...

- 기계적 환기 및 산소 치료에 의한 합병증 ; interstitial emphysema, pneumothorax, ARDS ...
- 심한 손상 이후의 fibrosis에 의한 합병증 ; organizing pneumonia, bronchiolitis obliterans, pleural adhesions ...

• pleural effusion (CAP 입원환자의 약 40%에서 발생) → 18장 참조
• lung abscess (최근엔 드묾, 입원환자의 약 0.05%에서 발생) → 5장 참조
• 폐렴의 재발
  - CAP 입원환자의 10~15%에서 2년 이내에 재발
  - COPD 및 반복되는 macroaspiration이 m/c 원인
  - 같은 위치에서 재발시 종양/이물에 의한 기관지 폐쇄 의심
  - 위의 원인이 없이 다른 위치에서 재발시 면역결핍 의심 (e.g., AIDS)
  - bronchiectasis에서도 재발 가능 (→ HRCT)
• HAP/VAP : 전체 사망률은 매우 높지만(30~70%) 기저질환의 악화에 의한 경우가 대부분임
  - 폐렴 자체의 의한(attributable) 사망률은 평가가 어려움 (약 13~25%?)
  - 사망률↑ ; 진단시 심한 전신상태(e.g., sepsis, shock, RF) , bacteremia, 심한 기저질환,
    MDR pathogen 감염(e.g., *K. pneumoniae* 등의 장내세균, *P. aeruginosa*, *Acinetobacter*),
    multilobar/cavitating/rapidly progressive infiltrates, 효과적인 치료의 지연 등

5
폐농양

원인/분류

CXR상 공동성 병변(cavitary lesion)의 원인

폐 실질의 감염	기타
1. 세균 : 흡인성 폐렴 　Anaerobes (m/c) ; *Peptostreptococcus, Prevotella,* 　*Fusobacteria, Bacteroides* spp., *Actinomyces* spp. 　Aerobes ; *S. aureus*, type Ⅲ *S. pneumoniae,* 　enteric GNB (e.g., *Klebsiella*), *P. aeruginosa,* 　*Legionella* spp., *Nocardia asteroides,* 　*Rhodococcus equi* ... 2. 세균 : 색전증 　*S. aureus, P. aeruginosa, Fusobacterium necrophorum* 3. 항산균 　*M. tuberculosis*, NTM (nontuberculous *Mycobacteria*) 4. 진균 　*Coccidioides immitis, Histoplasma capsulatum,* 　*Blastomyces dermatitidis, Aspergillus* spp., 　*Cryptococcus neoformans, Pneumocystis jiroveci* 5. 기생충 　*Entamoeba histolytica, Paragonimus westermani,* 　*Strongyloides stercoralis, Echinococcus*	Pulmonary neoplasm, trauma Bulla, cyst, sequestration Pulmonary infarction, embolism Bronchiectasis Postobstructive pneumonia 　(종양, 이물) Localized empyema Hiatal hernia Rheumatoid nodules Sarcoidosis Vasculitis 　Goodpasture's syndrome 　Wegener's granulomatosis 　Polyarteritis nodosa

* lung abscess (폐 농양/고름집) ; pus와 necrotic tissue를 포함하고 있는 cavity (>2 cm),
　주로 혐기성 세균에 의해 발생되며 aspiration pneumonia와 관련이 많다
　(항생제의 발달로 점점 감소 추세임)

분류	정의/위험인자	병인	원인균
Primary lung abscess (80%)	Aspiration의 위험인자를 가진 경우 　(or 건강했던 사람) 에서 발생 　意식저하, 알코올중독, 약물중독, 경련, 　뇌혈관/심혈관질환, 신경근육질환, 　식도 질환/운동장애, GERD 등	구강(잇몸) 상재균의 aspiration	Anaerobes (e.g., *Peptostreptococcus,* 　*Prevotella, Bacteroides,* 　*Streptococcus milleri*), Microaerophilic streptococci
Secondary lung abscess	Immune defenses에 장애를 일으키는 기관지 폐쇄(e.g., 종양, 이물) or or 기저질환(면역저하자)에서 발생 　; AIDS, 장기이식 등	기회감염균을 포함하여 매우 다양한 원인균	*S. aureus*, GNB (e.g., *P. aeruginosa,* 　*Enterobacteriaceae*), *Nocardia, Aspergillus,* 　Mucorales, *Cryptococcus, Legionella,* 　*Rhodococcus equi, Pneumocystis jiroveci*
Embolic lesions	*S. aureus* (endocarditis), *Fusobacterium necrophorum* (Lemierre's syndrome)		

- 내원 전 증상 기간에 따른 분류 ; acute (4~6주 미만, 60%), chronic (1달 이상, 40%)
- nonspecific lung abscess (~40%) ; primary lung abscess에서 원인균이 발견되지 않은 경우
- putrid부패성 lung abscess (60%) ; 혐기성균 감염에 의한 악취가 나는 호흡/객담
- 혐기성균에 의한 흡인성 폐렴은 대부분 혼합 감염임 (평균 6~7종류의 균이 동정됨)
  - 2/3는 혐기성균의 multiple species 혼합 감염
  - 1/3은 호기성균과의 혼합 감염
- cavity를 만들지 않는 균 ★
  ; H. influenzae, M. pneumoniae, S. pneumoniae (type Ⅲ 제외), viruses
- Klebsiella 이외의 enteric GNB 감염의 경우는 내외과적으로 중한 환자에게만 폐농양을 일으킴
- AIDS 환자 ; 보통의 세균 이외에 Pneumocystis, Rhodococcus equi, Cryptococcus neoformans 등도 폐농양을 일으킬 수 있음
- 종양에 의한 cavity : 주로 squamous cell carcinoma, 내벽면이 irregular

■ 병인/위험인자

(1) primary/anaerobic lung abscess
  ① aspiration (m/c), mucociliary clearance 또는 cough reflex의 장애
     예) 의식저하, 알코올중독, 간질발작, 전신마취, 뇌혈관질환, 약물중독, 연하곤란, 위식도역류,
        비위관 삽입, 기관지 삽관 …
  ② periodontal infection, gingivitis, sinusitis, bronchiectasis, pul. infarction …
(2) septic pul. embolism ; S. aureus에 의한 감염이 m/c (주로 IVDU에서 발생)
   → multiple abscess, 다른 부위의 septic embolic lesions 동반
(3) necrotizing pneumonia ; small multiple cavities
(4) bronchial obstruction (postobstructive pneumonia) ; 종양, 이물질
(5) 기타 ; 모든 경우에서 DM, 악성종양, 면역저하 등이 흔한 유발인자

■ 흡인성 폐렴 (aspiration pneumonia)
- 폐렴의 약 10% 차지, primary anaerobic lung abscess의 m/c 원인
- 대부분 정상 구인두의 호기성, 혐기성 세균이 원인균
- 흡인성 폐렴이 반복되는 경우 ; 식도/기관 악성종양에 의한 tracheobronchial fistula, 식도암에 의한 식도폐쇄, 다양한 신경질환(e.g., amyotrophic lateral sclerosis, multiple sclerosis, stroke, myopathies), severe esophageal reflux …
- 호발부위 (dependent lung segments) … 호발부위 이외의 cavity는 다른 원인(e.g., 종양)을 의심
  ① supine position (누운 상태)
    - 똑바로 누웠을 때 : lower lobe의 sup. segment (Rt > Lt[주기관지가 더 각짐])
    - 옆으로 누웠을 때 : upper lobe의 post. segment
  ② upright or semi-upright position : lower lobe의 basal segment
  c.f.) 2ndary lung abscess의 발생부위는 원인에 따라 다양함

임상양상

• 혐기성균에 의한 경우 비교적 서서히 발생, aspiration 1~2주 뒤 조직괴사 및 abscess or empyema
  형성 (급성으로 나타나면 호기성균을 의심)
• fever, chilling, weight loss, malaise, night sweat
• cough, pleuritic chest pain, hemoptysis
• 악취가 나는 화농성 객담 → anaerobic lung abscess로 진단 가능!
• digital clubbing : 3주 이상 지속된 환자의 약 10%에서 발생
• amphoric breath sound (공동음) : 매우 진행된 경우
• septic pul. emboli : 더욱 전격적인 경과
• 구인두 기능이 정상이면서 치아가 없는 환자에서는 폐농양 발생이 드묾
  (→ 발생하면 종양/이물에 의한 기관지 폐쇄를 의심)

진단

• chest X-ray : thick-walled cavity, cavity 내의 air-fluid level, cavity 주위의 경화
• CT : round, thick wall (irregular margin), lung parenchyma 내에 위치
  → air-fluid level을 동반한 empyema cavity와의 감별에 유용!
• 미생물학적 검사
  – 뱉어서 얻은 가래는 anaerobic culture에는 부적합함 (∵ 구강 오염, 혐기성균 운반/배양 어려움)
  – bronchoscopy를 이용한 BAL, PSB로 얻은 검체가 정량적 배양검사에 적합 (∵ 구강 오염↓)
  – 존재한다면 pleural fluid도 anaerobic culture에 매우 적합함
  – 혈액배양 : 흡인성 폐렴에서는 bacteremia가 드묾!
• 2ndary long abscess 의심 or 경험적 항생제 치료 실패 시에는 객담 및 혈액 배양 이외에
  기회감염균(virus와 진균 포함)에 대한 추가 검사, bronchoscopy를 이용한 BAL or PSB,
  CT-guided percutaneous needle aspiration 등을 고려
• 종양을 R/O하기 위해 bronchoscopy가 필요한 경우
  ① heavy smoker
  ② aspiration을 일으킬만한 유발 인자 부족
  ③ mediastinal or hilar LN enlargement
  ④ irregular abscess wall
  ⑤ non-dependent position의 cavity
  ⑥ 항생제 치료에 호전이 없을 때

치료

1. 항생제

- aspiration pneumonia or lung abscess로 진단되면 바로 경험적 항생제 치료를 시작하고, Gram 염색 및 배양/감수성검사 결과에 따라 조절
- 혐기성균 감염이 의심되는 aspiration pneumonia (abscess)의 경험적 항생제 요법
  ① clindamycin IV : 표준 항생제
  ② β-lactam/β-lactamase inhibitor IV (e.g., <u>ampicillin/sulbactam</u>, piperacillin/tazobactam)
    - 위중하지 않고 안정적이면 oral amoxicillin-clavulanate도 가능
  ③ carbapenem (e.g., imipenem, meropenem)
  ④ metronidazole (거의 모든 혐기성균에 효과적이지만 streptococci에는 효과가 없어 단독으로는
    실패율 높음) + β-lactams >> streptococci에는 효과적인 항생제와 병합
  ⑤ 기타 상황에 따라 quinolone, cepha. 등도 (추가)사용할 수 있음
    - hospital-acquired or healthcare-associated aspiration pneumonia (abscess)
      ; GNB (e.g., *Pseudomonas*)도 고려 → carbapenem or piperacillin-tazobactam + AG 등
      (fluoroquinolone은 처음에는 효과적이지만 장기간 사용시 내성 발생 흔함)
    - MRSA 위험인자 존재시 → IV vancomycin or linezolid 추가
- 일반적으로 3~4주 이상 (~14주까지도) 치료해야 됨, 약 5~10%에서는 반응이 없음
- 치료 실패율↑ ; abscess cavity >6~8 cm, pyogenic bacteria (e.g, *P. aeruginosa*, *S. aureus*)
- 치료 7~10일에 반응이 없으면 (fever 지속, abscess 커짐 등) drainage 등 고려

2. 배액(drainage)

- 체위 배농법(postural drainage) : 중요! (→ 7장 기관지확장증 편 참조)
  - 3일 이상의 고열 또는 bacteremia 지속, 7~10일 이후에도 객담 또는 CXR 소견의
    호전이 없으면→ 내성균, 기관지폐쇄, 농흉 등을 의심
- CT-guided percutaneous catheter drainage
  - 적응 ; 항생제 치료에 반응이 없거나, 크기가 매우 큰(>6~8 cm) 농양,
    postural drainage 효과×, 수술의 적응이나 수술 위험이 높을 때
  - Cx ; pleural infection, pneumothorax, pyopneumothorax, hemothorax, bronchopleural fistula
- bronchoscopy
  - 적응 ; atypical presentation, 내과적 치료에 반응 없을 때
  - 목적 ; drainage를 촉진, cavitating neoplasm R/O, 기저 병변 진단 (e.g., bronchogenic
    neoplasms, bronchostenosis, foreign body), foreign body 제거
- 농흉(empyema) → closed thoracostomy or open surgical drainage

3. 수술(lobectomy or pneumonectomy)

- Ix. ① 내과적 치료에 반응 없이 계속 커지는 농양
  ② uncontrolled hemoptysis
  ③ bronchial obstruction으로 drainage가 불가능할 때
  ④ 종양 또는 선천성 기형 의심시
  ⑤ 항생제 치료가 힘든 다제내성균(e.g., *P. aeruginosa*)
  - abscess의 크기나 위치와는 관계없음

예후

- primary lung abscess는 예후 좋음 : 완치율 90~95%, 사망률 ~2%
- 예후가 나쁜 경우 ★
  ① secondary lung absces (사망률 ~75%) ; bronchial obstruction 동반, 면역저하자 등
  ② 노인(>60세), 2개 이상의 기저질환
  ③ large cavity size (직경 >6 cm)
  ④ prolonged Sx (>8주)
  ⑤ necrotizing pneumonia : consolidation area의 multiple small abscesses
  ⑥ *P. aeruginosa*, *S. aureus*, *K. pneumoniae* 등의 호기성균에 의한 감염

Aspiration pneumonitis (Chemical pneumonitis)

- 무균성 위 내용물 흡인에 의한 화학적 폐 손상
- 원인 ; 구토, 위식도 역류

Aspiration pneumonitis의 위험인자

의식 저하	Gag reflex 장애	GI 장애	약물	기타
Sedation Alcohol intoxication Traumatic brain injury Encephalopathy Seizure disorder	Naso-gastric or endotracheal intubation Bulbar paralysis	Esophageal motility d/o. GERD Gastroparesis Bowel obstruction/ileus	Anticholinergics Adrenergic agents Nitrates, CCB Phosphodiesterase inhibitors	비만 분만 응급수술

- 질환의 severity를 결정하는 요소 ; pH (m/i), food particle, 흡인 양, 흡인물의 분포
- 경과 ; 62%는 금방 호전됨, 12%는 ARDS로 조기에 사망, 26%는 처음에는 호전되었다가
  새로운 폐 침윤 발생 (2차 세균감염 or ARDS 발생)

- 치료
  - 체위변경(head elevation 등), tracheal suction, 호흡유지(e.g, 산소공급, PEEP, 기계호흡)
  - 24시간 이후에도 증상(e.g., fever)이 지속되면 흡인성 폐렴에 준한 경험적 항생제 치료
  - bronchoscopy ; 액체만의 흡인이면 필요 없음 / particles 흡인이 많아 lobar collapse, atelectasis 등이 발생하면 치료목적으로 시행 / 세균 감염 합병시 검체 체취를 위한 BAL 시행 가능
  - steroid는 사용 안함

6
결핵

원인

- 결핵균(*Mycobacterium tuberculosis*)
- 항산균(*Mycobacterium*) 균의 특징
  - 편성 호기성균(obligate aerobes), pH 6.8~7.0, 37~38℃
  - macrophages 내에서 생존 및 증식 (intracellular organism)
  - acid-fast bacillus : AFB 염색 (Ziehl-Neelsen 법)에 양성
- NTM (non-tuberculous *Mycobacterium*)
  - 결핵균(*M. tuberculosis* complex)과 나균(*M. leprae*)을 제외한 항산균
  - *M. avium-intracellulare*가 반 이상을 차지 (그 외 *M. kansasii* 등)
  - AIDS 환자에서 호발, 우리나라는 전체 mycobacteria 결핵의 약 10% 정도 차지
- *M. tuberculosis*의 virulence에 관여하는 유전자
  ① *kat* G : catalase (oxidative stress에 저항)를 encode
  ② *rpo* V : 여러 gene transcription을 initiation하는 main sigma factor
  ③ *erp* : 결핵균의 증식에 필요한 단백질을 encode

역학

- 전세계적으로 매년 약 1천만 명의 환자 발생 (남:여 = 1.8:1), 약 130만 명 사망 (2017년), 신환자의 약 3.5% 및 치료환자의 약 18%는 다제내성 결핵임 (MDR-TB의 8.5%는 XDR-TB)
- 우리나라
  - 매년 3만 명 이상의 신환자가 보고되고 있으며 (인구 10만 명당 약 60~78명), 약 2천명 사망 (c.f., OECD 평균 = 10만 명당 약 13명)
  - 최근 들어 조금씩 감소하는 추세임 (2017년 2.8만, 10만 명당 55명)
  - 20세 이후 지속적으로 조금씩 발병률이 증가하며, 65세 이후 크게 증가됨
  - 남:여 = 1.35:1 (20~30대에는 남:여 비슷하다가, 이후 남자가 훨씬 많아짐)
  - 다제내성 결핵 비율 ; MDR-TB 약 2%, XDR-TB 약 0.15~0.3% … 조금씩 감소 추세

병태생리

1. 전파/감염

- 결핵균의 비말핵(droplet nuclei)을 흡인함으로써 전파됨
  - 활동성 폐결핵 환자가 결핵균의 유일한 infection source
  - 환자가 기침/재채기, 말할 때 전파 (e.g., 한번 기침할 때 최대 3000개의 비말핵이 나옴)
  - 비말핵은 공기 중에서 금방 건조되지만, 아주 작은 경우엔 몇 시간 부유할 수
- 감염력(infectiousness)을 좌우하는 요인 ; 결핵균의 수와 병원성(virulence), 기침/재채기의 횟수, 결핵 환자와 접촉한 기간, 숙주의 면역력 및 폐질환의 정도 등
- 밀폐된 공간에서는 균의 농도가 높아져 감염 위험 증가 (→ 적절한 환기가 감염력을 낮추는데 중요)
- 항산균(*Mycobacterium*)은 자외선에 약함 (→ 낮에 집 밖에서는 거의 전염이 일어나지 않음)
- fomite (환자가 쓰던 물건, 옷)에 의해서는 감염되지 않는다!

2. 발병/위험인자

- 감염된 사람의 5~10%만이 활동성 폐결핵으로 발병 → 숙주 요인이 중요함
  (∵ 세포면역이 작용하는 3~6주후 대부분 자연 치유됨)
- 초감염자의 90%는 평생 결핵이 발병하지 않음
- 활동성 결핵의 발병률에 영향을 미치는 인자
  ① 결핵균의 양 및 병원성
  ② 숙주요인 (cellular immunity가 중요) … 다음의 경우 발생 증가
    - 장기이식 후, jejunoileal bypass, silicosis, HIV 감염, IV drug user, CRF/HD 등이 가장 위험
    - 기타 면역억제치료, 위절제술, DM, 소아/노인, 알코올중독, 흡연, 영양실조, 스트레스 등
  ③ 환경 : 집단 기숙생활, 병원 or 요양원 근무자
- cellular immunity에서 중요한 세포 ; macrophage, T lymphocyte

3. 병리소견 (pathology)

① 염증성 혹은 삼출성 병변 (inflammatory or exudative lesion)
② 증식성 혹은 결핵결절 병변 (productive lesion) - Langerhans giant cell
③ 건락성 괴사 (caseation necrosis) - caseating granuloma
  : 치즈 모양의 균질한 무정형 괴사 → 결핵의 특이한 소견!
④ 액화(liquefaction) → cavity 형성 (thin wall, no air-fluid level)
⑤ 석회화(calcification)

4. 폐결핵 공동(cavity)의 임상적 의의

- 관련 기관지를 통한 전파(bronchogenic spread)의 가능성이 높음
  → 타인에게 뿐만 아니라 자신의 폐에도 새로운 병소를 잘 만듦
- 공동 벽을 통하여 항결핵제의 통과가 어렵다 (but, 약제의 혼합을 더 늘릴 필요는 없음)

- 공동 안으로 공기가 잘 통과하므로 호기성 결핵균이 잘 자람
  → 약제 내성균이 잘 생김 (but, 내성균이 공동을 더 형성하는 것은 아님)
- 공동 안의 다른 세균이 폐농양을 일으키는 경우가 있음
- 대량 출혈 or 진균종 발생 가능
- 치유 형태 : 개방성 치유, 반흔성 치유, 폐쇄성 치유

폐결핵의 임상양상

- 전체 결핵의 80~90%가 폐결핵의 형태로 발병
- 서서히 진행하고 초기에는 증상이 없거나 경미하여 검사 중 우연히 발견되는 경우가 많다

1. 전신 증상

- 발열 (미열) : 특징적으로 오한은 없고, 오후에 열이 나며, 밤에 잠이 들면 식은땀과 함께
  열이 내리면 전형적
- 전신 쇠약감, 피로감, 식욕부진, 완만한 체중감소 / 여자에서는 월경불순도 있을 수 있음

2. 호흡기 증상

- 기침 (m/c) : 마른기침 → 객담 동반 (점액성, 화농성, 혈담)
- 혈담/객혈, 흉막성 흉통, 호흡곤란, 흉막삼출(pleural effusion) ...
- 기침, 가래 등 호흡기증상이 2~3주 이상 지속시 결핵을 의심해 봐야 됨!
  (특히 결핵 발병의 위험도가 높은 집단에서)

진단

1. chest X-ray

- 결핵의 진단, severity 및 치료효과 판정 등에 유용
  (but, 소견이 다양하고 전문가에서도 판독 변이가 많으므로 맹신은 금물)
- 과거의 chest X-ray와 꼭 비교해 봐야 됨!
- 단점 : 활동성과 비활동성(치유된 병변)을 구별하기 어렵다
  → 균검사, 과거력, 임상소견(연령, 위험인자 유무, 증상) 등을 종합하여 활동성 여부를 결정해야 함
- 전통적으로 감염 후 발병 시기에 따라 분류하였으나, 최근에는 면역상태에 따라 다른 것으로 밝혀짐
  ▶ 일차 결핵(primary TB)/초감염 결핵의 소견 ⇨ 면역저하자의 및 소아의 소견
  - 주로 폐 하엽을 침범 (→ 폐렴 등과 감별 필요)
  - 무기폐(atelectasis) : 2세 미만 소아에서 흔함
  - 폐문/종격동 림프절염(성인 43%, 소아 96%), 흉막삼출(6~7%), 좁쌀결핵(1~7%) 등이 많음
  - 결핵종(tuberculoma) : 결절/종괴성 음영(<3 cm), 상엽에 호발, 완치된 초감염 결핵의 잔존물

▶ **이차 결핵(post-primary TB)/재발 결핵(reactivation TB)** ⇨ 정상 면역 환자의 소견 (주로 성인)
- 훨씬 더 많음 (잠복결핵의 재활성화보다는 <u>재감염</u>이 더 큰 원인으로 추정)
- 정상 ~ ARDS의 diffuse alveolar infiltrates까지 매우 다양한 양상
- 불규칙적인 reticulonodular or patchy infiltration (m/c) → 시간이 지나면서 뚜렷한 reticular (fibrosis) or nodular 병변으로 진행, 석회화(calcification)도 나타날 수 있음
- 병변의 위치는 주로 상부 ; <u>상엽</u>의 apical & post. segment (m/c), 하엽의 sup. segment
- <u>공동화(cavitation)</u> : 약 50%에서 발생, 다발성, air-fluid level (22%), 대개 주변에 침윤성 병변
- 림프절염, 흉막삼출, 좁쌀결핵 등은 드묾

활동성	비활동성
신생 병변	전부터 있던 병변
추적 사진상 변화	추적 사진상 변화 없음
희미한 윤곽의 opacity	명확한 윤곽
Cavity	섬유화성 병변, Calcification

* 상엽의 침윤과 공동을 보이는 경우 D/Dx ; NTM, sarcoidosis, ankylosing spondylitis, aspiration pneumonia, silicosis, actinomycosis ...

2. CT (HRCT)

- 객담도말검사에서 결핵균이 검출되지 않으면서 CXR 소견이 애매하고, 폐암 등 다른 폐질환의 가능성이 있을 때 유용함
- 공동, 속립성 결핵, 기관지 협착, 기관지확장증, 흉막질환, 폐문/종격동의 림프절 침범 등을 확인하는 데 더 정확함 → 활동성 vs 비활동성을 더 정확하게 구별 가능
- endotracheal spread 양상이 m/i 소견 ; 경계가 불분명한 직경 2~10 mm의 centrilobular nodules 또는 branching centrilobular opacities (tree-in-bud)

* MRI : 폐결핵 진단에는 필요 없음 (LN or 흉막 침범, CNS 결핵 의심 때 이용)

3. 객담 결핵균 검사

(1) 객담의 채취

- 아침 공복상태에서 양치질 후에 채취하는 것이 좋다 (양은 3 mL 이상)
- 최소 2~3회 채취가 원칙 (배양/감수성 검사 전 보관시에는 반드시 냉장)
- 적절한 객담을 얻기 어려운 경우의 조치
  ① 유도 객담(induced sputum) : 3% hypertonic saline (ultrasonic nebulizer 이용)
  ② 위액 채취(gastric aspiration) : 소아, 의식장애 환자와 같이 스스로 객담을 뱉기가 어려울 때
    - 밤에 자는 동안 대부분의 환자는 가래를 삼키기 때문
    - 위세척액을 채취하여 중화 처리 후 검사를 시행
    - X선에서 폐결핵을 보이는 소아의 약 40%에서 결핵균이 검출됨
  ③ 기관지내시경(bronchial washing, BAL) : 마지막 방법

(2) 항산균 도말검사 (AFB Stain)

- 가장 간단하고 신속한 방법 (presumptive diagnosis)

- 염색법 : Ziehl-Neelsen 법 (m/c), Kinyoun 법 등 → 광학현미경 1000배로 관찰
  - false (+) ; NTM, *Actinomyces, Nocardia, Legionella* spp. 등
  - false (-) ; 부적절한 객담 검체, 직사광선/자외선/과도한 열 등에 노출
- 폐결핵이 의심되는 환자는 2~3회 실시 (with 배양)
- 단점 ; sensitivity 낮음(40~65%), NTM과 구별 못함 (도말 양성자의 10~20%가 NTM)
- 형광현미경(auramine-rhodamine or auramine-O 염색)
  - 200~400배로 관찰 가능 → sensitivity 10% 더 높음, 검사자의 업무량 감소
  - 기존의 수은램프 형광현미경은 고가였으나, 최근에는 저렴해진 LED 형광현미경을 권장(WHO)

(3) 배양검사

- 활동성 결핵을 확진할 수 있는 유일한 방법이지만(specificity 100%), 불완전한 gold standard
  (위음성(false negative)이 좀 있음), 도말검사와 같이 2~3회 시행하는 것이 권장됨
- 도말검사보다는 sensitivity 높고, 약제감수성검사(drug susceptibility test, DST)에도 필요함
- 단점 : 검사과정이 복잡하고, 시간이 오래 걸림 (3~4주에 m/c 검출됨, ~8주까지 확인)
  (c.f., rapid growers ; *M. fortuitum, M. chelonae, M. smegmatis*)
- 배지(culture media) ; Ogawa (m/c), Lowenstein-Jensen, Middlebrook 등
- 최근에는 액체배지 배양이 권장됨(WHO) ⋯▶ 대부분 고체 & 액체배지 함께 검사
  - 장점 : 고체배지보다 배양기간 1/2로 단축 (10~12일부터 검출됨, ~8주까지 확인), 검출률↑
  - 단점 : 고체배지보다 세균 오염률이 약간 높음 (→ 위양성 & 위음성↑), 비쌈
- 전처치
  - 오염 세균의 제거 : NaOH 3~4%, NALC-NaOH (NaOH 농도↓[~2%] → 배양 양성률↑)
  - 액화 : mucolytic agent (e.g., N-acetyl-L-cysteine, NALC)
- TB와 NTM 감별을 위한 SD™ TB Ag MPT64 신속검사(immunochromatographic assay, ICA)
  - MPT64 Ag : 주로 증식이 활발한 *M. tuberculosis* complex (MTBC)에서 분비됨
  - 고체배지의 집락 or 액체배지의 원심 침전물로 검사 (sensitivity 97~98%, specificity ~100%)
- * 도말 양성이면서 배양 음성인 경우
  ① 치료 중인 환자 → 결핵균이 생명력을 잃은 상태
  ② 치료받지 않았을 때 → 객담이 햇빛/열에 노출 or 건조되었을 때
  ③ 오염(contamination), 객담 전처치중 NaOH의 과다 사용, 도말 위양성

(4) 핵산증폭검사(nucleic acid amplification test, NAT/NAAT, PCR)

- 최근에는 first-line diagnostic test로 선호됨 (active TB 의심시 첫 진단검사로 권장)[WHO]
- 장점 : 결과를 빨리 얻을 수 있음, 극소수의 균도 검출 가능, NTM 및 약제내성도 진단 가능
  - sensitivity는 도말양성[AFB(+)] 검체에서는 98~100%, 도말음성 검체에서는 약 60~90%
  - specificity는 95~100% (현행 PCR 장비들의 정확도는 대부분 비슷한 편임)
- 대부분 real-time PCR 기법을 이용함 ; Roche Cobas TaqMan MTB, LG AdvanSure TB/NTM,
  Seegene Anyplex/Seeplex MTB/NTM, Bioneer AccuPower MTB/NTM, Abbott RealTime MTB 등
- 단점 : 위음성/위양성(최근에는 많이 감소), 생균과 사균을 구별 못함(→ 치료경과 추적에는 이용×)
- 흉수, CSF, LN 같이 오염의 가능성이 적은 검체에서 (+)인 경우는 의미 더 높음
  (sensitivity는 일반적인 호흡기 검체보다 약간 떨어짐)

4. 약제감수성검사(drug susceptibility test, DST)

약제감수성검사의 적응
1. 모든 결핵 환자의 첫 배양균주
2. 3개월 이상의 치료에도 배양(+) or 임상적으로 치료실패가 의심되는 경우
3. 신속내성검사, Xpert MTB/RIF, 액제배지감수성검사 등에서 내성이 검출된 경우에는 주요 1차, 2차 항결핵제에 대한 전통적인 감수성검사도 시행 권장

- 모든 결핵 환자의 첫 배양균주에서 약제감수성검사 (or 최소한 RFP 신속내성검사) 권장(WHO)
- 전통적인 약제감수성검사 (culture-based)
  - 기준 농도의 항결핵제가 포함된 고체/액체 배지에 균주를 접종한 뒤 배양 여부를 관찰함
  - 고체배지 이용시 3~4주, 액체배지 이용시 2주 정도의 시간 필요
- **신속내성검사(rapid DST)** : <u>다제내성 결핵(MDR-TB)</u> [INH와 RFP에 모두 내성]의 빠른 확인에 유용
  - 각 약제의 내성 유전자 돌연변이들을 분자유전검사로 빠르게 검출하는 것
    - ┌ RFP : *rpoB* gene, RFP 내성 결핵균의 96%에서 발견 → 진단 민감도도 95% 이상으로 높음
    - └ INH : *katG* (50~95%), *inhA* (20~35%), *ahpC* (10~15%) 등 여러 유전자에서 발생
      → INH 내성 결핵균의 진단 민감도는 약 90% (→ 전통적 DST 추가로 필요)
  - RFP 내성균은 대부분 INH에도 내성을 보이므로 MDR-TB의 surrogate marker로도 유용함!
  - 검사방법 ; DNA line probe assay (e.g., Bruker-Hain MTBDR*plus* - 5시간 이내에 결과),
    <u>real-time PCR</u> (e.g., <u>Xpert MTB/RIF</u>, BD MAX MDR-TB), sequencing (gold standard) 등
  - 적응 ; MDR-TB의 가능성이 높은 경우(e.g., 재치료), 약제내성을 빨리 확인해야 하는 경우
    (e.g., severe TB, HIV 감염자에서 발생한 TB) → 초기 검사로 Xpert MTB/RIF 권장(WHO)
- RFP 내성(RR) or MDR-TB에 대해서는 2차 약제들에 대한 감수성검사(or 신속내성검사)도 시행

5. 면역학적 진단

: 잠복결핵(latent TB infection, LTBI)의 진단에 주로 이용됨

(1) tuberculin (PPD) 피부반응검사 (tuberculosis skin test, TST)

- 결핵균 감염에 대한 세포면역(memory T cell)의 활성화 여부(지연형 과민반응)를 보는 검사
  : 결핵균 노출 후 2~8주 뒤에나 양성으로 나옴
- 검사방법 : 0.1 ml의 PPD (5TU)를 전박부의 굴측(volar surface)에 피내주사 ("Mantoux test")
  - 6~10 mm의 팽진(wheal)이 형성되도록 주사
  - 판독 : 48~72시간 뒤, 경결(induration) 둘레를 측정 (발적의 크기는 고려하지 않음)
  - 경결의 크기가 10 mm 이상이면 양성 (AIDS 환자는 5 mm)
  - 경결이 15 mm 이상이거나 물집이 생기면 강양성
- (+) 의미 : 현재 또는 과거의 결핵 감염으로 결핵균 단백에 감작되었거나,
  BCG 접종에 감작된 것을 의미 (발병 상태를 의미하지는 않는다)
- newly infected person : 최근 24개월에 경결의 크기가 10 mm 이하에서 10 mm 이상으로
  증가한 상태 (증가폭 6 mm 이상)
- 단점 : 활동성과 비활동성/잠복 결핵을 구분 못함 (→ 모두 양성)
  - 위양성 많음 (specificity 낮음) ; BCG 접종자, NTM, 치유된 결핵 등

– 위음성 많음

① 세포성 면역 저하 (anergy) ; AIDS, steroid 등의 면역억제제 투여, 홍역 등 virus 질환이나
생백신 접종, 영양실조, 림프계 악성질환, CRF, sarcoidosis, 심한 감염, INH 투여, 영아

② 심한 결핵 ; 속립성 결핵 or 다른 부위의 중증 결핵

③ 결핵균 감염 초기 (노출 후 4~6주 뒤에나 양성으로 나옴)

④ 시약의 잘못된 보관이나 피하 주입

– 우리나라는 BCG 접종으로 인해 약 30%가 양성이므로 활동성 결핵 진단 목적으로 사용하기는
어렵고, 잠복결핵(LTBI)의 진단에 IGRA 검사와 함께 활용함

(2) 체외 IFN-γ 분비검사 (in vitro IFN-γ release assay, IGRA)

• TST의 원리와 비슷하게 memory (CD4+) T-cells의 반응을 검사 ⇨ 잠복결핵의 진단에 이용

• 검사방법 : 결핵균 특이 항원(e.g., ESAT-6, CFP-10, TB7.7)이 포함된 튜브에 환자의 혈액을
첨가하여 16~24시간 자극한 뒤 생성되는 IFN-γ의 양을 측정

• 장점

① TST와 sensitivity는 비슷하면서 specificity는 높음

: NTM 감염이나 BCG 예방접종에 의한 위양성이 적음!

② 면역저하자에서는 TST보다 sensitivity 높음 (TST 음성이고 IGRA 양성이면 LTBI로 진단)

③ 객관적 (검사자에 따른 변이가 적음), 환자에게 편리 (한번만 채혈을 하면 됨)

• 단점 ; 고가, remote infection에서는 TST보다 sensitivity 낮을 수 있음 (위음성)

• 결핵(active TB)의 진단에는 이용 못하지만, 잠복결핵(LTBI)의 진단이나 결핵 환자와 접촉한 사람
중에서 결핵균에 감염된 사람을 찾아내는 데 유용함 (특히 BCG 접종자에서)

6. Bronchoscopy (적응증)

① 폐야의 고립성 음영의 확진 (특히 폐암과 감별진단)

② 무기폐 음영의 확인

③ 기관, 기관지 결핵의 확인

④ 객혈 발생시

■ Activity의 판정

(1) active (활동성)

① 객담 (or 기관지세척액 등) 검사에서 균 검출 (도말 or 배양 or PCR 양성)

: PCR이 가장 정확, 배양은 gold standard(specificity 100%)지만 오래 걸리며 위음성이 좀 있고,
도말은 가장 저렴하고 간편하지만 위음성이 많고 NTM과 구별 안됨

c.f.) 배양 음성이라도 결핵 치료로 임상적 호전을 보이면 배양음성 폐결핵으로 진단 가능

② 흉부 X선상 병변의 변화 (과거 CXR와 비교, m/i)

③ empyema, bronchopulmonary fistula, pleurocutaneous fistula, endobronchial TB 등이 의심

(2) quiescent (정지성)

: 매월 검사한 객담검사에서 3개월간 균 음성이면서, 흉부 X선상의 변화도 없는 상태

(3) inactive (비활동성)

① 공동이 없는 경우 : 매일 객담검사에서 6개월간 균 음성이면서, 흉부 X선상 변화도 없는 상태

② 공동이 있는 경우 : 흉부 X선상 6개월 이상 변화가 없고, 1~3개월 간격으로 검사한 객담검사에서 18개월 이상 균 음성인 상태

치료

1. 치료 목표

① 병변내의 균 박멸 (m/i)

② 병변의 원상회복 또는 개선　③ 증상/증세의 소실 또는 개선　④ 재발 없는 치료

2. 항결핵약제의 종류와 부작용

┌ 1차 항결핵제 : 효과가 좋고 부작용이 적어 초치료시 주로 사용되는 약
└ 2차 항결핵제 : 효과가 적고 부작용이 많아 재치료시 주로 사용되는 약

(1) 1차 항결핵제 (first-line drugs)

① Isoniazid (INH, H)

• 살균제제, 활발히 증식하는 균 뿐만 아니라 macrophage내의 결핵균에도 항균효과가 있음

• S/E ; 간염, 말초신경염(dose-dependent), hypersensitivity, 정신병

• 말초신경염 예방목적으로 pyridoxine (vitamin B_6) 같이 복용 (∵ pyridoxine antagonist)
  - INH 대량 (>600 mg) 사용시에(e.g., 뇌막염) 투여함 (통상 INH 용량에서는 불필요)
  - 임신, 알코올중독, 영양실조, 만성 간질환, CRF, DM, 노인, 빈혈, 신경병, 간질, AIDS 등에서도 투여 가능

② Rifampin (RFP, RIF, R)

• 살균제제, 결핵균의 세가지 집단에 모두 효과적

• 특히 결절(caseous necrosis) 내의 persister에는 유일하게 효과가 있음

• S/E : 간염, 발열, hypersensitivity, purpura, 신부전
  - 체액이 적색으로 변하는 것은 정상 경과임
  - 과민반응중 감기같은 반응시에는 간헐요법을 매일요법으로 바꾸고 소량씩 재투여할 수 있음
  - thrombocytopenia, hemolytic anemia, AKI → 즉시 투약 중단 & 절대 재투약 금기!
    c.f.) AKI (드뭄) ; acute interstitial nephritis, 대개 간헐적 투여 or 재투여와 관련

• 약물상호작용 ; 특히 경구피임약, anticoagulants, digoxin 등과 사용시 주의 (RFP level↓), protease inhibitors와는 병용 금지(→ 뒤의 HIV 편 참조)

• 음식에 의해 흡수가 방해되므로 최소한 식사 30분 이전에 투여해야

• 담도로 배설 → 신부전시 가장 안전!

* rifabutin : HIV 치료제(e.g., PI)와 병용시 RFP보다 약제상호작용이 적어 유용

* rifapentine : RFP보다 작용시간 길고 부작용 적지만, 재발률 높음 (RFP 내성균에는 효과×)

③ Ethambutol (EMB, E) : 정균제제 (RFP에 대한 <u>내성 발현 억제</u> 역할)
- S/E ; <u>시신경증(optic neuropathy)</u> : 시력감소, 중심암점, 적녹색약 등, 대부분 양측성
  - 대부분 2개월 이후 발생, 용량 & 투약기간과 비례, 대개는 투약 중단하면 서서히 회복됨!
  - 시력 장애를 호소 못하는 환자나 소아에서는 사용을 피함
  - 발생시 즉시 투약 중단 & 재투약 금기!
- 신기능 감소시 발생위험 증가 → 신부전시는 사용 피함

④ Pyrazinamide (PZA, Z)
- 살균제제, pH 6.0 이하에서만 살균 작용 → 특히 macrophage 내(산성 pH) 결핵균에 효과적
- S/E ; hepatotoxicity, <u>arthralgia</u> (→ NSAID 등으로 조절 가능), GI upset, photosensitivity
  - uric acid 배설 억제 ; hyperuricemia (→ 통풍 발작 때에만 투여 중지), RFP 병용시 빈도↓

⑤ Streptomycin (SM) : AG 계열 주사제 (분류에 따라 1차이기도 하고, 2차이기도 함)
- 살균제제, 심한(e.g., meningitis, miliary tbc) or 내성 결핵에 복합요법으로 사용
- S/E ; <u>제8 뇌신경 장애</u> (주로 vestibular br. 장애 → 현기증, 운동실조), 신생아난청,
  nephrotoxicity (non-oliguric RF, 다른 AG보다는 적음), anaphylaxis
  - 이독성(제8 뇌신경 장애)와 신독성은 용량에 비례, 고령에서 호발 → 발생시 재투약 금기!
  - 입주위의 tingling sense, 두통, 어지러움 등은 일과성 → 투여 중지× (심하면 용량 감량)

(2) 2차 항결핵제 (second-line drugs)

① AG (주사제) ; amikacin, kanamycin, streptomycin … 살균제제
- S/E ; 제8 뇌신경 장애 (청력장애가 主), nephrotoxicity 등 (윗부분 참조)
- amikacin : kanamycin보다 ototoxicity 적고, IM시 통증도 적음

② capreomycin (주사제) : AG와 기전/효과/부작용 유사함
- AG 들과 capreomycin은 주사제로 다른 2차 약제들에 비해 항결핵 효과가 우수한 편
- 최근 WHO는 부작용 등으로 주사제를 우선 권장 안함, kanamycin과 capreomycin은 제외했음

③ quinolones ; levofloxacin, moxifloxacin, gatifloxacin 등 (ciprofloxacin은 권장 안됨)
- 다른 2차 약제보다 항결핵 효과가 좋고 부작용 적음, 다른 항결핵제와 교차내성 없음
- 폐렴 환자에서 경험적 항생제로 사용시 진단 못한 결핵을 놓칠 수 있으므로 주의
- 유제품 및 제산제에 의해 흡수 저하 → 2시간 이상의 간격을 두고 복용해야
- 신기능 저하 → moxifloxacin이 안전 / 간기능 저하 → levofloxacin이 안전
- levofloxacin & moxifloxacin → QT prolong 위험

④ thioamide ; prothionamide, ethionamide … 정균제제
- prothionamide가 부작용이 상대적으로 적어 선호됨, INH와 구조/부작용 비슷
- S/E ; 위장장애(~30%), 입안의 금속 냄새, N/V, 식욕감퇴, 현기증, 간독성, 말초신경염,
  CNS 부작용, hypersensitivity, 태아의 기형 초래할 수 (→ 임산부에선 금기)

⑤ cycloserine (Cs) : 정균제제
- S/E ; <u>CNS 부작용</u>이 흔함 (e.g., 두통, 불안, 성격변화, psychosis, convulsion), hypersensitivity
  → 우울증, 불안증, 정신병, 간질 환자에겐 금기!, 알코올 중독 및 신기능 장애 시에도 주의
- CNS 부작용의 예방/치료를 위해 (INH와 마찬가지로) pyridoxine을 같이 복용해야 됨
  * terizidone (Trd) : cycloserine 유도체

⑥ para(*p*)-aminosalicylic acid (PAS) : 정균제제
  • S/E ; 위장장애 (흔함), hypersensitivity, hepatotoxicity, hypothyroidism, BM suppression
⑦ linezolid : oxazolidinone계, 정균제제, MDR-TB에서 우수한 효과
  • 부작용 : <u>BM suppression</u> (10일 이상 사용시 호발, 가역적), <u>peripheral & optic neuropathy</u>
     (장기 투여시 발생 가능, 비가역적일 수), N/V, 설사/변비, 두통, 수면장애, 횡문근융해(드묾)
⑧ <u>bedaquiline</u> : diarylquinoline계, ATP synthase억제제, 2012년 FDA MDR-TB 치료에 허가
  • MDR-TB에서 매우 우수한 효과를 보이고 부작용 적어 1차 선택약으로 권장(WHO 1군 약제)
  • S/E ; QT prolong, 간기능 장애 등 (심한 신기능 저하시 주의)
  • 최대 24주만 사용, 고령 및 HIV(+)에서는 주의, 소아 및 임산부에는 사용×
⑨ delamanid : nitro-dihydro-imidazooxazole계, mycolic acid 합성 억제, 2014년 유럽에서
     MDR-TB 치료에 허가됨, 기대만큼 효과가 뛰어나지는 않아 현재 WHO 3군 약제임
  • S/E ; QT prolong 등 / 최대 26주만 사용!
  • C/Ix ; albumin <2.8 g/dL, 강력한 cytochrome 3A 유도제(carbamazepine, rifampin) 복용
⑩ clofazimine : *M. leprae*에 살균작용 (나병 치료제), MDR-TB에도 효과적
  • S/E ; 위장장애, 심한 피부변색, photosensitivity (→ 햇빛 노출 최소화)
⑪ β-lactams & β-lactamase inhibitor (e.g., amoxicillin/clavulanate) : MDR-TB에 사용
     (∵ *M. tuberculosis, M. bovis, M. kansasii* 는 β-lactamase를 생성)

3. 약물치료의 원칙

① 다제 병합요법 : 내성 발현을 예방하기 위해 최소한 3종류 이상 병용 (bactericidal 2종류 포함)
② 1일 1회 투여 (∵ 1차 항결핵제의 작용은 1일 1회 투여로 혈중농도가 single peak를 이루었을
     때가, 지속적으로 MIC 이상의 농도를 유지할 때보다 치료효과가 우수함)
③ 6개월 이상 장기간 치료 (충분한 용량, 규칙적으로)
④ 감수성 약제의 선택 (4제 병용), 살균 약제의 선택
  ┌ 살균력 : INH, RFP > SM, PZA
  │ 멸균력 : RFP, PZA > INH (와 병합하면 더욱 효과적)
  │ 정균력 : EMB, PAS
  └ 세포속의 균 : RFP, INH, PZA

■ 항결핵제의 작용정도

  • 초기살균작용(early bactericidal activity) : 활발한 대사활동을 하고 있는 결핵균을 급속히 사멸
     시킬 수 있는 초기 살균 작용 → INH가 가장 강력
  • 멸균작용(sterilizing activity) : 서서히 혹은 간헐적으로 활동하는 반휴지기(semi-dormant) 잔존
     결핵균(persists)을 끝까지 사멸시키는 작용 → RFP과 PZA가 가장 강력
  • 획득내성 출현의 예방 : 많은 수의 결핵균 중에 존재하는 약제내성 돌연변이를 억제
     → INH와 RFP이 가장 효과적
  • EMB/SM : 약제 내성획득 방지 작용 (치료 개시시 이미 존재하고 있는 초회 내성균을 제어)

4. 초치료 (initial treatment)

항결핵약물 치료의 적응

도말 or PCR 양성	1. 임상양상과 CXR 소견이 결핵에 합당 → 치료 시작
	2. 임상양상과 CXR 소견 상 결핵 가능성이 적음
	  → 도말검사시 1회만 양성이면 객담검사 반복 &
	     배양검사 결과를 기다려 봄

도말 & PCR 음성	1. 임상양상과 CXR 소견이 결핵에 합당 → 경험적 치료하면서 경과 관찰 (CT, 유도객담, 기관지내시경, 조직검사 등 고려) 2. 임상양상과 CXR 소견상 결핵 가능성이 적음 → 경과 관찰 3. 비결핵성 질환이 의심되면 HRCT 등 추가 검사 시행

- 우리나라 - 6개월 요법 (표준 처방) : **2HREZ + 4HR(E)**
 ┌ 초기 집중치료 (2개월) : INH, RFP, EMB, PZA
 └ 유지치료 (4개월) : INH, RFP, (EMB)

  - DST 결과 INH와 RFP에 감수성 결핵으로 확인되면 2개월 후부터 EMB은 중단 가능
  - PZA는 처음 2달 이상 더 사용해도 결과에 차이가 없다
  - 초기에 PZA를 사용할 수 없거나 빠진 경우에는 INH, RFP, EMB로 9개월 요법 시행(**9HRE**)

- 최근에는 복용이 편한 4 or 2제 고정용량 복합제(fixed dose combination)도 판매되고 있음
- 치료 전 CXR에서 cavity 존재 & 치료 2개월 후 객담 배양(+)인 경우는 유지치료 3개월 연장 고려
- 입원이 필요한 경우가 아니면, 외래로 치료하며 (전염력이 있는) 기간에는) 재택 격리
- 흡연은 치료 결과에 큰 영향을 주지는 않음

* 입원(격리)치료의 적응
  ① 고열, 객혈, 심한 호흡곤란, 기흉, 농흉 등 임상증상이 심할 때
  ② 다른 동반질환이 심할 때 (e.g., 조절 안 되는 DM, 합병증)
  ③ 항결핵제의 부작용이 심하거나, 항결핵제의 선택을 위하여
  ④ 다제내성 전염성 호흡기 결핵 환자, 치료 비순응자, 재택 격리가 어려운 경우

5. 특수 상황에서 약물치료

(1) 임신

- INH, RFP, EMB, PZA 등 1차 항결핵제는 태반은 통과하지만 태아 기형을 유발하지는 않음
  ⇨ 임신부의 초치료도 6개월 표준치료(2HREZ/4HRE) or PZA를 제외한 9개월 (9HRE) 동일
  (c.f., 미국에서는 PZA에 대한 불확신으로 9HRE 권장)
- 임신은 폐결핵의 경과에는 영향을 미치지 않음
- 활동성 폐결핵 산모에서 태어난 신생아에게는 INH를 예방적으로 투여
- 결핵치료중인 가임 여성에게는 피임을 권장 (c.f., 경구피임제는 RFP으로 인해 효과가 저하됨)
- 1차 항결핵제로 치료 중인 산모는 모유 수유를 중단할 필요 없음
  (2차 항결핵제는 자료가 부족하므로 모유 수유 대신 분유 권장)
- INH를 복용 중인 임신/수유부는 pyridoxine (vitamin B6)을 같이 투여함

- 일반적으로 금기인 항결핵제 : ethionamide/prothionamide (∵ 태아 성장장애 가능),
  AG 및 capreomycin (∵ 신생아 난청 유발)

- 나머지 대부분의 2차 항결핵제는 자료가 부족하므로 대체제가 없을 때에만 선택 고려
  (clofazimine, delamanid, linezolid 등은 보통 권장 안 되는 편)

c.f.) US FDA pregnancy category

B (안전)	C (자료 부족)	D (금기)
Bedaquiline Amoxicillin/clavulanate Meropenem	Isoniazid (호주는 category A), Rifampin (호주는 category A) Ethambutol, Pyrazinamide, Capreomycin, Levofloxacin, Gatifloxacin (Moxifloxacin은 호주 category B3) Ethionamide/prothionamide, Cycloserine, p-aminosalicyclic acid Clofazimine, Imipenem/cilastatin, Linezolid (호주는 category B3)	Amikacin 등의 AG

(2) 신부전

- 용량을 줄이는 것보다는(∵ 혈중 최고 농도↓ → 치료효과↓), 투여간격을 늘리는 것이 권장됨
- <u>RFP</u> : 제일 안전! (∵ 담즙으로 배설)
- <u>INH</u> : 거의 안전, 신기능 저하시엔 말초신경염 예방위해 반드시 pyridoxine 추가
- moxifloxacin, ethionamide/prothionamide 등도 투여간격 조절 필요 없음
- EMB, PZA, levofloxacin ⇨ C_{Cr} 30 mL/min 미만시 주 3회 투여
- AG 및 capreomycin ⇨ C_{Cr} 30 mL/min 미만시 주 2~3회 투여
- 혈액투석을 하는 경우 투석으로 제거될 수 있으므로, 모든 항결핵제는 혈액투석 직후에 복용함
  (c.f., 투석으로 제거되지 않는 약제 ; RFP, ethionamide, prothionamide)

(3) 간질환

- 간기능 장애시 <u>안전한 약</u> (SECQ) ; SM, EMB, CS, Quinolones ★
- INH, RFP, PZA, ethionamide : 간독성이 있으므로 주의
  - but, 대개는 투여 가능 (active hepatitis 등 심한 간질환시에만 금기)
  - INH와 RFP 동시 투여시는 간독성의 상승 효과
  - PZA : 간독성 발생은 INH, RFP보다 적지만, 발생하면 더 심함 (간염의 m/c 원인)
- 간질환의 병력, HBV 보균자, 고령(> 70세), 알코올중독자
  ⇨ ┌ 간질환이 없는 환자와 같이 표준요법으로 치료
     └ 치료 전 간기능 상태 파악 & 자주 F/U (1개월 마다)
- 간손상이 심하지 않은 만성 간질환 ⇨ INH + RFP + EMB 9개월 치료 (9HRE)
- 중증 간질환(e.g., 심한 간염, 간경변) ⇨ 안전한 제제로만 조합하여 18~24개월 치료

■ 치료중 aminotransferase (AST · ALT)의 상승 (특히 INH, RFP 사용시)

① aminotransferase가 정상상한치(UNL)의 5배 (약 150) 이상으로 상승 or
   UNL의 3배 이상 상승 + 간염의 증상 발생(e.g., 황달, bilirubin >3, N/V, dark urine)
   ⇨ 즉시 간독성 있는 모든 약제 중단
   ⇨ 간기능이 정상화되면(UNL의 2배 이하) 한가짓씩 재투여하면서 독성의 원인 약제를 찾아냄
     (3~7일 간격으로 /간독성이 없는 약제 2가지 이상을 병용하면서)
   • 재투여 시도 순서 : RFP → INH → PZA(간독성이 심한 경우 재투여×, 나머지 3제로 9개월)
     (RFP이 간독성 유발 가능성 가장 낮고, 가장 효과적인 약제이므로 RFP부터 재투여 시도)
   • 대개는 재투여시 다시 간독성이 나타나지는 않음

② aminotransferase가 150을 넘지 않으면 처방의 변경 없이 계속 투약하면서, 1~2주 간격으로
  간기능 검사를 F/U (∵ INH에 의한 간기능 장애는 대부분 일시적)
* 조직검사는 구분 안 되므로 필요 없다
                                                            → 소화기내과 II-3장도 참조

(4) HIV 감염 (AIDS)

• HIV(+) 환자에서의 결핵 : 전세계적으로 HIV(+) 환자의 주요 사망원인(20~25% 차지)
  - 결핵균 감염시 몇 주 만에 더 빨리 active TB로 진행 (↔ HIV 음성은 몇 개월 ~ 몇 년)
  - 면역저하 심할수록(CD4 lymphocyte count가 낮을수록) 결핵 발생↑, 전신증상(e.g., 발열)↑,
    비전형적 영상소견(e.g., diffuse or miliary), 폐외 결핵 흔함 (폐결핵 동반 포함하면 40~60%),
    granuloma 잘 안 생김, 기침/객혈 드뭄, 객담 AFB 도말 양성률 낮음
• 결핵 → HIV 증식(혈중 농도)↑, HIV 질환의 진행 촉진
• 진단 : 기존의 방법들 + 신속 PCR & DST (e.g., Xpert MTB/RIF) 더 강조됨
  c.f.) urine Ag (lipoarabinomannan, LAM) test [POCT] : 기존 검사들에 보조적으로 유용함,
        HIV와 결핵 유병률이 높은 지역에서 CD4 count <100/mm³이면서 결핵 증상이 있거나
        CD4에 관계없이 심한 HIV(+) 환자에서 사용 권장(WHO) (다른 환자들에서는 권장 안됨)
• 즉시 결핵 치료 시작, 일반적인 표준처방 사용, 치료에 대한 반응은 HIV(-) 환자와 비슷함!!
  - 치료기간 : 6개월 (치료 반응이 느리면 9개월로 연장), 소아는 최소 9개월 이상
  - 항결핵약제의 부작용이 더 심하고 오래 지속될 수 있음
• HIV 감염 환자의 결핵치료에서 고려해야할 점
  ① ART 치료 시작 시기

결핵이 진단된 HIV 환자에서 ART 시작 시기
1. CD4 count <50/mm³ → 가능한 빨리 ART 시작 (늦어도 결핵치료 시작 2주 이내에)
2. CD4 count ≥50/mm³ → 결핵치료 시작 8주 이내에 ART 시작
3. HIV 감염 임신부 → 가능한 빨리 ART 시작
4. 결핵성 수막염 환자 → 8주 이후 ART 시작 고려 (∵ 조기 ART는 부작용과 사망 위험↑)

  ② rifamycin 제제(rifampin, rifabutin, rifapentine)와 ART 약제의 상호작용
    - rifamycin 계열 → cytochrome P-450과 UGT1A1 효소의 활성을 유도
      → ART 약제들의 혈중 농도 ↓↓ (특히 protease inhibitor, PI)
    - rifampin이 가장 상호작용 큼 (특히 PI 및 ISTI와) → rifabutin으로 대체
    - NNRTI efavirenz와 rifampin은 상호작용이 거의 없어 병용 가능
    - rifapentine : 반감기가 길어 efavirenz와 raltegravir 외에는 권장 안됨
  ③ ART와 항결핵제 동시 투여시 추가 독성 발생 위험(e.g., 간독성, 신경병증)
  ④ 약제내성의 증가 : AIDS의 증상 및 약제 부작용 등으로 인한 불규칙한 복용으로 발생 증가
  ⑤ paradoxical reaction (IRIS) 발생 빈도 증가

■ 면역재구성염증증후군(immune reconstitution inflammatory syndrome, IRIS, TB-IRIS)

• 결핵 치료 중 일시적으로 증상 및 영상소견이 악화되는 것 (paradoxical TB-associated IRIS)
  ; 증상 악화(e.g., fever), lymphadenopathy 악화, 폐결핵 병변 악화, 새로운 흉수의 발생 등
  ("unmasking IRIS" : subclinical TB를 진단 못하고 ART를 시작해 IRIS가 발생한 것)
• 발생기전 : 죽은 결핵균 항원에 대한 면역반응 + 일시적인 면역기능 호전

- 주로 HIV 감염 TB 환자에서 호발하지만 (ART 시작 2~4주 뒤 10~15%에서 발생),
  일반 환자에서도 나타날 수 있음 (항결핵제 치료 시작 1~2달 뒤), 폐외 결핵에서는 20~30%
- risk factor ; 심한 면역저하(baseline CD4 <50/mm³), early ART, ART 시작 후 CD4 ⇈,
  ART 시작 전후 HIV level ⇊, extrapulmonary/disseminated TB, severe TB, young age 등
- 임상적으로 진단 ; 결핵치료 실패, 약제내성, 약제부작용, 다른 감염/질환 등을 R/O한 뒤 진단
- 치료/예후 (결핵치료와 ART는 지속함, 결핵 치료 성적에는 영향 없음)
  - 다른 poor Px factor가 없으면 IRIS로 인한 사망은 드묾
  - 대증요법 ; 경미하면 NSAIDs, 심하면 steroid (low-dose prednisolone 1~4주) 등
  - CNS 결핵 환자는 결핵 치료 초기 8주 동안은 ART 금지 (∵ 신경 부작용 or 사망 가능)

6. 치료 추적/결과

(1) 감염성의 소장

- 균 침입 ~ 흉부 X선상 발견 : 4~6주
- 치료 경과 ; 결핵균 수 2일 이내 ~1/25, 2-3주 뒤 ~1/100로 감소
- 전염력 소실 시기 : 2주 이상 항결핵제 복용 + 호흡기증상 소실 + 객담도말 음전
  (보통 2주 뒤면 균의 수 감소 및 항결핵제에 의한 균의 손상으로 전염력은 크게 감소됨)
- 외래 환자 ; 재택격리, 전염성 소실 때까지 외출 자제, 병원 방문시 수술용 마스크 착용
- 입원 환자 ⇨ 음압 격리병실 (or 환기가 잘 되는 1인실)에서 격리 치료 (air-borne precaution)

격리해제 및 일반병실로의 전실 조건	- 도말 음성 환자 ⇨ 1주일 이상 결핵치료 + 임상적 호전 - 도말 양성 환자 ⇨ 2주일 이상 결핵치료 + 임상적 호전 + 객담도말 3회 이상 음성 - 약제내성 결핵 환자 ⇨ 2주일 이상 결핵치료 + 임상적 호전 + 1일 이상 간격의 　　　　　　　　　　　　　　객담도말 3회 이상 음성 (한번 이상의 객담배양 음성 권장)
객담도말(+)라도 퇴원 & 재택격리 치료 가능한 경우	결핵관리 전담간호사와 연계되어 외래에서 적절하게 결핵치료가 가능해야 됨 환자의 집에 6세 미만 소아 or HIV 감염자 같은 면역억제 환자가 없어야 됨 환기가 잘 되는 독립된 공간이 있어야 됨

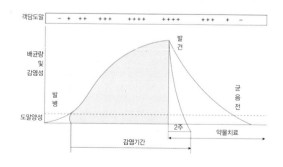

(2) 치료 효과 판정 (F/U 검사)

① 증상 호전 : 첫 2~3주

② 객담 AFB 도말 & 배양검사 (m/i) : 80%에서 2개월 뒤 AFB 음전

- 2회 연속 음성이 나올 때까지 매달 시행 + 치료 종결 시점에 마지막으로 시행
- 치료 3개월 후에도 배양(+) → 약제감수성 검사 / 4개월 후에도 배양(+) → 치료 실패
- 치료 2개월 후 배양 (+)면 치료 실패의 위험성이 커짐 → 아래의 (3) 치료 실패 원인 확인
- 분자유전검사(NAT)는 치료경과 추적에는 사용 안함! (∵ 생균과 사균을 구별 못함)

③ 흉부 X선 (1~2개월마다 시행) : 보통 2~4개월 뒤 호전

* 흉부 X선 소견만으로 치료 반응을 평가해서는 안 된다!

- 결핵균은 사라졌으나 섬유화가 많이 진행된 경우 늦게 호전되거나 뚜렷하지 않을 수 있음
- 다른 원인들에 의해 악화 비슷한 소견보일 수 있음

(e.g., 폐렴, 기관지 확장 병변, 공동성 병변에서의 폐 출혈, 폐 종양 발생, 과민반응)

(3) 치료 실패/재발의 원인/위험인자

① 순응도↓ : 조기 중단 or 불규칙한 복용 (m/i)

② 균 양이 많음(e.g., 공동의 크기/범위↑, 양측성 병변, 폐외 결핵)

③ 치료전 약제의 내성

④ 순응도를 떨어뜨리거나 반응을 방해할만한 동반질환, 영양실조, 흡수장애 등

⑤ 약제 부작용 관리의 잘못, 합병증 발생

⑥ 의사에 의한 부적절한 처방

⑦ 오진 (결핵 이외의 다른 폐질환)

7. 재치료(retreatment) ★

(1) 초치료 실패 (treatment failure)

- 정의 : 치료 4개월 이후에 객담 배양 양성 (배양 결과는 5~6개월에 확인)
- 내성균의 선택적 증식일 가능성 높다 (MDR-TB)
- 치료 : 새로운 약제들로 바꾸는 것이 원칙 (새로운 약제는 한가지씩 추가하면 안됨!)
  - 질병 상태가 심하지 않을 때는 신속내성검사 등 감수성검사 확인 때까지 기존 약제 사용 가능
  - 질병 정도가 심하거나 지속적으로 도말 양성인 경우는 MDR-TB 치료에서와 같이
    이전에 쓰지 않았던 새로운 약제를 최소한 4가지 이상 사용하여 재치료 시작
    → 나중에 약제 감수성검사 결과가 확인되면 이를 고려하여 처방 조절
  - 과거에 사용했던 약제가 약제감수성검사 결과 감수성으로 나오더라도, 제외시키는 것이 안전
  - PZA를 초기 2개월만 사용한 환자는 PZA를 재치료에도 사용 가능!
- 재치료 기간 : 12~18개월 이상 (~3년까지도)
- 재치료에도 실패하면 그 뒤에는 사용할 약제가 거의 없으므로, 약제 선택에 심혈을 기울이고
  환자가 잘 복용하는 지 꼭 확인, 또한 초치료 약제보다 부작용이 많으므로 주의 깊게 F/U

(2) 재발(relapse) or 조기 중단

- 정의 : 원칙대로 초치료를 시행하고 치료를 종결 (균 음전, 완치 판정) 후에 결핵균이 다시 배출
  or 치료 초기에 임의로 투약을 중단한 자

- 감수성균(휴지기 결핵균)에 의한 재발이 대부분 → 과거 사용 약제에 대한 감수성이 남아있음
- 치료 : 초치료 후 1~2년 이내 재발시 초치료 때와 동일한 처방을 재사용
- 치료 기간 : 초치료 기간보다 3개월 더 연장 → 총 9개월
- 감수성균/내성균/새로운균에 의한 재발인지 모르는 경우(e.g., 불규칙한 복용, 3년 이후 재발)
  - 우선 과거와 동일한 처방을 반복하면서 경과를 봄 → 약제감수성 결과가 나오면 처방 조절
  - 환자의 상태가 중해서 약제감수성 결과를 기다릴 여유가 없는 경우 → 모두 새로운 약제로
    치료를 시작한 후 만약 감수성 결과에서 감수성 재발이 확인되면 과거 사용 처방으로 돌아감
  - 과거에 사용했던 약과 새 약을 혼용하면 안 된다

* 모든 재치료 환자에서는 치료재개와 동시에 반드시 약제감수성 검사를 병행하여 내성 여부를 확인,
  그 결과에 따라 처방을 재조절해야 함

8. 약제내성 결핵의 치료

(1) 단일 약제내성 결핵의 치료

- **INH 단독 내성** ⇨ INH 중단하고, RFP + EMB + PZA [REZ]로 6~9개월 치료
  - 4제 표준 처방을 그대로 유지해도 치료 성공률은 95% 이상이지만, 재발률이 2배 높음
  - 병변의 범위가 넓고 심한 경우 quinolone 추가 고려
  - 초치료 표준요법(HREZ) 2개월 경과로 PZA를 중단하고 HRE만 복용 중 INH 단독 내성이
    발생한 경우 → INH 중단하고, RFP + EMB로 총 12개월 치료
- **RFP 단독 내성** ⇨ RFP 중단하고, INH + EMB + PZA + quinolone으로 12~18개월 치료
    (PZA는 2개월 이상 사용해야 됨)
  - but, RFP 내성은 다제내성인 경우가 많음 → 유전자검사로만 RFP 내성이 확인 된 경우
    전통적인 DST 결과가 나올 때까지는 다제내성으로 간주하고 치료하는 것이 안전
  - 병변의 범위가 넓고 심한 경우 주사제 추가 고려

(2) MDR-TB (multi-drug resistant TB, 다제내성 결핵)

- 정의 : 약제감수성검사(DST)에서 INH와 RFP에 모두 내성을 보이는 결핵균
- 우리나라의 검출률 : 초치료 환자의 2.7%, 재치료 환자의 14%
- 병인
  - primary : 항결핵제를 복용한 적이 없는 환자가 약제내성 균주에 감염
  - secondary : 적어도 1개월 이상 항결핵제를 복용했던 환자에서 내성균주의 우위로 발생
    (불규칙한 복용, 치료 실패, 면역저하자 등 → 결핵균 수↑ → resistant mutant↑)
- 각각의 약제에 대한 내성은 서로 다른 유전자의 돌연변이에 의하여 독립적으로 이루어짐
  (단일 약제에 대한 내성 ; INH (m/c) > RFP > EMB > SM)
- 치료 (기존) : 내성이 없을 것으로 추정되는 약제를 최소 5가지 이상 동시에 사용

(3) XDR-TB (extensively drug-resistant TB, 광범위 약제내성 결핵)

- 정의 : [INH], [RFP], [quinolones 중 하나 이상], [2차 주사제(amikacin, kanamycin,
    capreomycin) 중 하나 이상] 등에 모두 내성을 보이는 결핵균
- 유병률 : MDR-TB의 약 10% (우리나라 15%, 미국 4%), 유럽/구소련 지역에서 m/c
- 사망률 : MDR-TB의 약 2배 (→ 우리나라 49%), 특히 면역저하자에서 발병 및 사망 위험 높음

- 치료 (어려움) : MDR-TB와 비슷하게 약제 선정, 국소적인 병변이면 처음부터 수술을 고려
  (e.g., 6제 이상으로 배양 음전 후 6개월 이상 집중치료 → 4제 이상으로 유지치료
  총 치료기간은 배양 음전 후 24개월 이상 권장)

* 완치율(cure rate) ; drug-susceptible TB 약 95%, MDR-TB 45~60%, XDR-TB 약 30%
  (but, MDR or XDR-TB는 완치 이후에도 재발률이 높음)

9. 결핵에서 steroid의 사용

- 과도한 면역반응에 의한 조직손상을 최소화하기 위해 사용
  (반드시 항결핵 치료와 동시에 사용해야)
- 적응증
  ① meningeal & cerebral TB : 사망률 및 후유증 감소
  ② pericardial TB : constrictive TB pericarditis 환자 or 발생 고위험군에서만 권장
    (덜 심한 환자에서는 steroid로 constrictive pericarditis 발생 예방 못함)
  - endobronchial TB (→ 기도협착 예방) : 논란, 이미 fibrosis가 진행된 경우는 효과 없음!
  - 심한 미만성 폐결핵(e.g., miliary TB)으로 인한 호흡부전(ARDS) 발생시 : 근거 부족
  - peritoneal TB (→ 장 폐색 등의 Cx 감소) : 근거 부족

10. 수술

- 외과 수술의 적응증 (최소 3개월 이상의 약물 치료로 균수를 최소화한 뒤 수술 시행)
  ① 다제내성 폐결핵 또는 NTM 폐질환에서
    ┌ 병변이 국한되어 있고
    ├ 약물치료에 실패하고
    └ 심폐기능의 예비력이 양호할 때
  ② 폐암이 동반된 경우
  ③ 절대로 약물치료를 마칠 수 없는 비협조적인 환자
- but, 결핵은 전신적인 질환이므로 수술 후에도 약물치료가 필요함 (균 음전 후 12~24개월간)
- 감수성 약제가 (특히 quinolone) 2~3개 정도는 남아 있어야 수술 후 남아있는 병변 호전 가능
- open cavity는 과거에는 수술하였으나, 현재는 약물치료로 반응이 좋으므로 약물치료만 시행

■ 예방

1. BCG 예방접종

- BCG : 우형 결핵균(M. bovis)을 약독화시켜 개발한 변이균
- 생후 4주 이내에 1회 접종 (2개월까지는 TST 확인 없이 접종)
  - 왼팔 삼각근 부위에 피내 주사
  - T-lymphocyte를 신속히 증식시켜 약 4~6주가 지나면 감작됨

- 접종 후 tuberculin 반응의 크기와 예방효과는 관련 없음
- 결핵 발병 74% 예방효과 (우리나라)
- NTM도 50% 정도 예방됨
- BCG 접종의 금기
  ① 면역저하자 ; hypogammaglobulinemia, HIV(+), leukemia/lymphoma, 면역억제치료
  ② 결핵 환자 or TST (+) → 필요 없음
  ③ 미숙아(<2 kg), 발열, 영양실조, 심한 피부질환, 입원이 필요한 심한 질환, 임신 → 접종 연기

2. 접촉자 검진

- 전염성 호흡기 결핵 환자와 접촉한 사람의 접촉자 검진(contact investigation)
  └ 기침과 같은 증상이 있거나, 객담도말 양성 이거나, CXR상 공동이 있을 경우
    이런 소견이 최초로 관찰된 시점에서 3개월 전부터 전염성이 있을 것으로 판단함

  c.f.) 전염력이 강한 결핵 ; 공동성 폐 결핵, 기관지 결핵, 후두 결핵
        (좁쌀결핵 등 폐외 결핵은 폐를 침범하지 않았으면 전염력 없음)

- 접촉자의 결핵 감염 위험성 ; 전염성 결핵 환자와 가까이 지낸 정도와 기간에 좌우됨
- 접촉자 검진 대상 : 호흡기 결핵 환자의 밀접 접촉자(e.g., 가족, 학교, 직장) ⇨ 발견 즉시 실시
  - 8세 이하 소아 결핵 환자는 폐외 결핵이라도 접촉자 검진 시행
  - LTBI or active TB 치료력 있는 접촉자는 LTBI 검사가 무의미, 고위험군이면 LTBI 치료 권장
  * 일상 접촉자 or 도말음성 환자의 접촉자 ⇨ 마지막 접촉 8주 뒤 TST and/or IGRA 한번만 시행

3. 잠복결핵감염(latent tuberculosis infection, LTBI)

- 정의 : 결핵균에 감염되어 체내에 소수의 살아있는 균이 존재하나 외부로 배출되지 않아 타인에게
  전파되지 않으며, 증상이 없고, 항산균 검사와 흉부 X선 검사에서 정상인 경우
  ┌ HIV(-)인 LTBI 상태는 평생 5~10%에서 active TB 발생,
  └ HIV(+)는 LTBI 상태는 매년 10%에서 active TB 발생
- 진단 (앞의 그림 참조)
  - 적응 : 전염성 결핵 환자의 접촉자, 결핵 발병의 위험이 높은 군, 결핵균 감염의 위험성이 높은
    의료인 등 (결핵 발병 위험이 낮은 군에서는 권장되지 않음)
  - 진단방법 : active TB를 R/O한 뒤에(임상양상, CXR로) 결핵감염(LTBI) 검사로 진단
    ① TST : BCG 접종력과 무관하게 10 mm 이상이면 (+), HIV 감염자는 5 mm 이상이면 (+)
    ② IGRA (TST or IGRA 중 한 검사라도 양성이고 active TB가 R/O되면 LTBI로 진단)
  - HIV 감염자의 심한 면역저하시에는 위음성 가능 → CD4 count 200/mm³ 이상시 재검 고려
  - 결핵 발병 고위험군에서는 과거 결핵 치료력 없이 CXR 상 자연 치유된 결핵병변이 존재하면
    LTBI 검사 없이 LTBI로 간주함!
- 치료 : INH 9개월 요법 [9H] or RFP 4개월 요법 [4R] or INH + RFP 3개월 요법 [3HR]
  or INH + Rifapentine 3개월 간헐 요법 [3H₁P₁] (주 1회 12주간 12회 복용)
    └ RFP과 항결핵 효과는 비슷하나 반감기가 길, 다른 요법보다 간독성 적음
- 치료 결과를 확인하기 위한 검사방법은 없음 (TST, IGRA 모두 아님)

LTBI의 치료 대상자

	■ LTBI로 진단되면 치료 시행	■ LTBI로 진단되면 치료 고려
접촉자검진 대상자가 아닌 경우	HIV 감염자 장기이식으로 면역억제제 복용 중/예정 TNF 길항제 사용 중/예정 최근 2년 내 감염이 확인된 경우 과거 결핵 치료력 없이 CXR 상 자연 치유된 결핵병변이 있는 경우	규폐증 장기간 steroid 사용 중/예정 투석 중인 만성 신부전 당뇨병 두경부암, 혈액암 위절제술 or 공회장우회술(jejunoileal bypass) 시행/예정
	■ 과거 결핵 치료력 없이 CXR 상 자연 치유된 결핵병변이 있는 **결핵발병 고위험군**의 경우에는 LTBI 검사와 무관하게 LTBI 치료를 시행함! – HIV 감염자 – 장기이식으로 면역억제제 복용 중/예정 – TNF 길항제 사용 중/예정	
전염성 결핵 환자의 접촉자검진 대상자인 경우	■ LTBI 검사 결과와 무관하게 치료 시행 – HIV 감염자 ■ 첫 TST가 음성이어도 잠정적으로 LTBI 치료 시행하고, **접촉 종료 8주 후 TST 검사 재검하여 치료 지속 여부 결정** – 장기이식으로 면역억제제 복용 중/예정 – TNF 길항제 사용 중/예정 ■ LTBI로 진단되면 치료 시행 – 65세 이하 (3H$_1$P$_1$로 치료하는 경우에는 나이 제한 없이 치료 가능) – 학교, 군대, 요양시설, 교정 시설 등 집단생활시설에서 전염성 결핵 발병이 확인된 경우 – 장기간 steroid 사용 중/예정, 투석 중인 만성 신부전, 당뇨병, 두경부암, 혈액암, 위절제술 or 공회장우회술(jejunoileal bypass) 시행/예정, 규폐증 등	

* 위 대상자가 아닌 경우 ⇨ 경과관찰

■ 폐결핵의 합병증

1. 객혈 (hemoptysis)

- 폐결핵 환자에서 객혈이 발생할 수 있는 원인
  ① 결핵 자체나 속발된 기관지확장증에 의한 객혈 ; 양이 적고 반복적
  ② Rasmussen 동맥류 : 공동 내에 기관지동맥이 노출되고 동맥류를 형성한 경우
     → 동맥류 파열시 대량 객혈을 일으킬 수 있음
  ③ old cavity에서 진균종(aspergilloma, fungus ball) 형성
  ④ 폐결핵 반흔에서 발생한 종양
- 진단 ; 기관지내시경, CT
- 치료 ; 양이 많으면 embolization 또는 폐절제술!

2. 개방성 공동 (open cavity)

- 상엽에 호발, 공동내 air-fluid level 형성하지 않는다, 벽이 얇다
- 치료에도 불구하고 지속적으로 균양성이면 수술을 고려
- 균음성이라도 재발의 위험이 높으므로 치료기간을 최소 6개월 이상 연장

3. 진균종 (aspergilloma, fungus ball, mycetoma)

(1) 개요
- 공동을 남긴채 치유된 환자의 약 17%에서 진균종이 발생
- 기저질환 ; TB (m/c), sarcoidosis 등의 괴사성 폐질환에 의한 공동, 기관지확장증, 공동성 폐암
- invasive aspergillosis로 이행하지는 않는다
- steroid 치료중인 환자에서도 큰 위협은 안 됨

(2) 임상양상
- 증상 ; 기침, 객혈, 발열 …
- 대량 객혈(massive hemoptysis)의 흔한 원인
- 상엽(upper lobe)에 호발

(3) 진단
① 흉부 X선, CT
  - 공동 내의 둥근 종괴 (fungal ball)
  - 주위에 crescent 모양의 공기음영 (air-meniscus sign)
  - 체위의 변화에 따라 종괴가 움직이면 특징적
② 혈청학적 검사 … IgG Ab (+)
③ 객담 배양

(4) 치료
- surgical removal (TOC)
- systemic chemotherapy (itraconazole, amphotericin B)
  - endobronchial 또는 endocavitary aspergillosis에는 유용하지 않다
  - 완전 절제가 불가능하거나, fungus ball을 넘어서는 invasive aspergillosis 의심시 사용 가능
- amphotericin B의 intracavitary injection : 일부에서 시도
- hemoptysis
  - bronchial arterial embolization (BAE)
  - recurrent/massive hemoptysis → 수술(lobectomy)
- 예후 : 완전히 절제한 경우엔 예후 좋다

4. 기관지확장증 (bronchiectasis)
- 특징적으로 결핵의 호발부위인 상엽에 발생 → 자연적으로 객담이 배출
  → 기관지확장증의 특징적인 증상이 없는 경우가 많다.
  (건성 기관지확장증 : dry bronchiectasis 또는 bronchiectasis sicca)
- 간혹 객혈을 일으켜 문제

5. 기관지흉막루 (bronchopleural fistula)
- 이차적 흉막염, 농흉(empyema) 등도 발생 가능
- 치료 : 항결핵약물치료 + closed thoracostomy로 배농 (→ fistula가 지속되면 수술적인 치료)

6. 호흡부전

- 폐결핵의 대부분은 호흡장애를 일으키지 않음
- 폐결핵 환자에서 호흡부전이 나타날 수 있는 경우
  ① 기존의 호흡장애(e.g., COPD)가 있던 환자에서 결핵 감염시
  ② 미만성 폐 침범 또는 과민반응으로 ARDS 발생
  ③ 주기관지를 침범한 기관지 결핵   ④ 다량의 흉수를 동반한 결핵성 흉막염

7. 폐암 (lung cancer)

- 폐결핵 병변에서 발생한 폐암 (scar cancer)
- 주로 adenocarcinoma

폐외 결핵

1. 림프절 결핵 (Tuberculous lymphadenitis)

- 폐외 결핵 중 m/c (미국 30~40%) / 폐외 결핵은 전체 결핵의 약 15~20%를 차지함
  (c.f., 우리나라의 폐외 결핵은 흉막(m/c), 림프절, 복부, 골/관절, CNS, 비뇨생식기 순서지만.. 흉막 결핵은
  폐결핵에서 전파된 경우가 대부분 / 미국은 폐결핵와 폐외 결핵이 공존하는 경우를 폐결핵으로 통계처리를 함)
- 20~40대 여성, 결핵유행지역 or HIV 감염자에서 호발, 20~40%는 폐결핵도 동반
- painless & progressive LN swelling, cervical LN를 m/c 침범(70~90%), 약 ~26%는 양측성
- 진단 : fine needle aspiration, core-needle biopsy, excisional biopsy 등
  - AFB 염색은 30~60%, NAT (PCR)은 70~90%, 배양은 20~80%에서 양성
  - 병리소견 : 50~80%에서 caseating granuloma 관찰 (AIDS 환자에서는 보통 관찰 안됨)
- 치료 : 폐결핵과 동일한 6개월 표준 항결핵 약물요법 (but, 반응은 느림)
  - 치료 중 LN이 커지거나, 새로 생기거나, fistula가 생길 수 있지만 그래도 동일하게 계속 치료!
    (20~30%에서 paradoxical response가 나타나므로, 치료 실패를 R/O하기 위해 DST가 중요함)
  - 수술 : 약물치료에도 호전이 없거나 LN가 커져서 통증/불편감이 심한 경우 제한적으로 시행
  - NTM에 의한 경우는 림프절 절제가 TOC (약물치료는 필요 없음!)

2. 흉막 결핵, 결핵성 흉막염/가슴막염
   (Pleural TB, Tuberculous pleuritis/pleurisy/pleural effusion)

(1) 개요/임상양상

- 발생기전 : 소수의 bacilli or 건락성 물질이 흉강 내로 들어가 cell-mediated immunity에 의해
  delayed hypersensitivity reaction을 일으킴 (type Ⅳ hypersensitivity)
- 30~50%에서 폐실질의 결핵 동반 (CT 상으로는 ~80%), 폐결핵 환자의 3~25%에서 발생
- 초감염 3~6개월 뒤, 주로 젊은 성인에서 호발, 대부분 unilateral (Rt.)
- Sx ; pleuritic chest pain (기침/심호흡/하품 때 악화), fever, weight loss, dyspnea
- exudative pleural effusion의 흔한 원인중 하나

(2) 검사소견/진단

- 흉수 검사의 적응
  ① 폐결핵 진단 안 된 환자에서 흉막 결핵 의심시
  ② 폐결핵 진단된 환자에서 pleural effusion의 다른 원인(e.g., 악성) R/O 필요할 때
- 흉수(pleural fluid) : m/i, exudate로 맑고 노란 빛 (드물게 탁하거나 혈성인 경우도 있음)
  - protein↑ (혈청 protein의 50% 이상), glucose↓ (<30 mg/dL), pH <7.2, LDH >200 U/L
  - WBC↑ (1000~10,000/μL) : 초기 2주는 neutrophil, 그 이후는 <u>lymphocyte 우세</u>
    (eosinophil 10% 이상 or mesothelial cells 5% 이상이면 결핵성 흉막염의 가능성은 적음)
  - <u>ADA >40 IU/L</u> : 다른 동반 질환이 없으면 sensitivity 92%, specificity 90%로 우수함
    (↳ adenosine deaminase, T-lymphocytes에서 분비되는 효소, ADA2 isoenzyme은 specificity 조금 더 우수)
    ┌ ADA 70 IU/L 이상이면 거의 대부분 결핵성흉막염임 (40 이하면 결핵성흉막염 R/O 가능)
    └ ADA 40~70이고 다른 결핵성 흉수의 소견을 보이면 결핵성흉막염일 가능성 높음
  - 기타 biomarkers ; unstimulated IFN-γ (ADA보다 조금 더 우수하지만, 많이 비쌈), IL-27 등
- 진단 : 객담, 흉수, 흉막조직 등에서 결핵균이 확인되면 진단 가능
  - 흉수 : AFB smear (<u><10%</u>), culture (30~70%), PCR (20~60%), **ADA↑**
  - pleural biopsy : 특징적인 육아종 관찰 or 결핵균 직접 확인 + 배양 → 90%까지 진단 가능
  - 객담 : AFB smear (12%), culture (52%) → 특히 CXR에서 폐 실질에 병소가 없는 환자의
    55%도 배양 양성이므로 결핵성흉막염 의심 환자에서는 객담 검사도 반드시 시행
  - TST나 IRGA (전혈/흉수)는 정확도가 부족하고 잠복감염과 구별을 못하므로 권장 안됨

(3) 치료

- 치료하지 않은 경우 일부에서는 1~2주 내에 자연 흡수되기도 하지만,
  약 75%는 5년 이내에 폐결핵/폐외결핵 발생 → 동반여부와 관계없이 반드시 항결핵제 치료!
- 폐결핵과 동일한 6개월 표준 항결핵 약물요법 (steroid는 효과 없음!)
- <u>흉관삽입(tube thoracostomy)</u> : 흉수의 양이 많아 호흡곤란이 심하거나, loculated pleural
  effusion 환자에서 흉수 배액 & 섬유용해제(e.g., urokinase) 사용 고려

■ 결핵성 농흉 (TB empyema)

- 드문 형태의 흉막결핵으로 다량의 균에 의해 발생 (원인 ; cavity 파열, bronchopleural fistula)
- CXR ; pyopneumothorax, air-fluid level
- 심한 흉막 섬유화 및 제한성 폐기능장애 초래 가능 → 수술적 배액 필요

3. 기관지 결핵 (Endobronchial tuberculosis, EBTB)

(1) 개요/임상양상

- tracheobronchial tree를 침범한 결핵 (주로 Rt. main 및 Rt. upper bronchi에 호발)
- 젊은 연령에 호발, 남:여 = 1:4~5 (젊은 여성 및 고령에서 호발)
- 폐결핵 환자의 5~40%에서 동반, 심한 폐결핵(특히 공동성 병변)에서 호발
- 전염성이 매우 크며 진단이 쉽지 않고, 기도협착(60~95%)과 호흡곤란, atelectasis, secondary
  pneumonitis, bronchiectasis 등의 중대한 후유증을 유발하므로 임상적으로 중요함

- 발병기전 (정확히는 모름)
  ① 인접 폐 실질 병변(e.g., 공동)에서 직접 전파
  ② 인접(e.g., 종격동) LN에서 기관지로의 erosion/rupture로 인한 전파 (특히 소아에서 중요)
  ③ 감염된 분비물(객담)에 의한 전파 (결핵치료가 부실했던 과거에 많았음)
  ④ blood-borne or lymphatic spread (드묾)
  c.f.) 기관지 결핵은 2차결핵(post-primary TB)의 초기 병인에도 중요한 역할을 할 것으로 추정
- 기관지 결핵을 의심해야 하는 임상상황
  ① (localized) wheezing or stridor, 심한 기침 (약 2/3는 barking cough), 객담/객혈
  ② 흉부 X선이 정상이면서, 객담 도말 양성
  ③ 흉부 X선 소견에 비해 심한 호흡곤란

(2) 진단
- 흉부 X선 (10~20%는 정상 소견을 보임) ; atelectasis, segmental collapse or overinflation, obstructive pneumonia, mucoid impaction 등
- CT ; 정확한 진단 및 침범 정도 파악 가능 (3차원 영상), HRCT에서는 patchy asymmetric centrilobular nodules & branching lines, 'tree-in-bud' appearance 등이 특징적
- 기관지내시경 - 7 subtypes ; actively caseating, edematous-hyperemic, fibrostenotic, tumorous, granular, ulcerative, nonspecific bronchitis
- 결핵균 검출 ; bronchoscopic biopsy (m/g), brushing, BAL, sputum 등

(3) 치료
- 폐결핵과 동일한 6개월 표준 항결핵 약물요법 (섬유화의 후유증은 예방 못함)
- steroid ; 섬유화로 인한 기도협착 예방 효과는 확실하지 않음
  - 기관 또는 주기관지를 침범하면서 향후 협착 발생 위험이 높은 경우 투여 가능
    (기관지내시경 소견상 심한 부종 & 발적, 건락성 괴사, 융종 형성 등)
  - 이미 섬유화/협착이 진행된 경우에는 효과 없음!
- 기타 ; balloon dilatation, laser, cryotherapy, argon plasma coagulation, curettage 등
  - 다른 방법이 실패한 proximal lesions은 endobronchial stent 고려
  - 기관지성형술(bronchoplasty) : 약물요법에 대한 반응이 나쁘면 고려,
    양측 주기관지 침범시엔 가장 효과적인 치료법임

4. 파종성(disseminated)/속립성(좁쌀, miliary) 결핵
- 파종성 결핵 : 서로 인접하지 않은 2개 이상의 장기에 결핵이 발생한 것
  (침범 장기 : 비장, 간, 신장, BM, 부신 등을 흔히 침범)
- 속립성(좁쌀) 결핵 : 혈행성으로 파급되어 폐 등의 장기에 1~2 mm 정도의 수많은 결절 발생
- 초감염 및 재감염 결핵 모두에서 발생 가능
- 세포성 면역저하자(e.g., HIV), 소아, 노인에서 호발
- 약 30%에서 결핵성 뇌수막염 동반
- Sx : 고열, 야간 발한, 식욕부진, 쇠약감, 체중감소, cough, dyspnea
- P/Ex : hepatomegaly, splenomegaly, 눈의 choroidal tubercles (30%, 특징적 소견)

- CXR : 직경 1~2 mm의 작은 nodules이 전 폐야에 골고루 퍼져있는 양상
  (miliary reticulonodular pattern), 초기에는 정상일 수도 있음 (→ HRCT)
- 위액, 객담, 골수, 간 조직 등에서 caseating granuloma 및 결핵균 검출(배양, 신속 PCR 검사 등)
  - 골수 생검 : 40~50% (+)
  - 간 생검 : 60~80% (+) → 가장 양성률이 높은 진단법
  - 기관지내시경(TBLB) : 60~70%에서 granuloma 발견됨
  - 객담 : AFB 염색 (양성률 20~40%), 배양 (60~80%), PCR (60~80%)
- 약 50%에서 PPD 음성 (tuberculin anergy)
- Tx : 폐결핵과 동일한 6개월 표준 항결핵 약물요법
  - 9~12개월의 장기 치료 : 소아, 면역저하자, 결핵균 양↑, 치료 효과↓, CNS 침범 등 때 고려
  - steroid : 도움이 된다는 근거는 부족함
- BCG vaccine : 결핵 처음 감염시 심한(e.g., miliary, CNS) 결핵 발병 예방에 도움

5. CNS 결핵

(1) 결핵성 뇌(수)막염 (tuberculous meningitis)

- 전체 결핵의 1%, 폐외 결핵의 ~5% 차지
- 세포면역이 저하된 2세 이하의 소아 or HIV(+) 성인에서 주로 발생
- 일차/이차 폐결핵의 혈행성 전파 or subependymal tubercle의 지주막하로의 파열로 인해 발생
- 성인의 50%, 소아의 70% 정도에서 폐결핵 또는 속립성 결핵 동반
- CSF 검사 (m/i) ; 압력↑, WBC (lymphocyte)↑, protein↑, glucose↓
  - 결핵균 양이 적어 다른 부위 결핵에 비해 AFB 도말 및 배양 양성률 낮음 → 6 mL 이상 채취
    (sensitivity : AFB 도말 20~58%, 배양 70~80%)
  - 핵산증폭검사(NAT, PCR) : sensitivity 50~60%, 위음성이 많으므로 해석에 주의
  - ADA : sensitivity 44~79%, specificity 75~91%, 세균 감염 등에서도 상승하므로 해석에 주의
  - CSF lymphocytes를 이용한 IGRA : specificity는 높지만, sensitivity가 낮음
- 치료가 늦으면 사망률이 높고 심각한 후유증을 남기므로, 의심되면 즉시 치료 시작!
  - INH/RFP/EMB/PZA 2개월 집중치료 (용량은 동일) + INH/RFP 7~10개월 : 총 9~12개월
  - 모든 환자에서 반드시 steroid (dexamethasone or prednisone) 투여! (6~8주)
  - 뇌수종(hydrocephalus) 발생하면 surgical decompression

(2) 결핵종(tuberculoma)

- 뇌 실질에 결핵균이 침범하여 결절(tubercle)을 형성, space-occupying lesions으로 나타남
- clinical (symptomatic) tuberculoma ; 경련, 두통 등 (전신 증상이나 수막염증 징후는 드묾)
- 진단 : CT/MRI, 조직검사 등 (lumbar puncture는 뇌압상승 위험으로 피함)
- 치료 : INH/RFP/EMB/PZA 2개월 집중치료 + INH/RFP 18개월

6. 복부 결핵 (Abdominal tuberculosis)

(1) 장 결핵 (intestinal TB)

- ileocecal area가 m/c (전체 위장관 결핵의 90%)   → 소화기내과 참조
- Sx : 복통, 열, 체중감소, 무력감, 일부는 장폐색으로 인한 급성복통 (설사나 하혈은 드물다)

- 복부압통 (특히 RLQ), 25~50%에서 종괴가 만져짐
- CT : 중심부가 괴사된 림프절 종괴 → 결핵 시사!
- 내시경을 통한 생검 : AFB 염색 6~20%, 배양 6~54%, 조직검사 30~80%, PCR (m/g) ~87%

(2) 결핵성 복막염 (tuberculous peritonitis)
- 복수검사 : 대부분 lymphocytes 증가형 exudate, protein↑, SAAG ≤1.1, ADA↑
  → 결핵균 양이 매우 적어 균 검출률은 낮음 (AFB 염색 3%, 배양 10~20%)
- 복강경을 통한 복막 생검 : AFB 염색 ~75%, granuloma ~93%, PCR ~76%
- 장 결핵과 결핵성 복막염의 치료는 폐결핵의 6개월 표준요법과 동일함

7. 비뇨기계 결핵

┌ 신장 결핵 : 대개 혈행성 전파를 통해
└ 요관이나 방광 결핵 : 신장 결핵의 하행성 감염으로

- 대부분 무증상, sterile pyuria, 항생제 치료후에도 지속되는 pyuria, 혈뇨, 빈혈 ...
- IVP ; 신장의 수축/변형, calyces와 renal pelvis의 폐색, 신실질 및 papilla의 괴사 또는 종괴,
  요관의 협착/불규칙성 ...
- 단순 방사선검사 : 50%에서 calcification 보임
- 아침 농축뇨의 배양(3~6회)으로 90%에서 진단 가능
- 치료 : 폐결핵의 6개월 표준요법과 동일, 타 장기와 달리 수술이 필요한 경우도 많음

8. 골 및 관절 결핵 (Skeletal tuberculosis)

(1) 척추 결핵 (TB spondylitis, Pott's dz.)
- 골관절 결핵의 m/c 침범 부위
  ┌ 소아 : upper thoracic spine에 호발
  └ 성인 : lower thoracic spine 및 upper lumbar spine에 호발
- 대부분 원발 병소에서 혈행성으로 전파되어 발생, 수개월~수년에 걸쳐 서서히 발병
- Sx : 등과 목의 통증 (평균 3개월 정도 호소)
- 화농성 척추염에 비해 하반신 마비와 같은 합병증이 더 흔함
- 옆구리 종괴(20%)가 동반되거나, 척추외결핵(65%)이 동반되면 가능성↑
- 진단
  ① X선 : 척추의 파괴(함몰, 높이 감소, pedicular erosion), 변형(angulation), disk space의 감소
  ② CT/MRI : 특징적인 병변 및 abscess도 발견 가능
  ③ abscess aspiration or bone biopsy (m/g) : 대개 culture (+) 또는 특징적인 조직 소견 보임

(2) 결핵성 관절염 (TB arthritis)
- weight-bearing joint에서 주로 발생 (e.g., 고관절, 무릎)
- 대부분 한 부위의 관절만 침범
- Sx ; swelling, dull pain, 운동제한, 근육의 위축
- 관절액 ; AFB stain 20%에서, 배양은 80%에서 양성 (관절막 조직검사는 80~90%에서 양성)

* 치료 : 항결핵제 <u>6~9개월</u> 권장
  - 심하거나 치료 반응 평가가 어려우면 9~12개월 장기 치료 고려
  - 약제에 반응이 없고 감염이 진행하는 증거가 있거나, 신경손상 증상이 있으면 수술 고려

9. 결핵성 심낭염 (Tuberculous pericarditis)

- 폐결핵의 1~2%에서 발생, 재활성화 결핵인 경우가 많음
- 병인 ; 종격동 LN, 폐, 척추, 흉골 등 인접장기에서 전파 or 혈행성 전파
- Sx ; 흉통, 호흡곤란, 발목부종, 심장비대, 빈맥, 발열, 심장막마찰음, pulsus paradoxus, 경정맥확장
  (보통 발열, 체중감소, 야간 발한 등 비특이적 증상이 심장 증상보다 선행됨)
- 자연적으로 소실되기도 하지만, 심각한 합병증 발생 위험(e.g., constrictive pericarditis, tamponade)
- Dx ; 심낭액 흡인 or 심낭 생검으로 AFB 염색, 배양, PCR, 조직검사 등
- Tx ; 6개월 표준 약물요법 (심한 합병증 위험 → 의심되면 확진전이라도 경험적 치료 고려)
  - steroid는 일반적으로 권장 안됨 (∵ constrictive pericarditis or tamponade 발생, 사망률 차이×)
    ↳ Ix : constrictive tuberculous pericarditis 환자 or 발생 고위험군
    (e.g., large effusions, 심낭액의 염증세포↑, constrictive pericarditis의 초기 징후)
  - pericardiectomy : 항결핵 약물요법에도 불구하고 constrictive pericarditis 지속시 고려
    (보통 약물치료 4~8주 뒤에도 혈역학적 호전이 없거나 악화될 때 / 석회화 있으면 더 빨리)

■ 비결핵 항산균 (NTM, non-tuberculous *Mycobacteria*)

1. 개요

- NTM : <u>결핵균(*M. tuberculosis* complex)</u>과 나병균(*M. leprae*)을 제외한 항산균, 현재 150종 이상
  ↳ *M. tuberculosis, M. bovis, M. africanum, M. microti* 등
- 결핵의 빈도가 감소할수록 비결핵성 항산균(NTM)에 의한 질환이 증가, 우리나라도 증가 추세
- 대부분의 NTM은 물과 토양 등 자연환경에 널리 분포함 ⇨ 도시화: 상수도가 원인
  (c.f., 샤워 때 발생하는 증기로 NTM이 폐로 감염될 수, NTM은 수돗물 소독에 대한 내성 강함)
- 사람과 사람사이는 전파되지 <u>않으며</u>, 대개 자연 환경에서 직접 획득하게 됨
- 동일한 균이라도 어떤 경우에는 병원성이 있으나, 어떤 경우에는 잡균(saprophyte)으로 존재하며,
  결핵균보다는 병원성이 약함
- 국내 : <u>*M. avium* complex</u> (m/c, 50~60%), <u>*M. abscessus*</u> (20~30%), *M. fortuitum* (13%) ...
  - *M. avium* complex (MAC) ; *M. intracellulare, M. avium* → 정상인에서는 주로 폐질환
    (*M. intracellulare*가 70% 이상), AIDS에서는 주로 파종성 질환 (*M. avium*이 90% 차지)
  - *M. abscessus* complex ; *M. abscessus* subsp. *abscessus, ~massiliense, ~bolletii*(드물)
  - *M. fortuitum* complex ; *M. fortuitum, M. peregrinum, M. porcinum*
  - *M. kansasii* ; 미국과 일본에서는 2nd m/c NTM이지만, 우리나라는 상대적으로 드묾
    ↳ 다른 NTM과 달리 토양/하천 등 자연환경에는 없고, 도시의 상수도에서 발견됨

• 증식 속도에 따른 분류

종류		Colony 형성 시간
Slowly growing	*M. avium* complex, *M. kansasii* 등	3주 이상
Rapidly growing ★ mycobacteria (RGM)	*M. abscessus* complex, *M. fortuitum* complex, *M. chelonae*, *M. smegmatis*, *M. mucogenicum*	2~5일

* RGM에 의한 폐질환; *M. abscessus* (m/c, 80%) 및 *M. fortuitum* (15%)이 대부분을 차지

2. 임상양상

• 폐질환(>90%), 림프절염, 피부/연조직/골감염증, 파종성질환 등 4가지가 특징적인 임상양상

비결핵 항산균(NTM) 폐질환의 진단기준	
임상적 기준	1. 합당한 증상과 징후 2. 다른 질환의 배제
영상의학적 기준	1. CXR ; 침윤(2개월 이상 지속되거나 진행), 공동, 결절(다발성) 2. HRCT ; 다발성 소결절(multiple small nodules), 다병소(multifocal) 기관지확장증

미생물학적 기준	도말 결과와는 상관없이
	1. 객담에서 2회 이상 배양 (+) *or*
	2. Bronchial wash/lavage에서 1회 이상 배양 (+) *or*
	3. Lung biopsy에서
	  항산균 감염의 병리학적 증거(granulomatous inflammation or AFB) & 배양 (+) *or*
	  항산균 감염의 병리학적 증거 & 객담(or bronchial washing)에서 1회 이상 배양 (+)

• 정상인의 객담에서 NTM이 검출되는 경우 대부분은 검체의 오염 또는 단순 집락균(colonization)
  - 객담에서 NTM이 분리된 환자 중 실제 NTM 폐질환은 10~25% (우리나라), 40~50% (서양) 뿐
  - *M. kansasii*, *M. avium* complex, *M. abscessus* complex 등이 상대적으로 발병력이 큼
  - *M. fortuitum*은 상대적으로 발병력이 낮고, *M. gordonae*는 대표적인 검사실 내 오염균임!
• 항산균 도말검사(AFB) : TB와 구별×, (+)의 10~20%가 NTM (우리나라), 30~50% 미국
• 영상검사나 조직검사로는 결핵과 감별할 수 없고, 전통적인 균 배양/동정 방법 or 핵산증폭검사 (NAT, m/i)를 이용하여 특이 병원체를 확인하는 것만이 유일한 진단법임

* AIDS 환자에서의 disseminated MAC infection
  - 폐, 혈액, 골수, LN, 위장관 등 전신에 파급된 감염증을 주로 보임
  - CD4+ T cell <50/mL에서 발생위험 증가
  - 고열, 체중감소, 복통, 설사, 전신의 LN 종창, 비장종대 ...
  - 면역반응이 거의 없으므로 granuloma는 형성 안됨
  - 객담에서는 MAC가 거의 검출 안 되고, 혈액배양에서 90% 정도 검출됨

* SSTI (skin & soft tissue infection)
  - 대개 direct inoculation으로 감염 (e.g., 시술/수술, 문신, 네일샵, 발욕조/족욕기)
  - 원인균 ; *M. marinum*, *M. ulcerans*, RGM (e.g., *M. fortuitum*, *M. chelonae*, *M. abscessus*)

3. 치료

- 증상이 없고, 영상의학적 소견이 경미하거나 안정되어 변동이 없고, 간헐적인 균 배출만 있는 경우는 집락균일 가능성이 높으므로 경과관찰하면서 치료 여부를 결정
- NTM 치료의 문제점 (치료 확률 60%)
    ① 내성 빈도 높음 (*M. kansasii*를 제외하고는 일반 항결핵제에 잘 안 들음)
    ② 재발률이 높음
    ③ 치료의 지속 기간이 불확실
- 치료의 예
    ① MAC ⇨ clarithromycin (or azithromycin) + EMB + rifampin (or rifabutin)
        ↳ NTM 치료의 근간이므로 macrolide 내성 여부는 매우 중요함
        - 3회/주 간헐치료 (심하면 매일 투여), 객담 배양 음전 이후 12개월 이상 더 투여
        - 아주 심하고 광범위하면 (특히 섬유공동형) 초기 2~3개월간 amikacin or SM 추가
        - macrolide-resistant MAC ⇨ EMB + rifampin (or rifabutin) + clofazimine
        (초기 2~6개월은 IV amikacin 추가), 치료가 매우 어려우므로 조기 수술도 고려
    ② *M. abscessus* complex (RGM에 의한 폐 질환의 대부분) ; 중년 이상 비흡연 여성에서 호발
        - subsp. *abscessus* 및 *bolletii* : macrolides에 대한 유도내성을 가지므로 치료 매우 어려움
            ⇨ amikacin + 다음 중 2개 (cefoxitin, imipenem, tigecycline, linezolid)
        - subsp. massiliense ⇨ clarithromycin (or azithromycin)
            + 다음 중 1개 이상 (amikacin, cefoxitin, imipenem, tigecycline, linezolid)
    ③ *M. kansasii* : 임상양상과 영상소견이 폐결핵과 매우 유사함, 중년 이상 남성에서 호발
        ⇨ INH + RFP + EMB : 18개월 (배양 음전 기간 12개월 이상 포함)
            ↳ INH 대신 macrolides (clarithromycin or azithromycin)가 더 효과적이라는 연구도 有
    ④ *M. fortuitum* or *M. chelonae*에 의한 심한 감염 (*M. fortuitum*은 macrolides에 내성)
        ⇨ AG (amikacin or TM) + 다음 중 2개 (cefoxitin, imipenem, levofloxacin)
    ⑤ SSTI ⇨ TMP-SMX, DC, levofloxacin, macrolides 중 2제로 4개월 이상

7
기관지확장증(Bronchiectasis)

개요

- 정의 : (어떤 이유로든) 비가역적으로 기도/기관지의 내경이 넓어진 것(dilation or ectasia)
- 병리소견
  - 중간 크기 기관지 (대개 segmental or subsegmental bronchi) 벽의 괴사성 염증
    (→ 기관지 벽의 정상 구조물은 섬유조직으로 대치됨)
  - 확장된 기도에는 점액성 또는 화농성 분비물이 차있음
  - 기타 ; 기관지 주위의 염증 및 섬유화, 기관지 벽의 궤양, 점액선 비후, squamous metaplasia,
    염증에 의한 vascularity↑ (→ 기관지동맥 확장)
- 3 patterns : cylindrical (tubular, m/c), varicose, saccular (cystic)

원인

- 대부분 후천적 원인 (감염)으로 발생
- 과거에는 소아기의 홍역(measles), 백일해(pertussis)의 합병증으로 많이 발생
  → 현재는 예방접종 및 항생제의 발전으로 adenovirus와 influenza virus가 감염의 주요 원인
    & 전신질환과 관련된 기관지확장증이 상대적으로 증가
- 우리나라에서는 결핵이나 홍역 이후에 주로 발생
- * 폐 침범 양상/분포에 따른 원인
  - ┌ focal ; 기관지 폐쇄 (e.g., 이물, 종양)
  - └ diffuse ; 감염, 면역저하, 유전, 자가면역질환 등

  - 폐 상부 ; TB, cystic fibrosis, postradiation fibrosis
  - 폐 하부 ; idiopathic, 재발성 aspiration (e.g., scleroderma 같은 식도운동질환), 말기 섬유성
    폐질환(e.g., IPF에 의한 traction bronchiectasis), 재발성 면역저하관련 감염(e.g., Ig↓)
  - 폐 중부 ; <u>NTM (MAC가 m/c)</u>, dyskinetic/immotile cilia syndrome
    ↳ Rt. middle lobe와 lingula를 특징적으로 침범 (tree-in-bud 양상)
  - central airway (perihilar) ; ABPA, tracheobronchomegaly, cartilage deficiency
  - foreign body 흡인(e.g., 음식물, 장난감) → 우측 폐, 하엽, 상엽의 후분절

기관지확장증의 원인 & 검사

원인 (25~50%는 idiopathic)	진단적 검사
Diffuse **감염** (m/c) 바이러스 ; adenovirus, influenza, measles, HSV, HIV 세균 ; S. aureus, Klebsiella, Pseudomonas, H. influenzae, B. pertussis, 혐기성균 (Legionella는 아님) 기타 ; TB, NTM, Mycoplasma, fungi	객담 Gram 염색, 객담 배양, AFB 염색, TB 배양, 혈청학적 검사, PCR, 기관지내시경(BAL) 등
면역저하 Primary hypo-/agammaglobulinemia Selective deficiency of IgG subclass (특히 IgG$_2$) Chronic granulomatous dz.$_{CGD}$ (NADPH oxidase dysfunction) Secondary ; cancer (e.g., CLL), chemotherapy, immune modulation (transplantation)	CBC with WBC differential count, Ig 정량검사, IgG subclass NBT (nitroblue tetrazolium) 검사, DHR (dihydrorhodamine 123) 검사 등 (ㄴ CGD 진단에 유용한 flowcytometry 검사임)
선천성/유전 질환 Primary ciliary dyskinesia, Kartagener's syndrome Cystic fibrosis (mucoviscidosis) α$_1$–Antitrypsin deficiency Young's syndrome, Yellow–nail synd., Marfan's syndrome Tracheobronchomegaly (e.g., Mounier–Kuhn syndrome) Tracheomalacia (연골 결핍, Williams–Campbell syndrome) Pulmonary sequestration	Nasal NO, High speed videomicroscopy analysis (HSVA or HSVM), TEM, 유전자검사 땀 Cl⁻ level, 유전자검사 α$_1$–Antitrypsin level, α$_1$–Antitrypsin genotyping 병력, 정자검사(sperm count) 등 흉부 CT (흡기 & 호기 영상)
면역반응/자가면역질환 ABPA ; Aspergillus에 대한 면역반응 (주로 근위부 기도 침범) RA, Sjögren, SLE, AS, sarcoidosis, relapsing polychondritis Inflammatory bowel disease (chronic UC, CD) (심장)–폐 이식 이후 (obliterative bronchiolitis와 관련)	혈청 IgE, Aspergillus specific IgE & IgG, Aspergillus skin test, 흉부 CT, 천식의 병력 RF, ANA, anti–ENA 검사 등 병력, 대장내시경, 조직검사 등 흉부 CT (흡기 & 호기 영상), 폐기능검사 등
기타 Recurrent aspiration pneumonia, GERD 독성물질 ; 유독가스 (e.g., ammonia, chlorine), 위내용물 흡인 * 흡연 ; 기관지확장증의 원인인자로 작용하는지는 불확실함	병력, 흉부 영상검사, 연하기능검사 등 병력, 흉부 영상검사
Focal **기관지 폐쇄** Foreign body 흡인 (m/c), mucoid impaction 종양(carcinoid tumor 등), hilar adenopathy (TB, sarcoidosis) COPD, asthma, acquired tracheobronchial dz., amyloidosis	흉부 영상검사(CXR, CT, HRCT), 기관지내시경, PPD or IGRA, 폐기능검사 등

- primary ciliary dyskinesia (PCD, immotile cilia syndrome) : 원인의 5~10% 차지, AR 유전
  - bronchiectasis
  - sinusitis ; 소아 때부터 만성 기침, 콧물, 코막힘 등을 보임 (→ paranasal sinus X-ray)
  - infertility (∵ sperm의 motility 장애로)
  - * Kartagener's syndrome (약 50%) : bronchiectasis + sinusitis + <u>situs inversus</u> (+ dextrocardia)
- cystic fibrosis : 7번 염색체상의 CFTR gene mutation (AR 유전)
  - 기도내 분비물이 끈적끈적해짐 (→ 세균 배출↓) → 만성 기도 감염 (→ bronchiectasis, sinusitis)
  - 췌장 외분비 기능장애, 장 및 비뇨생식기 기능장애, 땀샘 기능이상(Cl⁻↑) 등
- α$_1$–antitrypsin deficiency : panacinar emphysema, 때때로 bronchiectasis도 동반
- yellow nail syndrome : hypoplastic lymphatics 때문, 약 40%에서 bronchiectasis 발생
  (triad ; lymphedema, pleural effusion, yellow discoloration of nails)
- Young's syndrome : obstructive azoospermia (→ infertility) + bronchiectasis

임상양상

1. 증상

- persistent/recurrent cough, <u>mucopurulent sputum</u>, <u>hemoptysis</u> (50~70%)
  (dyspnea, wheezing시 → 광범위한 bronchiectasis or underlying COPD)
- 대량의 foul-smelling, purulent sputum이 특징 (컵에서 3층으로 나누어짐)
- 반복되는 호흡기 감염 (폐렴)
  ⇨ 흔한 원인균 ; *P. aeruginosa*, *H. influenza*, *S. pneumoniae*, *S. aureus*, anaerobes, NTM
     (*Klebsiella*는 아님!)
- 기침, 객담 등의 증상이 수년~수십년 지속되는 경우 의심
- 일부 COPD or asthma와 overlap되어 나타나거나, 비슷한 증상을 보일 수도 있음
- 반복되는 감염, COPD 환자의 흡연, asthma 등은 bronchiectasis/폐기능 악화의 위험인자
- acute exacerbations ; 기침/호흡곤란/객담 양 증가, 객담 진해짐, 발열, 객혈, 흉통

2. 진찰소견

- inspiratory crackles or rhonchi (wheezing과 유사하나 음조가 낮고, 코고는 소리 비슷,
  대부분 기도내 분비물의 진동에 의해서 발생 → 객담을 배출하면 소실됨)
  ┌ 주로 lung base에서 발생
  └ 상엽(apex)에서 발생시 대개 무증상 or nonproductive cough (dry bronchiectasis)
- 심한 경우 ; 체중감소, 청색증, clubbing, cor pulmonale 및 우심부전의 소견

3. 합병증/예후

- 호흡부전 및 폐성심(cor pulmonale) - m/c 사인
- 반복성 폐렴, 농흉, 폐농양, 대량 객혈
- amyloidosis, metastatic cerebral abscess
- 치료를 잘 받으면 전체적인 예후는 좋은 편이나, 원인에 따라 다름

검사소견/진단

1. chest X-ray

- 보통 nonspecific (질병의 severity와 방사선소견의 정도는 관계 없다)
- 기관지벽의 비후 및 확장 ; tram track, ring, cystic shadows
- 확장된 기도내에 분비물이 차서 dense하게 보일 수도 있음
- 심한 경우 honeycomb appearance

2. HRCT (m/g)

- 기관지 내경의 확장 : 인접 혈관의 1.5배 이상 (정상: 1~1.5배)
- thickened bronchial wall, "signet ring" sign, cysts (cluster, string, air-fluid level), small nodules
- 폐 주변부 (흉막에서 2 cm 이내)에서도 기관지가 관찰됨 ("tree-in-bud")
- 원인을 추정하는 데도 도움 (e.g., ABPA : 근위부 기도 침범)

3. 원인을 밝히기 위한 검사

- fiberoptic bronchoscopy
  - focal bronchiectasis에서 endobronchial obstruction 유무 및 원인(e.g., 이물, 결핵, 종양) 검사
  - BAL : 감염의 원인균 검사
  - 객혈 동반 환자에서 출혈 부위를 찾는데도 도움
- 상엽의 bronchiectasis → TB or ABPA 의심
- 광범위한 bronchiectasis → 땀의 Cl⁻ level (cystic fibrosis), nasal/bronchial cilia 또는 정자 검사,
  Ig level 정량검사, α_1-antitrypsin level & phenotyping, HIV 검사, 자가면역질환 검사 등

4. 기타

- sputum ; 다량의 neutrophils 및 다양한 세균 검출
- sputum (or BAL) 배양검사 ; 모든 환자에서 세균 및 결핵/NTM에 대한 염색/배양검사 시행!
  - *P. aeruginosa* ; 예후 나쁨, 급성 악화 호발
  - *S. aureus* ; cystic fibrosis가 기관지확장증의 원인일 가능성 시사
  - NTM ; 증가 추세, 대개는 기관지확장증의 합병증, 때로는 원인이 되기도 함
- 폐기능검사(PFT) ; 주로 obstructive pattern을 나타냄
  (기관지의 과민성 및 기도 폐쇄의 reversibility도 비교적 흔함)

■치료

1. 일반적 원칙

(1) 원인 질환의 발견 및 치료 (but, 치료 불가능한 경우가 많음)
- 예 ; hypogammaglobulinemia → Ig, TB → 항결핵제, ABPA → steroid
  (NTM ; 객담 2회 이상 (+), BAL or biopsy (+) 등 임상적으로 감염이 확실하면 치료)

(2) 분비물의 효과적인 배출
- chest physical therapy ; postural drainage (m/i), vibration, percussion → 뒤의 그림 참조
- 정상 폐가 아래로 향하도록 누움
  (c.f., 객혈시는 혈액이 정상 폐로 aspiration 되지 않도록 병변 쪽으로 decubitus position을 취함)
- nebulized hypertonic saline (7%) : 분비물 배출↑, 급성 악화↓

- aerosolized recombinant human DNase (dornase alfa [Pulmozyme®])
  - 객담의 점도↓ → 감염↓, 폐기능 향상
  - cystic fibrosis에 의한 기관지확장증에서만 효과적임 (다른 원인에서는 사용하면 안 됨!)
- mucolytic agents (e.g., acetylcysteine) : 분비물 배출에 도움이 되는지는 논란임!
- active cough는 금기! (∵ 대량 객혈을 조장) - abscess에서는 아님!

(3) 감염의 치료(급성 악화시)가 매우 중요함!
(4) 기도 폐쇄의 호전
(5) 금연, 적절한 수분 공급, 충분한 영양공급 (e.g., vitamin D)

2. 내과적 치료

(1) 항생제 (m/i)
- 객담 염색, 배양 결과에 따라 항생제 사용 권장
- 경험적 항생제 : 객담의 양이나 화농성이 심한 급성기에만 사용 (감염 의심시)
  - amoxicillin, amoxicillin-clavulanate, levofloxacin, moxifloxacin 등
  - *P. aeruginosa* 의심시 (입원 환자, poor Px.) → antipseudomonal penicillin (e.g., piperacillin-tazobactam); ceftazidime, cefepime, AG, carbapenem, fluoroquinolone 등
- 최소 7~10일 (최대 ~14일) 정도 사용
  (장기간의 항생제 사용은 *P. aeruginosa* 같은 G(-)균의 감염을 유발하므로 좋지 않다)
- 흡입형 항생제(inhaled tobramycin, aztreonam, colistin 등) : cystic fibrosis 같은 만성 환자에서 감염 예방, 폐기능 호전, 삶의 질 향상 등에 도움
(2) 항염증 치료
- inhaled steroid (e.g., fluticasone) : 호흡곤란 & 객담 감소 효과
  - but, 폐기능이나 급성악화 발생 빈도에는 별 영향 없고, 각종 부작용 위험
  - 적응이 되는 asthma/COPD 동반시 사용, 감염이 원인인 경우에는 주의
  - oral/systemic steroid는 특정 원인에서는 효과적 (e.g., ABPA, 자가면역질환)
- macrolide (e.g., EM, azithromycin) : 기관지확장증 환자에게 이로운 항염증 작용 有
  - 감염 동반 시에는 단독 투여 금기 (∵ 내성 세균/NTM 유발 위험)
(3) 기관지 확장제(bronchodilators) : 기도과민성이나 기도폐쇄의 reversibility가 있는 환자에서 기도폐쇄를 호전시키고 객담 및 분비물의 배출을 용이하게 함
(4) 지속적인 산소요법 : chronic hypoxia와 cor pulmonale를 동반한 심한 경우 고려
(5) 감염의 예방 (e.g., pneumococcal & influenza vaccination)

3. 수술 (resection, lobectomy)

- 적응 : 내과적 치료에 반응 없는 심한 focal bronchiectasis, massive hemoptysis, 반복적인 재감염
  (내과적 치료의 발전으로 최근에는 드묾)
- 페이식 : 최대한의 치료에도 반응이 없는 경우 고려

4. 객혈의 치료

- bronchoscopic ; balloon tamponade, laser therapy, electrocautery, 혈관수축/응고촉진제 등
- BAE (bronchial artery embolization) : 병변이 광범위하거나 내시경적 지혈술 실패시, 85% 성공
- 수술 : BAE도 실패시 고려

8
만성 폐쇄성 폐질환

■ 정의

1. COPD (chronic obstructive pulmonary disease)

- 만성염증에 의한 기도와 폐실질 손상으로 발생한 완전히 회복되지 않는 **기류제한**이 특징인 폐질환
- 소기도 질환이 주된 이상이거나 (chronic bronchitis), 폐실질 파괴가 주된 이상인 경우도 있지만 (emphysema) 대부분은 같이 동반되어 있음 (또한 chronic bronchitis or emphysema가 모두 COPD는 아님)
- asthma와의 차이점 (COPD의 특징)
  ① 발생 연령이 높다 (>40세)
  ② 대개 20 pack-year 이상의 흡연력을 가짐
  ③ atopy의 과거력 없음
  ④ bronchodilator에 대한 allergy의 반응 느림 (FEV$_1$은 정상으로 회복 안됨)
  ⑤ steroid에 대한 반응이 적다
  ⑥ 증상이 만성적임 (무증상의 기간이 없다)
- COPD의 진단 (임상적으로)
  - Sx ; chronic cough, sputum, dyspnea
  - spirometry ; airflow obstruction (FEV$_1$/FVC <0.7)
- 유병률(우리나라) ; GOLD 기준에 의하면 40세 이상 성인의 13.4%, 남성 19.4%, 여성 7.9%, 이중 94%가 GOLD stage 1, 2로 비교적 경증인 COPD임, 진단 안 된 환자가 매우 많음

2. 만성 기관지염 (Chronic bronchitis)

- 특별한 원인 질환 없이 객담을 동반한 기침이 1년에 3개월 이상, 연속적으로 2년 이상 지속되는 것
- simple chronic bronchitis : 객담이 mucoid할 때
- chronic mucopurulent bronchitis : 객담이 지속적/반복적으로 purulent할 때
- chronic obstructive bronchitis : 소기도의 비가역적 협착 소견(FEV$_1$ 감소)이 있을 때 (small airway dz.라고도 함)
- chronic asthmatic bronchitis : 기도의 hyperresponsiveness 있을 때, 장기간의 cough, sputum Hx. 뒤에 나중에 asthma Sx. (irritants나 감염에 의한 severe dyspnea, wheezing) 발생
- asthmatic component : bronchodilator 사용으로 FVC, FEV1, FEF$_{25-75\%}$가 baseline보다 15~25% 이상 증가시, 주기적인 호흡곤란의 기복 등

c.f.) asthma with chronic airway obstruction : 장기간의 wheezing Hx. 뒤에 나중에
chronic productive cough 발생

3. 폐기종 (Emphysema)

- terminal bronchioles 이하의 alveolar wall이 파괴되어 커진 것(airspace distention)
- 즉 병변 부위는 respiratory bronchiole과 alveoli
- 대개 영상검사(CT) or 조직검사로 진단

원인/위험인자

1. 흡연 (m/i)

- COPD 환자의 90% 이상에서 흡연력이 있음
- (but, 흡연자의 15~20%만 COPD 발생 → 환경 or 유전적 요인도 관여)
- 폐기능(FEV₁)의 감소 정도는 총흡연량(pack-years)과 비례 (dose-response 관계)
  - 고령, 남성에서 COPD 호발 (but, 최근엔 여성 흡연의 증가로 여성 환자도 증가 추세)
  - pack-years가 FEV_1의 m/i 예측인자지만, FEV_1 변화의 15% 만이 pack-years로 설명됨
    → 추가적인 환경 and/or 유전적 요인이 흡연의 기도폐쇄 유발에 기여
- 간접 흡연 (자궁내 흡연 포함) : 폐기능은 확실히 감소시키지만, COPD 발병 역할은 불확실함

2. 기도의 과민성(hyperresponsiveness)

- 기도 과민성 및 천식은 향후 폐기능의 감소와 관련 ⋯ COPD의 중요 위험인자임
  - 흡연과 상관없이 천식 환자는 COPD 발생위험도 12배 증가
  - 기도과민성 : 천식 없이도 존재할 수, 흡연 다음으로 중요한 COPD 위험인자
- Dutch hypothesis : asthma, chronic bronchitis, emyphysema는 같은 질병에서 기원하여
  환경 및 유전적 요인에 의해 다르게 발현된 것
- British hypothesis : asthma와 COPD는 근본적으로 다른 질환
  (asthma는 알레르기 현상, COPD는 흡연과 관련된 염증 및 파괴)
- proteinase-antiproteinase hypothesis 관련 일부 유전자는 COPD와 asthma에 모두 관여
  : *ADAM33*, macrophage elastase (*MMP12*)

3. 호흡기 감염 : COPD 악화의 중요 원인이나, COPD 발생/진행(폐기능↓)에서의 역할은 불확실함

- 결핵(COPD의 위험인자이기도 하고, 감별할 별개의 질환일수도 있음), HIV (COPD 발생위험↑)

4. 직업적 노출 : 증기, 화학물질, 분진 등 (e.g., 탄광) ⋯ 대부분 흡연보다는 훨씬 덜 중요함
↳ 비흡연자에서도 emphysema 발생위험↑

5. 실내 공기오염 : 바이오매스(e.g., 나무) 및 기존 연료의 연소에 의해 COPD 발생위험↑

6. 실외 공기오염 : COPD와의 관련성은 아직 불명확함

- but, NO_2와 초미세먼지($PM_{2.5}$) 높은 곳의 소아는 폐성장/기능 감소 (→ 노출 중단시 회복됨)

7. 유전적 요인

- α_1-antitrypsin (A1AT) deficiency ⇨ early-onset emphysema (우리나라는 매우 드묾)
  - SERPINA1 gene ; Z allele (→ α_1-AT↓↓), S allele (→ α_1-AT↓), M allele (정상)
  - 대부분 Pi^Z (ZZ or Z-) 환자에서 조기에 COPD (severe panacinar emphysema) 발생
  - 간세포에서 α_1-AT의 분비 감소 → 혈중 α_1-AT level↓ → 폐포내 α_1-AT↓
    → proteinase에 대한 정상방어기전 결핍 → 폐손상, 폐기종
  - 흡연이 COPD 발병 및 폐기능 감소 정도에 매우 중요한 cofactor
  - 일부에서는 간질환(LC)도 발생 (∵ α_1-AT 축적에 의한 간세포 손상)
  - heterozygous Pi^{MZ} 환자 ; α_1-AT level 약간 감소(~60%), 흡연시 COPD 발생위험↑
- α_1-AT 이외에 다른 COPD의 유전적 요인
  - GWAS (genome-wide association study)로 일부 밝혀짐 ; hedgehog-interacting protein gene (HHIP), nicotinic acetylcholine receptor gene cluster (CHRNA3/5), IREB2, FAM13A 등
  - 일부 COPD 환자의 가족들도 airflow obstruction을 보임
  - macrophage elastase MMP-12 (MMP12 gene, 폐조직을 파괴) 발현
    ↳ 소아 천식 환자 및 성인 흡연자에서 폐기능 향상에 기여

8. 나이와 성별 ; 고령 & 남성에서 호발(∵ 흡연, 유해물질 노출↑) /but, 최근 선진국에서는 남녀의 COPD
유병률이 거의 비슷해짐(∵ 여성 흡연↑), 일부 연구에서는 여성이 흡연 & COPD에 더 susceptible!

9. 폐 성장과 발달 ; 폐 성장을 저해하는 요인은 모두 COPD 발생위험을 높일 수 있음
(e.g., 출생시 저체중, 유년기 호흡기 감염, COPD의 약 1/2은 폐 성장 저하와 관련)

10. 사회경제적 수준 ; 빈곤은 기류제한과 관련, 낮은 사회경제적 수준은 COPD 발생위험↑
c.f.) 우리나라 ; 흡연(m/i, 70~80%), 결핵, 천식이 중요한 위험인자

병리/병인

┌ large airway의 변화 → 기침 및 객담 생산
└ small airway 및 폐실질(alveoli)의 변화 → 생리적 변화 (기도폐쇄)
 ┌ small airway obstruction : 초기에 주로 관여
 └ emphysema (폐실질의 파괴) : 후기에 주로 관여

1. 기도 : 만성 기관지염 (Chronic bronchitis)

(1) large airway : simple chronic bronchitis

- mucus glands 비대 및 goblet cells 증식 → 기침 및 객담생산과 비례 (기도폐쇄와는 관련 없음)
  - Reid index = submucosal glands 두께/기관지벽 두께 → 0.52 ±0.08 (정상: 0.44 ±0.09)
- squamous metaplasia (→ carcinogenesis), mucociliary clearance 장애
- smooth-muscle hypertrophy 및 기관지 과민성 (asthma 보다는 덜 현저)

(2) small airway : chronic obstructive bronchitis

- COPD에서 기도폐쇄의 주된 부위(직경 ≤2 mm)로 폐기능 감소(기류 제한)와 관련
- large airway의 병리학적 변화와 유사하지만, 기도벽의 구조적인 변화로 기도의 내경이 좁아지고 저항이 증가됨 (기도 주변의 fibrosis도 중요한 역할)
- goblet cell metaplasia, surfactant-secretary Clara cells의 mucus-secreting cells과 단핵염증세포 침윤으로의 대치, smooth-muscle hypertrophy

2. 폐실질 : 폐기종/폐공기종 (Emphysema)

- 가스를 교환하는 공간(resp. bronchioles, alveolar ducts, alveoli)이 파괴되고 합쳐져 훨씬 큰 비정상적인 공간(airspace)으로 대치됨
- 폐기종의 병리학적 형태/분류
  ① centrilobular/centriacinar (m/c)
    : resp. bronchiole에서 병변이 나타나 말초로 전파됨, 폐 상부에서 현저, 장기간의 흡연과 관련
  ② panlobular/panacinar : 균등하게 모든 폐포를 침범, 폐 하부에 호발, 대개 α_1-AT 결핍과 관련
  ③ distal acinar (paraseptal) : 폐 상부에 호발, 기흉의 주요 원인

3. 폐혈관

- 폐혈관압 증가(pulmonary HTN)의 원인
  ① hypoxia에 의한 폐동맥 수축
  ② endothelial dysfunction
  ③ 폐동맥의 remodeling (smooth muscle hypertrophy & hyperplasia) → 혈관벽이 두꺼워짐
  ④ pulmonary capillary bed 파괴
  ┌ 초기 ; intimal thickening, endothelial dysfunction
  └ 후기 ; vascular smooth muscle↑, collagen deposition, capillary bed 파괴, pul. HTN 발생
- sustained pulmonary HTN은 COPD의 후기에 발생 → RVH/RVE, RV dysfunction[cor pulmonale]
- heavy smokers는 폐기능이 정상인 mild COPD 때도 폐혈관의 조직학적 변화 가능

4. 병인 (pathogenesis)

- 유해 가스/인자에의 만성적인 노출 (e.g., 흡연) → 염증 반응 발생 (유전적 소인이 있는 경우 더욱)
  - 염증세포의 침윤 (주로 macrophage, neutrophil, CD8+ T cell)
  - CD8+ T cell 증가 (CD4+/CD8+ ratio↓)
  - 흡연은 oxygen free radical과 NO 생성을 증가시킴
- 염증세포에서 여러 mediators (e.g., TNF-α, IL-8, LTB$_4$) 및 proteinases 분비 → 폐 실질 파괴
  - TGF-β↑ (→ FEV$_1$과 반비례 관계, fibrosis와 관련), TNF-α↑ (→ cachexia, 체중감소)
  - MMP-12 (matrix metalloproteinase-12) & serine proteinase (elastase) → ECM 파괴
  (c.f., elastin : ECM의 주요 성분으로 소기도 및 폐실질의 구조 보존에 m/i)
- ECM (elastin)의 파괴 및 ineffective repair → matrix-cell attachment 소실
  → 폐 구조 세포의 apoptosis

• ECM 손상 & 세포 사멸 → airspace 비대 (폐기종) 발생
• 흡연에 의한 직접 & 염증에 의한 oxidant stress로 인해 세포 사멸 유발
• 흡연은 macrophage의 apoptotic cells 흡수 억제를 통해서도 cell repair를 제한
• 흡연에 의한 기도상피의 cilia 소실 → macrophage의 phagocytosis↓
  → 세균 감염↑ 및 neutrophilia (neutrophil transit time↓)
• 자가면역 기전도 COPD의 진행에 일부 기여함

■ 병태생리

1. 기류제한(airflow limitation)

• 호기시의 기류제한 ··· COPD의 생리학적 변화의 대표적 소견
  - 호기시의 기류 ┌ 폐의 elastic recoil → flow 촉진
              └ 기도의 저항 → flow 제한
  - COPD : elastic recoil↓, 기도저항↑
• FEV_1↓↓, FVC↓, FEV_1/FVC↓
• asthma와 달리 대부분 비가역적이지만, 일부 가역적이기도 함
  (bronchodilator 투여시 15% 이내의 호전은 흔함)
• 흡기시의 기류는 심하게 감소된 FEV_1에 비하면 상대적으로 양호함

2. 과팽창(hyperinflation) = 통가슴(barrel chest)

• air trapping → RV↑↑, RV/TLC↑, progressive hyperinflation (TLC↑)
  (hyperinflation은 기도가 좁아지는 것을 보상하는 역할을 함)
• hyperinflation ; 횡격막 편평해짐, 흉골 뒤 공기공간 증가, 길고 좁은 심장
  - static hyperinflation → inspiratory capacity↓
  - 운동시 dynamic hyperinflation도 흔함 → 호흡곤란↑, 운동능력↓
  - 호흡근의 수축력을 약화시키고, 염증매개물질도 활성화시킬 수 있음
  - COPD 초기부터 발생하며, 운동시 호흡곤란의 중요 기전

3. 가스교환 장애

• ventilation-perfusion (V/Q) mismatching (m/i) 및 nonuniform ventilation이 특징
  → PaO_2↓, 말기에는 $PaCO_2$↑
  (V/Q mismatching → hypoxemia 치료시 산소 투여가 효과적)
• N_2 washout curve : CV 증가
• FEV_1 감소 정도와의 관계
  ┌ PaO_2↓ : FEV_1이 50% 이하로 감소해야 발생
  └ $PaCO_2$↑ : FEV_1이 25% 이하로 감소해야 발생

4. 기타

- 기도 점액 과분비 (chronic bronchitis에서) → 만성 가래가 있는 기침 (기류제한에 일부 기여)
- chronic hypoxia → 폐혈관 수축(→ pul. HTN), secondary erythrocytosis
- severe pul. HTN (cor pulmonale, RVF) : FEV_1 <25% & PaO_2 <55 mmHg 일 때 발생
  (hypoxemia에 의한 혈관수축이 pul. HTN 발생에 가장 중요)

임상양상/진단

1. 증상/진찰소견

- 호흡곤란, 기침, 가래 등이 주증상 (기침/가래가 기류제한보다 먼저 발생하는 경우도 있고,
  일부 환자에서는 기침/가래는 없이 기류제한만 발생하기도 함)
- 수면장애
  - 원인 ; nocturnal hypoxia (hypoventilation), steroid, β-agonist 등
  - 주로 REM sleep 때 hypoxia가 심하게 발생 가능
- 진찰소견 : 다양 (→ 진단에 별로 도움 안됨)
  - 초기에는 정상인 경우가 많음
  - 청진 : 호기시 wheezing, 호흡음 감소
  - 심해지면.. 호기 시간의 증가, 호흡 횟수의 증가, 횡격막 운동의 저하, 흡기시 늑간의 함몰 및
    보조호흡근의 사용 등이 나타날 수 있음
- 진행된 COPD의 임상양상 (동반질환, 합병증)
  ① 폐동맥 고혈압, 우심실부전(폐성심, cor pulmonale)
  ② chronic resp. failure, resp. acidosis
  ③ cachexia : systemic wasting (심한 체중감소, bitemporal wasting, 피하지방 소실)
    - apoptosis↑ and/or 근육사용↓ → skeletal muscle mass↓ → 체중감소
    - 경구 섭취 부족과 inflammatory cytokines (TNF-α)의 증가 때문
    - 독립적인 poor prognostic factor
  ④ 흡기시 rib cage의 paradoxical inward movement (Hoover's sign)
  ⑤ secondary polycythemia (RBC↑)
  ⑥ spontaneous pneumothorax
  ⑦ stress ulcer (GI hemorrhage)

  * 곤봉지(digital clubbing) : COPD의 징후 아님 → 다른 원인을 고려 (특히 lung ca.)!

COPD를 의심해야 하는 Key indicators	
(40세 이상에서 아래와 같은 지표가 있으면 spirometry 시행, 다수일수록 COPD의 가능성 높음)	
Dyspnea (m/i)	시간이 지날수록 심해짐, 특히 운동시 심함, 지속적
Chronic cough	간헐적이거나 없을 수도 있음, 가래를 동반하기도 함, wheezing
Chronic sputum*	어떤 형태이든 가능, 기침 후 소량의 끈끈한 가래가 흔함
Recurrent lower respiratory infections	
Risk factor history	흡연, 직업력, 취사/난방 연기, 미세먼지 등 유전적 요인
Family and/or childhood history	COPD의 형제력, 출생시 저체중, 소아기 호흡기 감염

*가래가 (다른 원인 없이) 3개월 이상 2년 연속 있으면 chronic bronchitis, 기류제한도 있으면 COPD

2. 검사소견

(1) 폐기능검사 (m/i)

- **폐활량**(spirometry) ; $FEV_1 \downarrow \downarrow$, $FVC \downarrow$, $FEV_1/FVC \downarrow$, $FRC \uparrow$, $RV \uparrow$, $TLC \uparrow$, $RV/TLC \uparrow$
  - 기관지확장제 투여 후 $FEV_1/FVC < 0.7$ 이면 진단 가능
  - FEV_1 : 기도폐쇄의 정도(severity)를 평가하는데 m/g
- 유량기량곡선(flow-volume curve) : COPD 초기에는 호기시 곡선만 오목해지지만, 진행되면 전체 곡선이 작아짐
- <u>diffusing capacity</u> (DL_{CO}) : emphysema 환자에서 감소
  - emphysema (hyperinflation)의 severity를 가장 잘 반영
  - airflow obstruction 정도에 비해 호흡곤란이 심한 환자의 평가에 유용

(2) 동맥혈가스검사(ABGA)

- GOLD grade III 이상의 환자($FEV_1 < 50\%$)는 정기적인 ABGA 검사 필요
- 호흡부전 ($PaCO_2 > 45$ mmHg)의 분류에 이용
  - 급성 호흡부전 : $PaCO_2$ 10 mmHg 증가시 pH 0.08 감소
  - 만성 호흡부전 : $PaCO_2$ 10 mmHg 증가시 pH 0.03 감소
- COPD의 급성 악화 진단시 중요

(3) 기타

- CXR (→ 다음의 표 참조) : COPD의 진단에는 큰 도움이 안 됨
- <u>chest CT</u> : <u>emphysema</u>의 조기발견/확진 및 다른 질환(e.g., ILD)과의 감별에 유용
  - └ 폐포벽 파괴로 인한 airway space 확장 (저음영 부위↑)
- EKG ; 말기 환자에서 II, III, aVF에서 peaked P wave, QRS 감소, RAD
  (cor pulmonale의 m/i 소견 : right precordial lead에서의 R wave)
- chronic hypoxemia → erythrocytosis (Hct↑), RVH
- α_1-AT level : 유병률 높은 지역에선 COPD 및 만성기도폐쇄를 동반한 천식 환자에서 검사
  * α_1-AT deficiency의 확진 → 유전자형 검사 ; Pi alleles (M, S, Z)

- 운동능력검사(exercise testing)
  - 건강상태 악화와 예후의 예측에 매우 유용함, 호흡재활 효과 평가에도 사용
  - 보행검사 ; 왕복걷기(shuttle walk test), 6분보행검사(6-min. walk test)
- 신체활동성(physical activity) 평가 ; accelerometer, multi-sensor instrument

		predominant Emphysema (type A)	predominant Bronchitis (type B)
증상 & 진찰 소견	Age	60±	50±
	Dyspnea	Severe, 서서히 진행 (ABGA 소견에 비해 dyspnea 심함) "pursed-lip breathing"	Mild (cough 후에 발생) * OSA도 흔히 동반 (nocturnal hypoxia)
	Cough	드물 (dyspnea 뒤에 발생)	주증상 (dyspnea 전에 발생)
	Sputum	Scanty, mucoid	Copious, purulent
	Infection	덜 흔함	더 흔함
	Resp. insufficiency	보통 말기에나 발생	자주 반복
	Cyanosis	−	+
	Weight	감소	증가
	Chest exam.	Quiet	Noisy
	Airway obstruction	Very severe, always	Sometimes modrately severe
	Inspiratory airway resistance	N~↑	↑↑
	Chest X-ray	Bronchoalveolar marking 감소, hyperlucency, bullae, barrel chest = hyperinflation (폐용적↑, 편평한 횡격막, 길고 좁은 심장)	특별한 소견이 없거나 or bronchovascular marking 증가 ("dirty lungs"), 큰 심장 (RVH)
	ABGA PaCO₂	35~40 (정상)	50~60 (↑↑)
	PaO₂	65~75 (거의 정상)	45~60 (↓↓)
	Hematocrit (Hb)	35~45 (12~15)	50~60 (15~18) : polycythemia
	Resting PA pressure	N or ↑	↑↑~↑↑↑
	Pulmonary HTN	none ~ mild	moderate ~ severe
	Cor pulmonale with Rt-HF	드물다 (말기에나) but, 예후는 더 나쁨	흔하다 (edema, CHF) systolic PA pr. 40~50 mmHg PCWP는 정상
PFT	Elastic recoil	↓↓↓	N (variable)
	Static compliance	↑↑↑	N
	Dynamic compliance	N or ↓	↓↓↓
	Diffusing capacity (DL_CO)	↓↓↓	N or ↓ (variable)
	RV	↑↑↑	↑↑
	TLC	↑↑	N or ↓
	VC	N or ↓	↓↓
	FEV₁/FVC, MEFR	↓↓	↓↓

3. COPD와 동반질환

; 동반질환은 COPD의 severity와 관계없이 흔하고, 종종 감별이 어려울 수도 있음

(1) 심혈관질환 (m/c)

- 고혈압 (m/c) ; 고혈압과 COPD 각각의 진료지침에 따라 치료
- 심부전 (20~70%) ; 독립적인 사망 예측인자, COPD와 서로 악화시킬 수 있음, COPD 환자에서 β_1-blocker 사용은 안전하지만, selective β_1-blocker 권장
- 허혈성심장질환 ; COPD 급성악화시 심근 손상 위험↑
- 부정맥 ; AF (m/c)-FEV₁과 직접적인 관련, SABA와 theophylline은 사용에 주의
- 말초혈관질환 (8.8%) ; 활동 제한 및 삶의 질 저하

(2) 골다공증 ; 골밀도↓와 골절 흔함, 폐기종에서 더 흔함, BMI 및 근육량 감소와 관련, systemic steroid는 골다공증의 위험을 증가시키므로, COPD 악화시 자주 사용은 피함

(3) 불안과 우울증 ; 일반인보다 2~3배 많음, 삶의 질 저하 및 COPD의 예후를 나쁘게함

(4) 폐암 ; 일반인의 6~13배, 폐기종에서 더 흔함, 기류제한과 폐기종 모두 있으면 폐암 발생 위험↑, mild~moderate COPD의 m/c 사망원인!

(5) 대사증후군과 당뇨병 ; 일반인보다 1.5~2배 많음, COPD의 예후를 나쁘게함, COPD 급성악화시 입원기간 및 사망률 증가, DM과 COPD 각각의 진료지침에 따라 치료

(6) 위식도역류질환(GERD) ; 삶의 질 저하, 급성악화↑, 모두 흡연의 영향

(7) 기관지확장증 ; COPD 급성악화의 기간/사망률↑, 일부 장기간의 항생제 치료가 필요할 수, ICS는 세균 집락이 있거나 반복적인 감염 환자에서는 사용을 피해야 할 수도 있음

(8) COPD-수면무호흡 중복 증후군 ; OSA가 동반된 경우, 삶의 질 저하, 급성악화/사망률 증가, 야간 산소포화도 저하 심해짐(→ 부정맥↑, 폐동맥고혈압↑) → CPAP 치료

4. ambulatory COPD 환자의 severity/prognosis 평가 ★

(1) COPD의 나쁜 예후인자

- post-bronchodilator FEV₁ ⬇ ; 생존율 예측에 가장 우수하지만, 개인별로 차이가 있음
    (환자의 호흡곤란 및 삶의 질 정도와의 일치율은 그리 높지 않음!)
- airway hyperresponsiveness [AHR] (e.g., methacholine [PC₂₀] ≤4 mg/mL)
    ; COPD의 약 25%에서 존재, 폐기능 감소 속도 더 빠르고 사망률↑
- low body-mass index (BMI ≤21) ; 체중이 감소할수록 사망률↑, 체중 증가하면 예후 향상
    - fat-free mass (FFM)제지방체중 ; severity와 관련성 더 높음, 정상 체중에서 사망률 예측에 유용
- 급성악화(acute exacerbations)로 인한 입원 → poor Px. & mortality↑
- CT에서 emphysema (hyperinflation)
- 흡연, 고령, 남성, 영양결핍, hypoxemia, HIV 감염, 기도 세균↑, 운동능력(exercise capacity)↓, cardiopulmonary exercise test (CPET)에서 VO₂,MAX↓, pulmonary HTN ...
- CRP↑(>3 mg/L) ; 일부 연구에서 CRP 증가는 폐기능 감소 및 사망률 증가와 관련

* hypercapnia ; 급성악화시 (eucapnia보다) hypercapnia가 사망률을 더 높이지는 않음
* 급성호흡부전 ; (다른 요인들을 배제하면) 급성호흡부전이 사망률을 더 높이지는 않음

(2) GOLD 기류제한의 분류(grade) : 기관지확장제 투여 후 FEV₁ 기준

Grade	FEV₁/FVC	FEV_1	증상
0 (위험기)	정상	정상	만성기침/객담
I (mild)	<0.7	≥80%	± 만성기침/객담
II (moderate)	<0.7	50~79%	± 만성기침/객담
III (severe)	<0.7	30~49%	± 만성기침/객담
IV (very severe)	<0.7	<30%	± 만성기침/객담
		<50%	호흡부전 or 우심부전

* GOLD : Global initiative for chronic Obstructive Lung Disease

┌ grade III (FEV₁ <50%) → acute exacerbation 위험 증가
└ grade IV (FEV₁ <30%) → 삶의 질 심하게 저하, acute exacerbation시 대개 입원이 필요하며
　　　　　　　　　　　　　생명의 위험이 흔함

(3) 복합 점수 : BODE index

Score	0	1	2	3
Body-mass index (BMI)	>21	≤21		
Obstruction (FEV₁ % predicted)	≥65	50~64	36~49	≤35
Dyspnea (mMRC scale)	0~1	2	3	4
Exercise capacity (6MWDT)*	≥350	250~349	150~249	<150

2년 뒤 사망률
≥7점 : 30%
5~6점 : 15%
≤4점 : <10%

* 6mWDT (6-min walking distance test, 6분행걸검사) : 평편한 바닥에서 6분간 걷는 거리(m)

• score 높을수록 사망률↑ (단일 항목보다 사망률 예측에 더 좋음!)
• modified BODE (mBODE) : 6mWDT 대신에 CPET VO₂,MAX 사용

(4) 호흡곤란 지표(dyspnea scale) : 주로 mMRC grade를 이용

: 현재의 증상을 잘 반영하고, 건강상태 및 사망률과도 관련

mMRC grade	Dyspnea Scale
0	힘든 운동을 할 때만 호흡곤란 (숨이 참)
1	경사진 길을 올라가거나 평지를 빨리 걸을 때 호흡곤란 발생
2	호흡곤란으로 동년배보다 천천히 걷거나, 혼자 걸을 때 중간에 멈추고 숨을 쉬어야 함
3	평지를 100 yard (91.4 m) or 수분 정도 걸으면 호흡곤란으로 멈춰야 됨
4	호흡곤란으로 집 밖에 나가지 못하며, 옷을 입거나 벗을 때에도 호흡곤란 발생

* British Medical Research Council (MRC), mMRC (modified MRC)

(5) CAT (COPD assessment test) : 설문지

• 기침, 가래, 가슴 답답함, 언덕이나 계단 오를 때 숨참, 집에서 활동, 외출할 때 자신감,
　수면의 질, wellbeing sense 등 8개 항목
• 각 항목 당 0~5점, 가장 좋으면 0점 ~ 가장 나쁘면 40점
• mMRC의 호흡곤란 이외에 다른 호흡기 증상 포함 및 삶의 질 평가에 유용

치료

GOLD group에 따른 stable COPD의 치료 (2019) ★

			C	D
위험도	III~IV (FEV₁ <50%)	급성악화 (exacerbation) 병력	≥2회 or ≥1회 입원	High risk, less Sx	High risk, more Sx
	I~II (FEV₁ ≥50%)		없음 or 입원 안한 1회	A Low risk, less Sx	B Low risk, more Sx

위험도 / 급성악화(exacerbation) 병력:
- III~IV (FEV₁ <50%): ≥2회 or ≥1회 입원 → **C** High risk, less Sx / **D** High risk, more Sx
- I~II (FEV₁ ≥50%): 없음 or 입원 안한 1회 → **A** Low risk, less Sx / **B** Low risk, more Sx

증상: mMRC 0~1 CAT <10 | mMRC ≥2 CAT ≥10

▶ Gold grade (FEV₁)는 2017 이후 빠짐

Group	A	B	C	D
	Low Risk, Less Sx	Low Risk, More Sx	High Risk, Less Sx	High Risk, More Sx
약물 치료	필요시 기관지확장제 (속효성 or 지속성)	지속성기관지확장제 : LABA or LAMA	LAMA (∵급성악화 예방효과↑)	LAMA or LABA + LAMA* or LABA + ICS**
비약물 치료	금연, 육체적 활동 독감, 폐렴구균 예방접종	금연, 육체적 활동 호흡재활 독감, 폐렴구균 예방접종	금연, 육체적 활동 호흡재활 독감, 폐렴구균 예방접종	금연, 육체적 활동 호흡재활 독감, 폐렴구균 예방접종

*증상 심하면(e.g., CAT >20)
**asthmatic component or blood eosinophils↑ (≥300/μL)

약물치료의 F/U (Step Up or Down)

먼저 주 치료목표를 정함 : 증상(dyspnea) vs 급성악화
각 단계별 치료반응 및 부작용을 평가하여 치료 지속 or Step Up or Step Down 결정

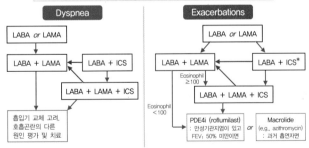

Dyspnea
- LABA or LAMA → LABA + LAMA ← LABA + ICS
- LABA + LAMA → LABA + LAMA + ICS
- 흡입기 교체 고려, 호흡곤란의 다른 원인 평가 및 치료

Exacerbations
- LABA or LAMA → LABA + LAMA, LABA + ICS*
- LABA + LAMA → LABA + LAMA + ICS (Eosinophil ≥100)
- Eosinophil <100 → PDE4i (roflumilast) : 만성기관지염이 있고 FEV₁ 50% 미만이면 or Macrolide (e.g., azithromycin) : 과거 흡연자면

* Eosinophils ≥300/μL or Eosinophils ≥100/μL & 급성악화 ≥2회 (or 1회 입원)시 고려
◀— 폐렴 등 부작용이 발생하거나 효과가 부족하면 ICS의 중단 or 교체 고려

- SABA (short-acting β₂-agonist), LABA (long-acting β₂-agonist)
- SAMA (short-acting muscarinic antagonist), LAMA (long-acting muscarinic antagonist)
- ICS (inhaled corticosteroid), PDE4i (phosphodiesterase-4 inhibitor)

■ 우리나라 COPD 진료지침 (2018)

Group		가군	나군	다군
		위험 낮음, 증상 경미	위험 낮음, 증상 심함	위험 높음
FEV₁ (% pred.)		≥60%		<60%
지난해 급성악화 횟수		0~1회		≥2회
증상	mMRC	0~1	≥2	상관없이
	CAT(설문지)	<10	≥10	
치료	1st choice	필요시 흡입속효성기관지확장제(SABA) 투여		

FEV_1 (% pred.)

1st choice: LABA or LAMA — LABA + LAMA* — LABA + LAMA — LABA + ICS**

Add on
: 증상지속
(mMRC≥2)
or 급성악화

LABA + LAMA

ICS + LABA + LAMA
±
PDE4 inhibitor*** or macrolide

* LABA or LAMA 두 약물 간 우열은 없고 선호에 따라 선택, 진단시 증상이 심하면 처음부터 LABA+LAMA
** LABA + ICS : 천식과 중복되어 있거나 혈중 호산구가 높은 경우
  (c.f., LABA + LAMA가 ICS/LABA보다 폐기능↑, 급성악화↓, 폐렴↓ 등으로 효과는 더 우수함)
*** 급성악화의 병력과 만성기관지염이 있는 COPD에서 FEV₁ 50% 미만 or 연 2회 이상 급성악화가 발생한 경우

* 치료 목표 : 증상 완화, 운동능력 향상, 삶의 질 향상, 급성악화 감소, 질병진행 예방, 사망률 감소

┌ 금연, 장기 산소요법, 일부 폐기종 환자에서 수술(LVRS) 등이 COPD의 경과를 호전시킴 ★
└ 다른 모든 치료는 증상 호전, 삶의 질 향상, 급성악화의 빈도/중증도 감소가 목표!

1. 위험인자의 제거

(1) 금연 (아무리 나이가 많더라도)
  • 폐기능(FEV₁)의 감소 **속도**(natural course)를 완화시킴 (비흡연자와 비슷한 속도로 감소됨)
    ⇨ survival 증가 (∵ 암과 심혈관질환 감소, 폐기능 감소 속도 둔화) → 가능한 젊을 때 금연해야
  • 약물치료만으로는 폐기능(FEV₁)의 감소를 막지 못한다!
  • 금연 보조 약물요법
    ① nicotine 대체재 (껌, patch, inhaler, nasal spray 등) … 최근의 MI, 뇌경색 시에는 금기
    ② bupropion, varenicline (nicotinic acid receptor agonist/antagonist), clonidine, nortriptyline
      ; nicotine 대체재와 함께 사용시 금연율↑

(2) 직업을 바꾸거나, 공해물질에의 노출 감소

(3) 실내 및 야외 공기오염 : 환기 개선 및 미세먼지 노출 줄이면 FEV₁의 감소 속도 완화됨

(4) 감염의 예방
  • 흔한 원인균 : *S. pneumoniae, H. influenzae, Moraxella catarrhalis*
  • 예방접종 : influenza (매년), polyvalent pneumococcal (65세 이상, 5년마다)

2. 약물치료

(1) 기관지확장제(bronchodilator)

① inhaled Muscarinic Antagonists (anticholinergics)
- 기도 평활근의 M_3 muscarinic receptor에 대한 acetylcholine의 기관지 수축 효과를 차단함
- 흡입속효성항콜린제(SAMA) ; ipratropium bromide (Atrovent®), oxitropium bromide
  - short-acting, non-selective muscarinic receptors (M_1, M_2, M_3) 억제
  - 투여 후 30~90분에 최대 효과, 4~6시간 지속, 1일 4회 투여
  - 단독으로는 SABA에 비해 약간 더 효과적임 (증상 및 건강상태 개선, 급성악화↓ 등)
- 흡입지속성항콜린제(LAMA) ; tiotropium bromide (Spiriva®), umeclidinium bromide,
  (Ellipta®), aclidinium bromide (Tudorza®), glycopyrronium bromide
  - long-acting, selective muscarinic receptors (M_1, M_3) 억제, 1일 1~2회 투여 가능
  - 증상 & 건강상태 개선, 호흡재활 효과 향상, 급성악화 & 입원 감소, 사망률 감소
- 흡수가 잘 안되므로 전신 부작용이 적고(dry mouth가 m/c), 치료 용량 범위도 넓음

② inhaled Beta(β_2)-Agonists
- β_2-adrenergic receptors를 자극하여 cyclic AMP를 증가시키고 기도평활근 수축을 억제함
- 흡입속효성베타-2작용제(SABA) ; salbutamol (albuterol), terbutaline, fenoterol, levalbuterol
  - 급성 증상 조절에 효과적: FEV_1 호전 & 증상 개선
- 흡입지속성베타-2작용제(LABA) ; indacaterol, olodaterol, formoterol, salmeterol, vilanterol,
  arformoterol ...   ↳ 24시간 이상 작용
  - 증상 & 삶의 질 개선, 폐기능 개선, 급성악화 감소 (급성악화 예방은 LAMA가 더 효과적!)
- 주요 부작용 ; tremor, tachycardia, hypokalemia (특히 thiazide와 병용시)
- * β_2-agonists + anticholinergics 병합 : 부작용은 줄고, 효과(폐기능↑, 증상↓, 악화↓)는 상승
  (→ 환자가 안정되면 상승작용이 없어지므로 두가지중 한 가지는 중단)

③ methylxanthines (oral theophylline, aminophylline) : weak bronchodilator
- nonselective PDE 억제제, 덜 효과적, 위의 약들에 효과 없는 severe COPD의 경우 추가 고려
- 효과 ; 호흡근육(횡격막) 기능 강화, 호흡중추 자극, CO↑, 일상생활/운동 능력↑,
  폐혈관 저항 감소, 심근 허혈 부위에 혈류를 증진, mucociliary clearance↑
- 야간의 FEV_1 변화와 새벽의 호흡기 증상을 감소시킴
- 심혈관계 부작용(dose-related) 및 약제 상호작용이 문제(e.g., digitalis, warfarin)
  ↳ 심방/심실 부정맥(간호 치명적), 대발작 간질(간질 병력과 무관하게 나타날 수 있음) 등

(2) 흡입스테로이드(inhaled corticosteroid, ICS)
- 단독 사용은 효과가 불확실하여 권장 안됨 (예외: 천식을 동반한 overlap syndrome)
- 기관지확장제와 병합요법으로 사용 : COPD의 급성악화의 빈도 감소시킴 (→ 주 사용목적),
  증상 완화, 폐기능과 삶의 질 개선 (사망률 감소 효과는 불확실함)
- 단점 ; 폐렴, oral candidiasis, dysphonia, osteoporosis, cataracts 등의 부작용 발생 위험
- 적응증
  ① COPD 환자에서 급성악화가 자주 발생시 (1년에 2번 이상)
  ② blood eosinophilia (≥300/μL) … ICS의 효과 (급성악화↓) 예측에 유용!

③ asthmatic or allergic component 존재

  - bronchodilator 투여로 FEV$_1$ 20% 이상 증가 or 증상 크게 호전
  - 기타 ; wheezing, IgE↑, (+) skin test, nasal polyps or vasomotor rhinitis 등
• ICS의 중단 이후 ; 폐기능(FEV$_1$) 약간 감소, blood eosinophilia 군에서는 급성악화 빈도↑

c.f.) oral steroid : stable COPD에서는 급성악화의 예방효과도 없고, 부작용이 많아 권장 안 됨

  - 급성악화시 다른 치료에도 불구하고 증상이 지속되면 단기간 사용 가능
  - Cx. ; myopathy (→ 호흡근 약화 → 증상악화), osteoporosis, DM, cataract,
    면역억제(→ 감염 증가), 체중 증가 등

(3) phosphodiesterase-4 (PDE4) inhibitor (oral roflumilast)

• 기전 : 세포 내 cAMP의 분해를 억제하여 항염증 효과 (직접적인 기관지확장 작용은 없음)
• severity에 관계없이 FEV$_1$과 삶의 질 향상 효과, severe 이상 COPD에서 급성악화 감소 효과
• 적응증 : 급성악화의 병력이 있고 만성기관지염(기침)을 수반한 COPD 환자에서
  ① FEV$_1$ <50% predicted or
  ② LABA or LAMA를 지속적으로 투여해도 연 2회 이상 급성악화가 발생한 경우
• 부작용 ; 오심, 복통, 설사, 체중감소 등 ··· 치료 초기에 주로 발생, 가역적, 계속 치료하면 감소
  (methylxanthines과 병용 투여하면 안됨)

(4) 기타 약제

• macrolides (azithromycin or EM) : antiinflammatory & antimicrobial effect
  - 급성악화 병력이 있는 COPD 환자에게 1년 동안 투여시 급성악화 발생 위험 감소
    (but, 항생제 내성, QT prolongation, 청력 이상 등 부작용 위험)
  - 1년 이상의 투여는 아직 효과 및 안정성에 관한 연구 결과가 부족함
  - 현재 비흡연자에서는 효과 떨어짐 → 과거의 흡연자 or 비흡연자에서만 시도해 볼 수
• 점액용해제(mucolytics) : 일부 점성가래 환자에서는 도움이 됨 (폐기능 향상은 없음)
  - 급성악화 일부↓, 잦은 악화/입원 환자에서 효과적이나 매우 미미함 → 일률적 사용 권장 안됨
  - N-acetylcysteine, carbocysteine, erdosteine : mucolytics & antioxidant effect를 가지며,
    ICS를 사용하지 않는 환자에서 급성악화를 감소시키고 건강상태를 조금 호전시킴!
• leukotriene modifiers : 천식에서는 효과적이지만, COPD에서는 다른 치료에 모두 반응이
  없을 때 시도해 볼 수 있음
• IV α_1-AT : severe α_1-AT deficiency & COPD 환자에게만 투여 (→ emphysema 진행 속도↓)

(5) COPD 환자에서 사용에 주의가 필요한 약제

• 기침약/진해제 : 기침은 COPD의 방어 역할을 하므로, stable COPD 환자에서 사용은 금기
• narcotics & sedatives : respiratory depression을 유발할 수 있으므로 특히 주의
• respiratory stimulants : 생존율 및 삶의 질을 향상시키지 못하므로 권장 안됨
• β-blockers : 기관지수축을 유발할 수 있으므로 일반적으로 금기
• vasodilators (inhaled NO, ACEi, CCB, α-blocker) : V/Q mismatch 악화시키므로 권장 안됨
• 폐동맥고혈압(iPAH) 치료제인 endothelin receptor antagonist, PDE5 inhibitor, prostacyclin 등
  : COPD와 연관된 폐동맥고혈압 치료에는 권장 안됨
• 기타 : 이뇨제 (∵ 전해질이상 or 수분고갈 위험), antihistamines (∵ 건조↑), ephedrine

3. 산소요법 (저농도)

(1) 효과

① pulmonary HTN 및 RHF 완화 (∵ pul. vasoconstriction ↓)

② 운동능력, 신경정신기능 향상

③ secondary polycythemia 교정

④ 체중 증가

⑤ <u>수명 연장 (사망률 감소!)</u>

(2) 장기산소(long-term oxygen therapy, LTOT)/가정산소치료(home oxygen therapy, HOT)의 적응증

┌ 안정된 상태에서 PaO_2 55 mmHg (<u>SaO_2 88%</u>) 이하 (3주 동안 2회 측정시) or
└ 장기 손상 소견이 있으면 (pul. HTN or Rt-HF, polycythemia, CHF를 시사하는 말초부종 등)
  PaO_2 60 mmHg ($SaO2$ 90%) 미만

  ⇨ <u>severe</u> resting hypoxemia COPD 환자에서 효과적! (안 심한 hypoxemia에서는 큰 이득 없음)

* PaO_2 60 mmHg 이상이지만 운동 or 수면시 hypoxemia가 발생할 때에는
  운동/수면시 O_2 0.5~1 L/min 추가

(3) 방법

• <u>PaO_2 60 mmHg (<u>SaO_2 90%</u>)</u> 이상 유지해야! (휴식, 취침, 운동시 모두)

  → 보통 nasal cannula로 2~5 L/min 투여

• 필요 이상의 고농도의 산소는 오히려 더 해롭다!

• 되도록 하루 중 많은 시간을 투여하는 것이 더 효과적임 (<u>15시간 이상</u>)

• 수면 중에는 안정시보다 1 L/min 더 투여

• 투여방법   → 15장 뒷부분 참조

  ① low-flow system ; dual-prong nasal cannula, simple face mask, mask with reservoir bag

  ② high-flow system

   - venturi mask : CO_2 retention을 피하기 위해서 정확하고 <u>일정한 FiO_2 유지</u>를 필요로
       할 때 효과적

   - reservoir nebulizer & humidifier (T-piece), IPPV, mechanical ventilation 등

• CO_2 retention이 일어나면 pH를 관찰!

  ┌ pH가 nonacidemic → 만성 현상이므로 높은 CO_2를 허용
  └ pH가 acidemic → venturi mask를 이용하여 FiO_2를 철저히 조정
             or NPPV, mechanical ventilation 고려

(4) 문제점

① oxygen toxicity : free radical과 관련

   - 모세혈관 누출, 폐포출혈, surfactant dysfunction, 폐부종 발생

   - 심하면 ARDS, fibrosis, 사망도 가능

② CO_2 retention

   - <u>"hypoxic" drive to ventilation ↓</u> → resp. acidosis, $PaCO_2$ ↑

   - PaO_2를 60~65 mmHg 사이로 유지하면 피할 수 있음

- CO2 narcosis : PaCO2 증가로 인하여 ICP 상승 & intracranial vasodilatation 유발해 두통, 졸림, stupor, coma 등을 초래 가능

  (→ 산소를 단계적으로 서서히 낮추어야, 갑자기 끊으면 위험!)

③ pul. vasoconstriction의 redistribution (ventilation 잘 안되던 곳에서, 잘되던 곳으로)

  → V/Q mismatch 악화 → wasted ventilation ratio (Vd/Vt)↑ → hypoxemia 악화

④ 물리적 위해 ; 화재, 폭발

4. 기타 치료

(1) **기계환기 보조**(비침습적 양압환기, NIPPV/NIV) : long-term, nocturnal
  - 산소요법을 포함한 적극적인 치료에도 불구하고 주간 hypercapnia 지속, 야간 저환기(hypoxia), 등이 동반된 very severe COPD 환자에서 고려 → 생존율 향상은 논란, 삶의 질은 떨어짐
  - HOT-HMV (home mechanical ventilation)/Home-NIV → 일부 연구에서 AE↓ & 생존율↑
    - Ix ; 주간 PaCO2 ≥52 mmHg, 야간 SpO2 ≤88% (≥2 L/min 산소투여에도 불구하고)
  - COPD와 폐쇄성 수면무호흡증이 동반된 환자 ⇨ 지속성기도양압(CPAP) 사용시 생존율 향상!

(2) **호흡재활치료(pulmonary rehabilitation)**
  - 육체적 활동↑, 운동훈련, 호흡근육훈련, 영양상담, 심리치료 및 교육 등의 통합 프로그램
  - 효과 ; 증상 완화, 삶의 질 향상, 건강상태의 개선, 입원 횟수/기간 감소, 운동/활동 능력 향상, 불안감/우울증 감소 등 심리적 기능의 개선, 생존율 증가 등

(3) 정맥절개술(phlebotomy) : Hct 60% 이상이고 신경학적 증상 있을 때

(4) bronchopulmonary drainage : hypersecretion시에는 postural drainage가 도움

5. 외과적 치료

(1) surgical bullectomy : large emphysematous bulla가 있는 환자에서 증상 및 폐기능의 호전 가능

(2) **폐용적축소술(lung volume reduction surgery, LVRS)**
  - 일부에서 증상 완화, 폐기능, 운동능력의 향상, 생존율 증가 (사망률 감소) 효과
  - 특히 효과적인 경우 (Ix) ⇨ 생존율 향상
    ① 상엽을 주로 침범한 emphysema 환자
    ② 재활치료 이후 낮은 운동능력을 보이는 환자
  - C/Ix ┌ FEV1 <20% & diffuse emphysema (on CT) or DLCO <20% ⟶ 오히려 사망률↑
        └ 심한 흉막질환, pul. HTN (폐동맥압 >45 mmHg), CHF, 심한 동반 질환, 심한 쇠약
  - bronchoscopic lung volume reduction (BLVR) ; FEV1 15~45%, CT에서 heterogeneous emphysema, hyperinflation (TLC >100% & RV >150%) 환자에서 증상과 폐기능 호전

(3) 폐이식(lung transplantation) : COPD는 폐이식의 2nd m/c 원인 질환
  - 적절하게 선택된 very severe COPD 환자에서 시행하면 운동능력 및 삶의 질 개선 효과
  - 약 70%에서 양측 폐이식 시행, 특히 60세 이하에서는 양측 폐이식이 생존율 더 높음
  - 적응증 : BODE index >7점, FEV1 <15~20%, 지난 1년 동안 급성악화 3번 이상, acute hypercapnia (PaCO2 >50 mmHg)를 동반한 급성악화 병력, moderate 이상 폐고혈압 (간, 신장, 심장 등의 다른 심한 동반질환이 없어야 됨)

COPD의 급성악화 (acute exacerbation, AE)

1. 개요/임상양상

• 정의 : COPD 환자의 호흡기증상이 급격히 악화되어 추가적인 치료가 필요한 상태

  ┌ mild AE : 속효성기관지확장제 치료만 필요한 경우
  ├ moderate AE : 속효성기관지확장제 + 항생제 and/or oral steroid 치료가 필요한 경우
  └ severe AE : 응급실이나 입원이 필요한 경우, acute respiratory failure를 동반할 수 있음

• 주로 병력 및 진찰소견, ABGA, chest X-ray 등에 의해 진단

  – 증상 ; dyspnea, wheezing, cough 등의 악화, sputum 양 증가 (purulent↑ 늑 bacteria↑)

  – 징후 ; 호흡보조근 사용, paradoxical respiration, 청색증, 말초부종, 혈역학적 불안정, 의식저하

  – chest X-ray ; 다른 질환들을 R/O하는데 유용, 약 25%에서 이상 소견(e.g., 폐렴, 심부전)

• PFT : asthma 때와는 달리, 진단/치료에 별 도움 안됨

• 환자가 느끼는 삶의 질은 기도폐쇄의 정도보다 급성악화의 빈도와 더 관련

• 기도폐쇄가 심해지면 급성악화 발생빈도 증가 (grade Ⅲ 이상[FEV1<50%]의 경우 1년에 1~3회 발생)

  ┌ FEV_1 <40% : exertional dyspnea 발생
  └ FEV_1 <25% : resting dyspnea, CO_2 retention, cor pulmonale 발생

• 급성악화 발생의 m/i 예측인자는 과거 급성악화의 횟수임!

  (c.f. frequent exacerbations : 1년에 2회 이상 급성악화 발생 → 건강상태 및 예후 나쁨)

입원의 적응증
1. 증상의 심한 악화 (안정시 호흡곤란이 급격히 악화, 의식저하)
2. 급성호흡부전(acute respiratory failure)
3. cyanosis or peripheral edema 등의 새로운 징후 발생
4. 초기 치료에 반응하지 않는 급성악화
5. 심각한 동반질환(특히 심혈관질환)
6. 가정에서 간호하기 어려울 때, 진단이 불확실할 때, 고령

2. 유발/악화인자

(1) **호흡기 감염** - m/c

  • 바이러스 감염 (더 흔함) : rhinovirus[감기] (m/c), influenza, parainfluenza, RSV 등
    ↳ sputum eosinophils↑ / 보통 더 심하고, 입원기간도 길어지는 경우가 흔함

  • 세균 감염 : 주로 S. pneumoniae, H. influenzae, Moraxella catarrhalis
    – 5~10%에서는 M. pneumoniae나 C. pneumoniae도 발견됨
    – P. aeruginosa와 GNB도 입원/삽관한 심한 COPD 환자에서 발생 가능

(2) **환경요인** : 대기 오염, 초미세먼지(PM2.5) 등

(3) 기타 : 폐동맥/대동맥 직경 비율↑(>1), chest CT에서 폐기종 %와 기도벽 두께↑, 만성기관지염,
  고농도의 산소투여, sedatives/hypnotics, muscle weakness
  (e.g., Mg, K, P deficiency, 산염기장애), 당뇨의 악화 또는 영양불량 ...

* 약 20~35%에서는 특별한 유발인자가 발견 안 됨

* COPD의 급성악화와 감별해야할 질환 ; pneumonia, pleural effusion, pneumothorax,
 pul. thromboembolism, arrhythmia, acute heart failure (특히 Rt-HF)
  (e.g., advanced COPD에 의한 cor pulmonale과 Lt-HF의 악화에 의한 Rt-HF는 심초음파, BNP 등으로 감별)

3. 약물치료

(1) 기관지확장제(bronchodilators)
 • 용량 및 투여횟수 증가, 투여방법(e.g., MDI, nebulizer)간의 효과 차이는 없음!
 • short-acting β_2-agonist (SABA) ± anticholinergics (SAMA)
 • methylxanthines (e.g., theophylline)은 부작용 때문에 급성악화 때는 권장 안됨

(2) Systemic Glucocorticoids
 • oral prednisone 30~40 mg/day 5~10일간만 투여!
 • 효과 ; 회복 촉진, 폐기능(FEV$_1$) 개선, oxygenation 향상, 입원기간 감소, 급성악화의 재발 감소
  (c.f., blood eosinophils이 낮은 환자에서는 효과가 적을 수 있음)
 • oral steroid와 IV steroid (e.g., methylprednisolone)의 치료 효과는 비슷하며, 일부에서는
  nebulized budesonide로도 대치 가능함
 • hyperglycemia가 m/c 급성 합병증 (특히 DM 환자에서)

(3) 항생제
 • 적응 ; 객담의 양과 화농성이 증가할 때 (처음부터 경험적으로 투여하는 것이 좋음, 5~7일간)
  ① 호흡곤란, 객담 양, 객담 화농성(purulence) 등이 모두 증가되었을 때
  ② 객담 화농성 증가 + 호흡곤란(or 객담 양) 증가
  ③ 기계환기가 필요한 경우
 • 초기 경험적 항생제 ; amoxicillin-clavulanate, 2/3세대 cepha., newer macrolides
  (e.g., azithromycin, clarithromycin) 등
  – 고위험군(≥65세, FEV$_1$<50%, 잦은 악화, 심장질환 동반 등) → fluoroquinolone
   (levofloxacin, moxifloxacin, zabofloxacin 등)
  – *Pseudomonas* 감염의 위험인자 → anti-pseudomonal antibiotics
   (e.g., [cefepime or ceftazidime] + [levofloxacin or ciprofloxacin])

입원 환자에서 급성악화 severity의 평가

	호흡수 (bpm)	Accessory muscle 사용	의식 저하	Hypoxemia	Hypercapnia (PaCO$_2$↑)
No ARF (acute respiratory failure)	20~30	×	×	Venturi mask 28~35% FiO$_2$로 호전됨	×
ARF (Non-life theatening)	>30	○	○	Venturi mask 25~30% FiO$_2$로 호전됨	○ (50~60 mmHg)
ARF (Life theatening)	>30	○	○	Venturi mask로 호전× or FiO$_2$ >40% 필요	○ (>60 mmHg) or Acidosis (pH≤7.25)

4. 호흡보조요법

(1) oxygen therapy

- low FiO_2 : 0.24~0.4 (1~2 L/min)
  - ⇨ PaO_2 60~65 mmHg (SaO_2 88~92%) 유지 (∵ 고농도 산소는 CO_2 retention 발생 위험)
  - $PaCO_2$는 약간 높게 유지 (정상으로 내리면 안됨)
- 산소는 최소의 농도 (FiO_2 0.24 = 1 L/min)부터 시작
  - CO_2 retention이 없으면 O_2를 마음껏 줄 수 있으나,
  - CO_2 retention 시에 O_2를 갑자기 많이 주면 CO_2 narcosis에 빠짐
- via nasal prong or venturi mask (더 정확하게 산소를 조절할 수 있지만, 환자가 더 불편해함)

(2) ventilatory support

ICU 입원의 적응
1. 초기 응급처치에 대한 반응이 안 좋은 severe dyspnea
2. 의식상태 변화 ; confusion, lethargy, coma
3. 적절한 산소공급과 비침습적 기계환기에도 불구하고 심한 hypoxemia (PaO_2 <40 mmHg) and/or respiratory acidosis (pH <7.25)가 지속되거나 악화될 때
4. 침습적 기계환기가 필요한 경우
5. 혈역학적 불안정으로 승압제(vasopressors) 치료가 필요한 경우

- 비침습적(nasal or facial mask) or 침습적(intubation or tracheostomy) 기계환기법
- 호흡자극제(respiratory stimulants)는 권장 안됨

(3) 비침습적 기계환기 (noninvasive mechanical ventilation [NIV], NIPPV)

- 적응 : 의식이 있고 협력 가능, 혈역학적으로 안정, 기침으로 가래를 내뱉을 수 있는 환자에서

다음 중 한 가지에 해당되면
1. Respiratory failure/acidosis (pH ≤7.35 & $PaCO_2$ ≥45 mmHg)
2. 심한 호흡곤란 징후 ; accessory muscle 사용, 복부의 paradoxical motion, 늑간 수축(함몰) 등
3. 적절한 산소공급에도 불구하고 hypoxemia 지속

- 장점/효과 ; 사망률, 입원기간, 삽관/기계환기(intubation)에 따른 합병증(폐렴) 등의 감소
- 치료 효과 확인 ; $PaCO_2$↓와 pH↑
- 금기 : 의식저하 또는 협력 불가능, 다량의 분비물(또는 분비물 제거 불가능), 혈역학적 불안정, mask 착용이 곤란한 두개안면 기형/외상, 심한 비만, 심한 화상 등
- 호전된 뒤 4시간 이상 자발호흡이 가능하면 weaning 기간 없이 바로 중단 가능
- 실패하면 intubation & conventional (invasive) ventilation 시행

(4) 침습적 기계환기 (invasive [conventional] mechanical ventilation)

Invasive mechanical ventilation의 적응 ★
1. 비침습적 기계환기(NIV)를 견디지 못하거나 실패한 경우
2. 호흡정지 또는 심정지(respiratory or cardiac arrest)
3. 의식저하 or 진정제로 조절되지 않는 정신운동초조(psychomotor agitation)
4. 다량의 흡인 or 지속적 구토 / 5. 스스로 가래를 배출할 능력이 없는 경우
5. 수액이나 승압제에 반응 없는 심한 혈역학적 불안정
6. Severe ventricular or supraventricular arrhythmias
7. 비침습적 기계환기(NIV)를 견디지 못하는 환자 중 치명적인 저산소증이 있는 경우 ; PaO_2 <40 mmHg and/or $PaCO_2$ >60 mmHg and/or acidosis (pH <7.25)

- O_2, 약물치료 or NIV로 호전되면 필요 없음 (기계환기 필요시 금기가 아니면 NIV 먼저 시도!)
- mode ; ACMV (volume-cycled), PSV (+ IMV)
  - ⇨ 일회 호흡량(TV)과 호흡수(RR)는 가능한 낮게 유지, 충분한 호기시간 제공
    (호기시간을 늘리고 흡기시간을 줄이기 위해 inspiratory flow rate를 올림)
- $PaCO_2$ 증가에도 불구하고 respiratory distress나 CO_2 narcosis가 없으면, 우선 O_2를 약간 증량해
  보고, PaO_2가 오르지 않거나 감소 or acidosis, 의식혼탁이 심해지면 mechanical ventilation 고려
- 단점 ; 폐렴(VAP), 압력손상, 기관절개, 이탈(weaning) 실패 등
- COPD 환자는 이탈이 어려움 (∵ 기계환기 의존성이 쉽게 생김) → 이탈 실패시 NIV가 도움
- 다른 원인으로 기계환기를 받는 환자보다 acute mortality는 높지 않지만, 장기 예후는 나쁨

(5) 기타

- 분비물 제거 (humidify 시켜야 한다)
- 진정 및 통증 치료 : 말기 환자에서 심한 distress시 마약제나 진정제를 적당히 사용할 수 있음
- 이뇨제 : LHF가 있을 때만 제한적으로 사용
  (∵ hypokalemic hypochloremic metabolic alkalosis를 초래
  → ventilatory drive 억제 → ventilator weaning을 방해)
- 진해제(antitussive) : 객담 배출을 어렵게 하여 호흡기능을 더 악화시킬 수 있음

5. 예후

- COPD로 입원했던 환자의 재입원율 : 30일 뒤 ~20%, 1년 뒤 ~45%
- 입원했던 환자의 1년 뒤 사망률 ~20% (65세 이상시 ICU 입원시 ~60%), 5년 사망률 ~50%
- mechanical ventilation이 필요했던 환자의 입원중 사망률 17~30%
- COPD의 급성 악화가 FEV_1의 감소 속도를 더 빠르게 하지는 않음!

COPD의 급성악화로 인한 입원 이후 예후가 나쁜 경우
고령, lower BMI, 동반질환(e.g., 심혈관질환, 폐암), 입원시 clinical severity
이전의 COPD 악화로 인한 입원 병력
퇴원 이후 장기산소요법 필요
호흡기 증상이 심하고 잦은 경우, 삶의 질이 나쁜 경우
폐기능↓, 운동능력↓, CT에서 폐음영 감소 및 기관지벽 비후

6. 급성악화의 예방

지속성기관지확장제	LABA, LAMA, LABA + LAMA
Steroid 포함 약제	LABA + ICS, LABA + LAMA + ICS
항염증제	Roflumilast (PDE$_4$ inhibitor)
감염 예방	예방접종, 장기간의 macrolides (e.g., azithromycin)
점액용해제	N-acetylcysteine, carbocysteine
기타	금연, NIV (HMV), 호흡재활, 폐용적 축소술

9 기관지 천식

개요

1. 정의/특징

① 가역적인 기도폐쇄(reversible airway obstruction) (c.f., 일부 비가역적일 수도 있음)

② 각종 자극에 대한 기도수축 반응 증가 (airway hyperresponsiveness, AHR)기도과민성

③ 기도의 만성 염증 (eosinophilic bronchitis)

* 유병률 (매우 흔함) ; 우리나라 소아 7~10%, 성인 2~4% (65세 이후 급증), 증가추세

2. 분류

	외인성 천식 (allergic, atopic)	내인성 천식 (nonatopic, adult-onset)	
원인	Allergen	기도내 IgE 생산↑	
발생연령	13~35세	35세 이후	
가족력, 계절적인 변동	(+)	(−)	
증상	간헐적	더 심하고 지속적	
Skin test	(+)	(−)	
혈청 IgE, Eosinophils	↑	정상 (기도의 local IgE 생산은↑)	→ 공통 IgE-mediated 기전?
객담	Eosinophilia	Neutrophilia or Eosinophilia	• 내인성 천식에서는 ILC2
다른 알레르기질환 과의 관련	흔함(55%) 비염, 피부염, 음식/약물 등	드묾(7%) Nasal polyp이 흔함	(type-2 innate lymphoid) cells이 eosinophilia에 관여
면역치료의 효과	비교적 좋음	효과 없음	• Staphylococcal entero-
Intractable asthma	드묾	흔함	toxin이 superantigen으로
사망	드묾	상대적으로 흔함	작용하기도 함

• 양쪽의 특성을 모두 가지고 있는 경우가 많다 (mixed, 혼합형), 내인성 천식은 드묾(약 10%)

• 내인성 천식은 비용종 동반이 흔하고, aspirin-sensitive asthma도 흔함

• 약 1/2은 10세 이전에, 1/3은 40세 이전에 발생

• 소아 천식은 청소년기가 되면 증상이 소실되는 경우가 많으나, 성인 때 다시 재발 가능
  (특히 증상이 지속적이고 심했던 소아에서)

3. 병인 : 기도염증-기도과민성

- airway의 chronic inflammation : 주로 기관지(cartilaginous airway)에서
- 염증반응에 중요한 세포 ; mast cells, eosinophils, lymphocytes, epithelial cells
  (neutrophils과 macrophages의 역할은 아직 잘 밝혀지지 않았음)
- cellular infiltration의 정도는 disease의 severity or airway reactivity와는 관계없다

- **비만세포(mast cells)**
  - immediate response (급성 기관지수축 반응) 시작에 중요함
  - 자극에 의해 활성화되어 기도 수축에 관여하는 다양한 mediators를 분비함
    - 직접 자극 ; allergens이 high-affinity IgE receptors를 통해 → 물리적 자극에 대한 민감도 증가됨
    - 간접 자극 ; exercise & hyperventilation (osmolality 변화를 통해), fog, cold air 등

Primary (Preformed) Mediator	Secondary (Newly-formed) Mediator
Histamine (m/c)	LTB₄, LTC₄, LTD₄, LTE₄
Heparin, Proteoglycans	PGD₂ (→ 기관지수축, T₈2 cells 동원)
Tryptase & Chymase	PGE₂, PGF₂ₐ
Carboxypeptidase A	Thromboxan A₂
Serotonin, Aryl sulphatase	PAF
β −hexosaminindase	Adenosine
β −glucuronidase, β −galactosidase	Bradykinin
ECF-A, HMW-NCF	

*Cysteinyl leukotrienes (cysLT)
; LTC₄, LTD₄, LTE₄ 등

LTC₄, LTD₄ : 가장 강력한
기관지 수축 작용, histamine
이나 methacholine의 1만배
→ 이들을 억제하면 폐기능과
천식증상이 호전될 수 있음

  - 활성화된 비만세포는 기도 표면 및 기도평활근(정상인과 호염기성 기관지염에서는 ×)에 존재함
  - IL-4, IL-5, IL-6, TNF-α 등도 분비하여 알레르기 염증 반응의 지속(만성염증)에도 일부 관여
    → eosinophil의 생산/분화/활성화/침윤 등을 유발
  * basophils ; 비만세포와 같은 기원이며 histamine, tryptase 등을 동일하게 분비하지만, 말초혈액
    에도 존재함, 후기 알레르기 반응(late allergic response)에서도 중요한 역할을 하는 것이 차이

- **호산구(eosinophils)**
  - IL-5에 의해 활성화 → 혈중 eosinophils↑ & 기도내 eosinophils 침윤↑(천식 환자 기도의 특징)
    ; allergens 자극에 의해 activated eosinophils 크게 증가됨 … 후기 알레르기 반응
  - granular proteins (MBP, ECP, EPO, EDN) 및 oxygen-derived free radicals 분비 ⇨ AHR
    [MBP: major basic protein, ECP: eosinophil cationic protein, EPO: eosinophil peroxidase, EDN: eosinophil-derived neutrotoxin]
    ① 기도 상피 파괴 (barrier와 secretory function 상실)
    ② chemotactic cytokines 생성 → further inflammation
    ③ sensory nerve ending 노출 → neuroinflammatory pathway 활성화
  - LTC₄, LTD₄, LTE₄, PGE₁, PGE₂, thromboxan B₂, PAF (platelet-activating factor) 등도 분비함
    → 기도 수축, 기도과민성 증가, 기도 염증 지속, 기도 손상
  - growth factors도 분비 → airway remodeling (기저막 비후) 및 급성악화와 관련
  - eosinophil의 활성화 정도와 천식의 severity는 상관관계가 있지만, 천식에서 과반응성
    (proinflammatory 역할)에 관여하는지는 확실하지 않음

- **호중구(neutrophils)**
  - 일부 심한 천식 및 급성악화, 흡연 환자의 객담 및 기도 내에서 증가됨
  - 천식에서 확실한 역할은 모름, steroids의 항염증 작용에 대한 저항성과 관련?

- 대식세포(macrophages) ; allergens이 low-affinity IgE receptors (Fc$_\varepsilon$RII)를 통해 활성화시킴,
  anti-inflammatory cytokines (e.g., IL-10)도 분비하기 때문에, 천식에서의 역할은 불확실함
- **수지상세포(dendritic cells)** ; 기도상피의 특수화된 대식세포로 major antigen-presenting cells임,
  allergens을 탐식한 뒤 분해, 국소 림프절로 이동하여 naive T cells의 T$_H$2 cells로의 분화 촉진
- T lymphocytes : 여러 cytokines을 분비하여 천식의 염증반응을 조율하는데 매우 중요한 역할
  ① T$_H$1 cells : 정상인의 기도에서 우세
    - IL-2 ; B cells의 성장과 분화를 촉진
    - IFN-γ ; T$_H$2 염증반응 억제, macrophages 및 NK cells 활성화, B cells에서 IgG 분비 촉진
  ② <u>T$_H$2 cells</u> : 천식 환자의 기도에서 우세 … High T2 (T$_H$2-high) 표현형 (classic asthma)

  > Allergens, virus, TNF-α 등이 기도상피(epithelial cells)를 자극
  > → dendritic cells에서 TARC (CCL17)와 MDC (CCL22) 분비
  > → T$_H$2 cells 동원/자극 ⇨ IL-5, IL-4, IL-13 분비   (TARC/MDC는 T$_H$2 cells의 CCR4에 결합)
  > [TARC: thymus & activation-regulated chemokine (CCL17), MDC: macrophage-derived chemokine (CCL22)]

    - IL-5 ; 직접 <u>eosinophils</u>의 동원/성숙/분화/활성화 촉진, basophils의 과립 분비도 촉진
      (anti-IL-5 Ab : circulating/sputum eosinophils을 크게 감소시키지만, 기도과민응성이나 천식 증상 감소
      효과는 없음, 일부 steroid-resistant airway eosinophilia에서 악화 감소 효과)
    - IL-4, 13 ; B cells (plasma cells)에서 <u>IgE</u> 분비 촉진 및
      epithelial cells에서 <u>eotaxin</u> (CCL11) 분비를 촉진하여 간접적으로 eosinophils 활성화
                                  ↳ eosinophils의 CCR3 receptor에 결합, eosinophils의 조직 침투 도움
      (IL-4는 T$_H$0 cells의 T$_H$2 cells로의 분화 촉진, B cells에서 IgG→IgE isotype switching 유도)
- T$_H$2 cytokines인 IL-4, 5, 9, 13, 33 등이 알레르기성 염증을 매개하고,
  proinflammatory cytokines인 TNF-α, IL-1β 등은 더 심한 경우 작용하여 염증반응을 강화시킴!
- IL-10, 12 등의 anti-inflammatory cytokines은 천식에서 감소됨
- 구조세포들(epithelial cells, fibroblasts, smooth-muscle cells)
  - inflammatory mediators (e.g., cytokines, lipids)의 중요한 source
  - 염증세포보다 훨씬 많으므로 만성염증을 유지하는 mediators의 주요 source가 됨
  - 특히 <u>epithelial cells</u>은 흡인된 환경 유발인자를 염증반응으로 전환시키는데 핵심 역할을 함
    ↳ <u>TSLP</u> (thymic stromal lymphopoietin) 분비 → CCL17, 22↑ → T$_H$2 염증 촉진 (알레르기성 천식)
    - **비알레르기성 천식**에서는 IL-25, 33과 함께 <u>ILC2 cells</u>을 자극하여 T$_H$2 염증 촉진
      ⇨ inhaled steroid 치료의 주 목표   (type-2 innate lymphoid cells)

* exhaled NO (ENO, 호기산화질소)
  - 기도 epithelial cells과 macrophages에서 주로 생산됨 (NO synthase에 의해)
  - 천식 환자에서 높음, bronchial vasodilation에 기여할 것으로 추정됨
  - eosinophilic inflammation 정도와 비례
  - 천식의 진단과 염증 정도 monitoring (치료효과 F/U)에 유용

* 기도개형(airway remodeling) : 염증반응에 따른 기도의 구조적 변화
  - 기도 평활근 증가, fibrosis, angiogenesis, 점액 과분비 등이 특징 → 기도벽 두께 증가
  - 비가역적 기도 폐쇄, 기도 과민반응 악화 ⇨ 폐기능 심하게 감소, severe persistent asthma
  - ICS를 초기부터 사용하면 폐기능의 감소를 지연시킬 수 있음

4. 조직학적 소견

① 염증세포의 침윤 ; eosinophil (m/i), neutrophil, lymphocyte (특히 T lymphocyte)

② 기관지 상피 기저막의 비후

③ 기관지 평활근의 비후/과형성 ⎫

④ (기관지 점막/점막하) 혈관의 증식 ⎭ ⇨ 기도벽 두께 증가

⑤ 기도 점막의 부종, 점액선의 비후와 소기도의 plugging,   ⑥ 기관지 상피의 탈락

원인/위험인자

1. 내부/숙주요인

(1) 아토피(atopy)
- 정의 : 외부 항원에 대해 특정 IgE를 비정상적으로 과다 생성하는 성향 → 기도과민성(AHR)
  (대개 serum total IgE도 증가됨 … allergic sensitization을 의미)
- 천식 발생의 m/i 유전적 소인 (관련 염색체 ; 5q, 11q, 12q 등), 가족력도 흔함
- 선진국 천식 환자 대부분은 atopy도 가지고 있음 (atopy 없는 사람은 천식 발생 위험 매우 낮음)
- 다른 atopy 질환의 동반 흔함 ; allergic rhinitis (>80%), atopic dermatitis (eczema)
- 선진국에서 atopy의 유병률은 40~50% 정도이며, 이 중 일부에서만 천식 발생
  → 환경 (특히 소아 때의) 및 다른 유전적 요인도 천식 발생에 관여

(2) 유전적 소인
- 일부 천식은 유전 경향이 뚜렷함 ; 천식의 가족력, 일란성 쌍생아에서 높은 천식 일치율
- 여러 유전자들이 천식 발생에 관여하지만 정확히는 모름 (→ 유용한 genetic marker 아직 無)

(3) 후성유전(epigenetics)
- DNA 염기서열의 변화 없이 세포 기능이나 개체의 형질변화에 관여하는 기전
- DNA methylation, histone modification patterns ; 음식, 흡연, 대기오염 등의 영향을 받음
- 임신 때의 환경요인 노출에 의해 태아에 후성유전 변화가 발생할 수도 있음

(4) 성별 : 소아 때는 남자가 2배 많으나, 20~40세에는 성비가 같아지고, 그 이후는 여자가 더 많음

(5) 인종 : 백인에 비해 흑인이 중증 천식이 많고 잘 조절 안됨

(6) 비만 : 비만(특히 복부비만)이 있는 여성에서 천식 발병률이 높음 (원인은 모름)

(7) 기타 : 빠른 초경, 산모 연령↓, 전자간증, 모유수유 기간↓, 미숙아, 저체중아, 신생아 황달,
제왕절개로 출생, 활동부족 등

2. 외부/환경요인

(1) 실내 알레르겐(indoor allergens)
- 천식의 흔한 유발/악화인자이면서, allergic sensitization (→ 천식 발생)의 중요한 원인임
- 집먼지 진드기, 고양이, 바퀴벌레, 곰팡이 등에 노출 → 천식↑
- but, 인과관계는 확실하지 않음 ; 적극적으로 allergen을 회피해도 천식 발생 감소 증거 無,
  유아 때 고양이에 노출되면 오히려 tolerance를 유도하여 천식에 방어 작용

(2) 감염
- 천식의 흔한 유발인자이지만, 원인으로서의 역할/기전은 불확실함
- 위생가설(hygiene hypothesis) : 소아 때 감염에 노출되어서 T_H1 면역반응이 발달하여 천식과 같은 알레르기성 질환의 발병 위험이 감소함 (감염이 부족하면 출생시의 T_H2 우세가 보전)
  예) 선진화(소아 때 감염 및 endotoxin에의 노출↓, 위장관 기생충↓) → 천식↑

(3) 대기오염(air pollutions)
- 실외 오염물질 ; COPD와는 관련이 확실하지만, 천식과의 관련성은 덜 명확함
  → 천식은 일부 특정 오염물질과 관련? ; 디젤 매연(분진), NO_2 등
- 실내 오염물질이 더 중요함 : 가스렌지나/난로의 NO_2, 간접흡연 등

(4) 직업적 노출 ; 직업성 천식은 비교적 흔함 (젊은 성인의 최대 10%)

(5) 식이(diet) ; 논란
- 관찰연구에 의하면 antioxidants (e.g., 비타민 C, 비타민 A, Mg, Se, omega-3 [fish oil]) 및 비타민 D가 낮거나, 염분 및 omega-6 지방산이 높은 식이 → 천식 발생 위험↑
- but, 식이 보충을 통한 중재연구에서는 식이 요인의 역할은 명확하지 않음

(6) 약물
- 유아 때 AAP (paracetamol), ibuprofen, 항생제 등의 사용 (인과관계는 약함)
- aspirin-sensitive 소아 & 성인 환자에서는 AAP도 천식 증상을 일으킬 수 있음 (고용량일수록)
- 폐경 이후 hormone replacement therapy

(7) 습한 환경 및 곰팡이

유발/악화인자 (triggers)

1. Allergens
- 집먼지 진드기(*Dermatophagoides pteronyssinus*, m/c), 고양이 등의 동물 단백질(비듬, 털, 분비물), 바퀴벌레, 꽃가루, 곰팡이 ..
  - 특히 1세 이전에 집먼지 진드기 항원에 노출되는 정도와 밀접한 관련
  - 집먼지 진드기 몸체보다는 배설물에 다량의 allergen이 있음
- mast cell-bound IgE를 활성화 → mast cells에서 bronchoconstrictor mediator soup 분비 유도

	Early asthmatic reaction	Late asthmatic reaction
발생	Allergen에 노출 후 1시간 이내	노출 후 4~6시간 뒤
기전	IgE-mediated reaction (mast cell) ; histamine, leukotrienes, prostaglandine 등에 의한 갑작스런 기관지의 수축, 점막부종 (type I hypersensitivity)	Eosinophil 등의 염증세포에 의한 염증반응 ; chemotactic factors 및 activating factors (IL-3,4,5, GM-CSF, PAF, 등)에 의해 recruit 기도의 hyperreactivity와 관련
작용 약물★	Bronchodilator (β-agonist, theophylline) Cromolyn sodium	Corticosteroid Cromolyn sodium

* late asthmatic reaction
  - 면역세포 침윤에 의한 만성 기도염증에 의한 것
  - bronchial hyperreactivity 및 임상증상과 밀접한 관계
  - early reaction이 없이도 생길 수 있으나 드물
  - 특이적 항원 유발에 의해서만 나타남

2. 감염

- 천식 증상(wheezing) 재발 및 급성악화(exacerbation)의 m/c 원인!
- <u>호흡기 바이러스</u> 감염이 주원인 ; rhinovirus (소아/성인에서 m/c), RSV (영아에서 m/c), parainfluenza virus, influenza virus, adenovirus, coronavirus ...
- 기전 (잘 모름) ; T cell-derived cytokines 생산 증가 → neutrophils와 eosinophils의 침윤↑
- 상피세포에서 type I (IFN-α, β) interferons 생산↓ → 바이러스 감염↑, 염증반응↑
- 세균 감염으로 천식이 악화되는 경우는 드묾

3. 약물

- <u>β-blocker</u> (∵ cholinergic 기관지수축 → 금기!), <u>aspirin, NSAIDs</u>, histamine, cholinergic agent, sulfiting agents, α-agonist ...   ↳ 뒷부분 참조
  ↳ 아황산염 ; potassium metabisulfite, potassium/sodium bisulfite, sulfur dioxide ...
- ACEi ; 이론적으로 kinins 분해를 억제하여 천식을 악화시킬 것 같지만 실제로는 드묾, ACEi에 의한 기침도 천식 유무와는 관련 없음

4. 운동

- 운동은 천식의 흔한 유발/악화인자임 (특히 소아에서), hyperventilation과 관련   → 뒷부분 참조
- 찬 공기와 hyperventilation도 같은 기전으로 천식 유발 가능

5. 환경 & 대기오염

- 대기오염 물질 ; sulfur dioxide, nitrogen dioxide, ozone 등이 흔한 악화인자
- 대개 오염물질의 농도를 증가시키는 기상 조건과 관련, 도시 지역에서 호발
- 천식의 악화뿐 아니라 호흡기질환의 이환율 증가에도 큰 영향을 미침

* 새집증후군(sick house/building syndrome)
  - 원인 ; 새로 지은 주택이나 리모델링하는 기존의 주택에서 발생되는 formaldehyde나 인체 유해화학물질(휘발성유기화합물, VOC [Volatile Organic Compound]) 등
  - 호흡기관 통증, 기침, 눈물, 두통, 어지러움, 가슴 통증, 가려움, 천식발작 등을 일으킴

6. 직업성 자극물질

■ 직업성 천식(occupational asthma)
- 천식의 약 10% 차지, 직업성 폐질환의 약 50%
- 유발인자 (직업상 노출되는 allergen) → 일부에서 asthma 일으킴
- 위험인자 (risk factors) ; atopy 병력(특히 고분자 물질에서), 흡연, 유전적 소인(e.g., MHC class II)

- Dx : 천식 증상과 직업의 관련성을 규명하는 것이 가장 중요
  ① 병력 : 작업이 끝날 무렵 심해지고, 주말에 호전되는 양상
  ② 작업 내부에 따른 PEFR and/or FEV₁의 variability
  ③ provocation test (specific Ag, methacholine)
- irreversible lung change가 올 수 있으므로, 초기에 치료하는 것이 중요함
- Tx : 원인물질 노출 회피/중단 (보호 장구 등/but, ~33%는 노출을 중단해도 천식 재발),
  천식에 대한 약물치료, 차고 건조한 공기에 노출 피함

직업성 천식의 원인 물질 및 관련 직종			
원인 물질 (고분자)	관련 직종	원인 물질 (저분자)	관련 직종
귤응애	감귤농장 농부	Isocyanate (m/c)	폴리우레탄 취급 부서:
점박이응애	배/사과재배원, 온실	; TDI, HDI, MDI	가구/피아노/악기,
곡물분진, 옥수수가루	농부, 사료공장 근로자		자동차 공장의 도장공,
메밀가루	국수공장 근로자		냉동기 제작공,
우렁쉥이	우렁쉥이, 굴 양식업		합판공장 근로자
게, 새우류	게, 새우 취급자	반응성 아조염료	염료공장
조개껍질	가구공장 근로자	Trimetallic anhydride	에폭시수지, 플라스틱업
실험동물(쥐, 토끼 등)	실험실 근무자	Phthalic anhydride	페인트, 플라스틱 제조공
가금류(닭)	가금류 사육자	용접 용제, 금속공	용접공
검정 파리	항공기 승무원	니켈, 크롬	도금공, 시멘트공장
밀가루	제빵공	백금	도금공
쌀겨	쌀가게 경영자	바나듐	중금속 산업 (합금)
한약재	한약재 취급자	알루미늄, 아연	금고제작공, 도금공
카레가루	식품회사 직원	송진연무(colophony)	전자업체 납땜 부서
커피가루	커피 제조공		시계유리 부품 공장
솜가루	섬유산업 근로자	Persulphates	미용사
아라비안 고무	인쇄공, 물감 취급자	Ethylenediamine &	락카칠이나 고무공장
약제(lysozyme, peptidase,	제약회사 근로자,	paraphenylenediamine	종사자
amylase, etc)	간호사	북미산 붉은 삼나무	제재소 근로자, 목수
Cellulase	직물공장 근로자	약제(amoxicillin, cepha.)	간호사, 제약회사
Latex	의료 종사자	포르말린(tormalin)	병원 종사자
고초균(Bacillus subtilis)	식품, 세제 산업	Urea formaldehyde	단열공, 새집 거주자
Trypsin	플라스틱, 제약 산업		
Papain	식품, 화장품, 포장업		

┌─ 고분자 물질 : 일반적인 allergen과 같이 면역학적 기전으로 천식을 유발 (IgE-mediated)
└─ 저분자 물질 : allergic & nonallergic, 정확한 기전은 모름 (haptene으로 작용 기관지수축물질 분비)

* TDI (toluene diisocyanate) : 우리나라 직업성 천식의 m/c 원인
  - 주로 도장공에서 직업성 천식을 일으킴 (TDI 취급자의 약 13%)
  - 유전적 요인도 중요 (→ 낮은 TDI 농도에서도 감작이 가능), 흡연과는 관련 없음

7. 기타

- 크게 웃는 것, 고온, 기후 변화, 강한 향기
- 음식 : 대개 음식 allergy가 천식을 악화시키지는 않음
  - 조개나 땅콩은 anaphylactic reactions을 일으킬 수 있는데 이때 wheezing도 동반 가능
  - 방부제인 metabisulfite는 천식 유발 가능, 황색색소인 tartrazine은 유발인자인지 확실치 않음
- 호르몬 ; thyrotoxicosis, hypothyroidism, 일부 여성의 생리 전 등 때 천식 악화 가능
- 정신적 스트레스 ; cholinergic reflex pathway를 통해 기관지수축 유발

병태생리/PFT

- 기도 내경의 감소 (병태생리의 핵심) ⇨ 기도저항(airway resistance)의 증가
  - * 천식에서 기도 폐쇄의 원인
    - (a) bronchoconstriction (기도 평활근의 수축)
    - (b) 기관지벽의 부종, 혈관 울혈
    - (c) exudate, mucus plug (두껍고 끈끈한 분비물)
    - (d) 동반된 bronchitis에 의한 악화
- FEV_1, PEFR, FVC, FEV_1/FVC 감소
- RV, FRC 증가, hyperinflation (급성악화 환자에서는 흔히 RV 4배, FRC 2배 증가)
  - 급성 증상의 소실 후에도 RV가 가장 늦게 회복됨
- elastic recoil 감소, DL_{CO}는 대개 정상 (일부에서 약간 증가)
- 심한 경우 ventilation↓ & 폐혈류↑ → V/Q mismatch, bronchial hyperemia
- EKG ; RVH, pulmonary HTN 소견 가능

임상양상

1. 증상/병력

- triad ; 천명음(쌕쌕거림, wheezing), 마른기침(cough), 호흡곤란(shortness of breath, dyspnea)
- 간헐적으로(episodic) 증상이 발생함, 대개 수분~수시간 지속
  (심한 증상이 수일~수주 지속되면 status asthmaticus)
- 주로 밤이나 새벽에 증상 악화로 잠에서 깸 (circadian/nocturnal asthma)
  - 기전 : 기도-실질 상호의존성의 이상, 기도 외막 염증
    (e.g., vagal tone↑, substance P↑, cortisol↓, epinephrine↓, c-AMP↓)
- 계절에 따른 증상의 변동을 보임
- 유발 인자에 의해 증상 발생 ; 감기, aeroallergens, 운동, 찬 공기, 날씨 변화 등
- 가족력 및 다른 알레르기 질환의 병력 (e.g., allergic rhinitis, atopic dermatitis, urticaria)
- * 천식이 아닐 가능성이 높은 경우 ; 기침만 있는 경우, 객담을 동반한 만성 기침, 흉통, 두근거림,
  현기증/어지러움, 손발저림, 흡기음이 크게 들리는 운동-유발 호흡곤란 등

2. 진찰소견

- wheezing (m/i) : 흡기와 호기때 모두 들리나, 호기시에 더 크게 들림
  → 심해지면 wheezing은 매우 고음이 되고, 부가 호흡음은 소실됨 (매우 심해지면 wheezing도 감소)
- 호기시간이 상대적으로 길어짐, 흉부의 과팽창(hyperinflation)
- 흡기시 호흡보조근(accessory muscles)의 사용, 기이맥(paradoxical pulse) → 심한 기도폐쇄를 시사
- tachypnea (hyperventilation), tachycardia, 타진시 hyperresonance, mild HTN ...

천식 이외의 "wheezing" 의 원인	
Common	**Uncommon**
Acute bronchiolitis (infectious, chemical)	Mass에 의한 기도 폐쇄
Aspiration (foreign body)	1. External compression ; central thoracic
Bronchial stenosis	tumors, SVC syndrome, substernal thyroid
Endobronchial tuberculosis	2. Intrinsic airway ; primary lung cancer,
Left heart failure	metastatic breast cancer
COPD	Carcinoid syndrome
Cystic fibrosis	Endobronchial sarcoid
Eosinophilic pneumonias	Pulmonary emboli
Glottic dysfunction	Systemic mastocytosis
	Systemic vasculitis ; polyarteritis nodosa,
	Churg-Strauss syndrome

3. 검사소견

- chest X-ray : 대개 정상, 다른 호흡기 질환을 R/O하는데 유용
  - hyperinflation (심하거나 오래 지속되면)
  - patchy infiltration과 segmented atelectasis가 보일 수도 있음
- sputum 소견
  ① eosinophil이 m/i (lymphocyte, neutrophil, mast cell, epithelial cell도 보일 수 있음)
  ② Charcot-Leyden crystals : crystalized eosinophil lysophospholipase
  ③ Curschmann's spirals : 점액과 세포로 구성된 bronchiolar casts
  ④ Creola bodies : 상피의 파괴로 떨어져 나온 기도 상피세포의 군집

진단

1. 천식의 진단 ★

가변적인 호흡기 증상의 병력 ; 천명, 호흡곤란, 가슴답답함, 기침
기류제한(airflow limitation) 확인 (FEV₁/FVC↓) + 호기 기류제한의 변동성 확인 (검사 중 하나 이상)

(1) 증상이 있을 때 (폐기능 비정상시) ⇨ 기도폐쇄의 가역성(reversibility) or 변동성 확인

① 기관지확장제 반응(bronchodilator response)
- short-acting β_2-agonist (SABA) 흡입 10~15분 뒤 FEV₁ 12% & 200 mL 이상 증가시 양성
- 15% & 400 mL 이상 증가하면 천식 가능성 매우 높음
- 가능하면 검사 전 SABA 4시간 이상, LABA 15시간 이상 중단 후 검사

② 항염증 치료 후 폐기능의 유의한 개선
- oral steroid (prednisone or prednisolone 30~40 mg/day) 4주간 복용 뒤
  FEV₁ 12% & 200 mL 이상 or PEF 20% 이상 증가시 양성

③ PEF의 과도한 변동성(일중 variability변동률) 확인 : <u>10% 이상</u>
- 매일 아침/저녁 2차례 측정하여 (각각 3번 정도 시행) 최고치와 최저치를 기록
  ⇨ variability = (최고치 − 최저치)/([최고치 + 최저치]/2) ×100% ⇨ 1~2주간의 평균값
- 변동률의 크기는 천식의 severity와 대략 비례함, 일중 variability가 적으면 장기간 측정 고려
- 단점 : 경중간헐 천식 or 치료에 잘 반응 안하는 심한 환자는 변동이 없을 수 있으므로 주의

④ 매 방문시 측정한 폐기능의 과도한 변동성 (신뢰도↓) : FEV₁ 12% & 200 mL 이상 변화

(2) 증상이 없을 때 (폐기능 정상시) ⇨ 기도과민성(AHR: airway hyperresponsiveness) 확인
① 기관지 유발검사(provocation test)
- <u>methacholine</u> (m/c), histamine, hypertonic saline, mannitol, 찬공기 과호흡 등으로 challenge
- FEV₁이 기저치보다 <u>20% 이상</u> 감소하면 양성 (methacholine or histamine)
  - FEV₁의 감소가 15~19%라도 시행 중 증상이 발생하면 AHR 양성임
  - hyperventilation, hypertonic saline, mannitol 등은 15% 이상 감소하면 양성
- <u>PC₂₀</u> (FEV₁이 20% 감소되는 흡입제 농도) ; methacholine은 **8 mg/mL** 이하면 천식 진단,
  실제 임상에서는 유용성이 떨어짐, 폐기능이 정상인 만성 기침의 D/Dx에는 유용할 수
- sensitivity는 높으나 specificity는 낮음 (바이러스성 호흡기 감염, allergic rhinitis, cystic
  fibrosis, bronchiectasis, COPD, 심부전, 흡연, 대기오염 등에서도 양성으로 나올 수 있음)
- 검사에 영향을 미치는 약물 ; antihistamines은 48시간, bronchodilators 및 leukotriene
  modifiers는 24시간 이전에 끊음 (oral/inhaled steroid는 검사 전 중지할 필요 없음!)
- 유발검사 시행 전 FEV₁이 60~70% 이하면 시행 금기

② 운동 유발검사 : FEV₁이 기저치보다 <u>10% & 200 mL</u> 이상 감소하면 양성

* 일반적으로 천식 진단시 FEV₁, FVC, PEF (PEFR) 등을 사용함
- FEV₁이 신뢰성이 높음, 진단시 <u>FEV₁/FVC 감소</u>를 꼭 한번 이상 확인해야 됨
  (정상: 성인 0.75~0.8 이상, 소아 0.9 이상)
- PEF ; 기계마다 최대 ~20% 차이 가능, 환자의 노력과 기술에 따라 변동 가능,
  기류제한의 severity를 과소평가 가능 (심도도 정상으로 나타날 수 있음),
  PEF의 감소는 obstructive와 restrictive 폐기능 장애 모두에서 나타날 수 있음,
  상기도 폐쇄와 천식의 감별에는 불충분함(→ flow-volume loop 필요)
- 정상 예측치(특히 PEF)는 환자의 개인 최고치를 정상 참고치로 사용하는 것이 좋음

2. 알레르기 검사: 아토피의 판정

- atopy : allergen에 대한 특이 IgE를 생산하는 유전적 소인 → (+)면 allergic asthma 진단에 도움
  - 여러 allergen을 밝힐 수 있으나 결과가 임상증상과 비례하는 것은 아님
  - (+)라도 그 allergen이 천식의 원인이 아닐 수 있고, 천식 증상이 없는 사람도 (+)일 수
- <u>skin test</u> for allergen : screening test로 m/c 이용, 3세 이상 소아 천식 환자 대부분에서 양성
- specific IgE Ab (RAST) : skin test보다 우월하지 않으면서 비쌈
  ⇨ 권장되는 경우 ; 영아, 협조 어려운 환자, 전신 피부질환, anaphylaxis 위험, food allergy 의심
- 원인 항원을 이용한 기관지유발검사 : 원인 항원을 밝히는데 m/g, 직업성 천식 진단에 유용
  (but, 위험하기 때문에 모든 환자에게 일반적으로 시행하기는 어려움)

3. 기타

- chest X-ray에서 hyperinflation (심한 경우)
- whole body plethysmography ; 기도저항↑, TLC & RV↑
- 말초혈액의 eosinophilia, serum IgE level↑
- induced <u>sputum eosinophils</u>↑ (정상 <2%) : 3% 이상이면 천식 의심, 천식발작 증가와 관련
- <u>fractional exhaled NO (F$_E$NO)</u> [호기산화질소]
  - 최근 진단 및 치료 F/U에 많이 이용됨
  - 천식 환자에서 증가됨 (eosinophilic airway inflammation 반영), 25 ppb 이상이면 양성
  - ICS 치료시 감소 (치료 순응도 파악 및 항염증 치료의 충분 여부 파악에 유용)
  - 다른 경우에도 증가될 수 있음 ; eosinophilic bronchitis, atopy, allergic rhinitis, eczema 등
  - 일부 천식 표현형에서는 감소될 수 있음(e.g., neutrophilic asthma), 흡연자에서는 낮음

치료

* 원인/유발인자를 제거하는 것이 가장 성공적인 치료법

천식 치료의 목표
증상의 조절 (만성 증상 포함)
악화의 예방 (악화 위험인자 조절/최소화, 응급실 방문 안 하도록
일중변동(diurnal variation) 최소화 (특히 야간)
폐기능은 가능한 정상 수준으로 유지
운동을 포함한 정상적인 일상 활동의 유지
약물로 인한 부작용 없거나 최소화

■ Asthma Medications

질병조절제 (Long-term Controllers)	증상완화제 (Quick Relievers)
Inhaled steroid Systemic (oral) steroid Long-acting β $_2$-agonists (salmeterol, formoterol) Anti-leukotrienes (Zafirlukast, Montelukast, Zileuton) Theophylline, Cromones (cromolyn, nedocromil), anti-IgE	Short-acting β $_2$-agonists Anticholinergics (ipratroprium) Systemic (oral, IV) steroids Short-acting theophylline

* systemic steroid와 theophylline은 둘 다에 해당함

1. 증상완화제(quick relievers) : 기관지확장제

(1) β $_2$-agonists

- 효과 ; 기도평활근 이완 (m/i), mast cell mediator 분비 억제, 혈장 삼출 & 부종 억제,
  감각신경 활성화 억제, mucociliary clearance↑, 점액 분비↑, 기침↓
  [염증(세포)에는 영향 없음!] → 기도의 hyperresponsiveness (AHR) 감소 효과는 없음]

┌ **short-acting β_2-agonists (SABA)** : 단기작용성(3~6시간)
│   - resorcinols ; orciprenaline (metaproterenol), terbutaline (Bricanyl®), fenoterol (Berotec®)
│   - saligenins ; <u>salbutamol</u> (albuterol, Ventolin®, Airomir®, Aerolin®, Asmol® ...)
└ **long-acting β_2-agonists (LABA)** : 지속성(12시간 이상)
    - saligenins ; <u>salmeterol</u> (slow-onset), <u>formoterol</u> (<u>rapid-onset!</u>, SABA만큼 reliever로 유용)
    - 급성발작에는 사용하지 않으며, long-term controller로 <u>inhaled steroid와</u> **병용!**
        ($\because$ β_2-agonist만 지속적으로 단독 사용하면 항염증 작용이 없어 천식 악화 & 발작↑)
    - 야간 천식과 운동유발성 천식의 예방 약제로도 사용됨!
 • <u>흡입제를</u> 우선 사용 ($\because$ 기관지확장 효과↑, 부작용↓), 서로 다른 제제간의 상승효과는 없음
   (c.f., tachyphylaxis : oral β_2-agonist를 지속적으로 사용하면 약효가 감소하는 현상)
 • 폐기능이 정상이면 사용하지 않는다 ($\because$ exercise-induced asthma 외엔 예방효과 없음)
 • 부작용 : 빈맥, 손떨림, 장기간 사용시 반응급감 현상(tachyphylaxis), 폐기능 감소,
        운동 및 allergen에 대한 과민반응 증가, K^+ 약간 감소 ...
 • SABA의 사용이 늘어남 → 천식 조절이 잘 안됨 (사망률↑) → controller (ICS) 필요

(2) anticholinergics (muscarinic antagonists)
 • β_2-agonist보다는 기관지확장 효과가 떨어지고, 작용 발현 시간이 느려서 (1~2시간),
   다른 inhaled bronchodilator에 반응이 없을 때 추가(add-on)로 이용됨
 • <u>속효성(SAMA)</u> : ipratropium bromide (Atrovent®), ipratropium/salbutamol (Combivent®)
    - moderate~severe 급성악화에서 SABA와 병용시 SABA 단독에 비해 폐기능 호전↑, 입원↓
      (작용이 느리므로 반드시 SABA 먼저 투여 이후에, nebulizer로 고용량 투여)
    - 입원 중인 소아에서는 SABA에 SAMA를 추가해도 추가적인 이득 없음
 • <u>지속성(LAMA)</u> : <u>tiotropium</u> bromide (Spiriva®), aclidinium, glycopyrrolate, umeclidinium
    - tiotropium만 천식에서 FDA 허가를 받았으나 다른 제제들도 효과는 비슷할 것으로 생각됨
    - 최대 용량의 ICS/LABA에도 증상이 조절되지 않을 때 or 급성악화 병력시 추가로 사용 가능
    - 폐기능 호전↑, 심한 급성악화(oral steroid가 필요한) 발생 지연 (12세 미만은 금기)
 • 부작용이 적은 것이 장점 (e.g., <u>dry mouth</u>, 쓴맛, 변비, 노인에서는 urinary retention, glaucoma)
   → 심장질환 동반시 methylxanthine이나 β_2-agonist 대신 사용 가능
 • β-blocker를 사용하여 천식이 유발된 경우, β_2-agonist에 의한 Cx 발생(e.g., 부정맥, 진전),
   COPD도 동반된 노인 환자 등에서 유용

(3) theophylline (aminophylline)
 • 기관지 확장 효과 + 항염증 효과 (β_2-agonist와 병용시 기관지 확장 효과 약간 상승)
 • 작용기전 : phosphodiesterase 억제 → cAMP↑ → 기도평활근 이완
        (low-dose에서의 항염증 효과는 다른 기전 ; HDAC2 활성화 → 염증유발 유전자 끔
        → 심한 천식에서 steroid insensitivity 감소)
 • 부작용 때문에 현재는 2차 치료약제로, 급성발작에는 사용하지 않으며
   심한 천식 환자에서 ICS에 보조적으로 low-dose (혈중농도 5~10 mg/dL)로 이용됨
 • 저녁 1회 요법은 야간 및 주간 증상 감소에 도움을 주지만, 수면장애를 유발할 수도 있음

- 부작용 (<10 mg/L에서는 드묾) ; N/V, anorexia, headache, insomnia, ulcer/reflux 악화,
  nervousness ... (30 mg/L 이상시 seizure, cardiac arrhythmia도 발생 가능)
  → 복용 중 이런 증상이 생기면 약물을 끊고 혈중 농도 측정
- aminophylline (IV) : theophylline에 ethylene diamine을 붙여 수용성으로 만든 것
  (심한 급성발작 환자에서 드물게 이용되었으나, 이제는 권장 안됨)

2. 질병조절제 (long-term controller) : 항염증

(1) inhaled corticosteroids (ICS) : m/g

- 작용기전
  ① phospholipase A_2 억제 → leukotriene과 PG의 생성 억제 → 기도 수축 및 염증 감소
  ② 염증세포(T cell, eosinophil, mast cell 등)의 cytokines 및 mediators 분비 억제,
    기도내 침윤 감소, 생존기간 감소 → AHR 감소
  ③ β_2-adrenergic receptor 증가 및 활성화 → β_2-agonist에 대한 반응↑
- 약제 : beclomethasone, budesonide (Pulmicort®, Symbicort®), ciclesonide (Alvesco®),
  fluticasone (Flovent®, Advair®), mometasone (Asmanex®, Dulera®) ...
- 천식의 유지요법에 가장 효과적인 controller, 보통 하루 2회 투여
- 지속성 천식의 1st-line therapy (→ low-dose ICS에 반응 없으면 LABA 추가)
- 개인별로 반응 정도가 다양함, 흡연자는 반응성↓
- 2 mg/kg/day 이상 사용시 부작용 발생 증가
- 국소 부작용 ⇨ 스페이서(spacer) 사용으로 예방 가능
  ① oral thrush (candidiasis)
    ┌ 치료 : nystatin 액으로 세척 (심한 경우 전신적 항진균제)
    └ 예방 : steroid 흡입 후 구강세척(입을 물로 헹굼), spacer 사용
  ② dysphonia (발성장애, 쉰소리) : 후두 근육의 myopathy 때문
    * 장기간 사용시 전신 부작용(e.g., 소아의 성장장애, 성인의 골다공증)을 일으키는 증거는 없음
- 심한 천식 발작시에는 기도를 자극하여 오히려 증상을 악화시킬 수도 있음

* inhaled steroid + LABA (long-acting β_2-agonist) 복합제제
- moderate 이상의 지속성 천식에 사용, 사용하기 편하고 효과 증가
- fluticasone + salmeterol (Seretide®), budesonide + formoterol (Symbicort®),
  beclomethasone + formoterol (Foster®) 등

* 흡입기의 형태
- MDI (metered-dose inhaler)정량식흡입기 : m/c, 기구의 화학 추진체로 일정 양의 약물을 분출함
  - 작동과 흡입 시점을 맞추는 데 어려울 수 있음, 흡입시 천천히 깊게 들이마셔야 됨
  - spacer를 연결하면 하부 기도로 더 잘 운반되고, (ICS에서는) 부작용도 감소됨
- DPI (dry powder inhaler)건조분말흡입기 : 화학 추진체 없이 흡입하는 힘에 의해 작동되는 방식
  - 환자 스스로 강하고 빠르고 깊게 흡입해야 됨
  - MDI보다 간편하지만 최소한의 흡입 유량이 필요함, spacer는 사용 안함

(2) systemic corticosteroids

- 조절 안되는 심한 지속성 천식 or 중등증(moderate) 이상의 급성악화 때 단기간 사용
  ; 단기간의 고용량 전신 steroid (OCS bursts)는 염증을 억제하여 steroid 반응성을 향상시키는
  데도 도움이 됨 (∵ 염증은 그 자체로 steroid 반응성을 약화시킴)
- 약제 ; oral prednisone or prednisolone, IV hydrocortisone or methylprednisolone,
  IM triamcinolone (→ proximal myopathy 부작용이 문제) 등
  - oral corticosteroid (OCS) 선호 ; mineralocorticoid 작용 적고, 반감기 짧고, 근육부작용 적음
  - dexamethasone 같은 long-acting agent는 사용하면 안됨
- 천식 급성악화 때의 효과는 최소한 4시간 이상이 지나야 나타남
  (→ 가능한 빨리 투여하고, 그동안은 반드시 강력한 bronchodilators로 치료해야)
- 전신 부작용 ; 골다공증, 몸통비만, 부신억제, 백내장, 당뇨, 고혈압, 성장방해, myopathy,
  bruising/purpura, 위궤양, 우울증 등 (3개월 이상 사용 예상되면 골다공증 예방 치료 필요)

(3) cromones

- cromolyn sodium, nedocromil sodium
- 효과 ; mast cell의 degranulation 억제하여 mediators (e.g., histamine)의 분비 억제,
  감각신경 활성화 억제 (기관지 확장 작용은 없음)
- steroid와 달리 예방적으로 투여할 경우 유발인자(운동, Ag)에 의한 천식 증상 발생 예방 가능
  → 유발인자가 밝혀진 경우, 노출 5~20분전에 사용하면 prophylactic agents로서 유용
  예) exercise-induced bronchoconstriction (EIB) 환자에서 운동 전에 예방적으로 사용
  occupational asthma 환자는 작업장에 들어가기 전에 사용
- 천식의 급성발작 때는 효과 없고, 반감기가 짧아 long-term controller로서는 별로임
- 과거 소아에서 많이 사용되었으나, 현재는 low-dose ICS가 더 효과적이라 ICS를 주로 사용
  (성인에서는 권장 안 됨!)

(4) anti-leukotrienes (leukotriene modifiers)

- 5-lipoxygenase (LO) synthesis inhibitor (CysLTs 및 LTB$_4$ 생성 모두 억제) : zileuton
  ; LTRA보다 효과가 좀 더 좋다는 연구도 있음, 부작용 더 많음(e.g., 간기능악화, 약물상호작용)
- cys-LT$_1$-receptor antagonists (LTRA) : montelukast, zafirlukast, pranlukast
  ; zileuton과 효과는 비슷한 편이면서 작용시간 더 길고 부작용 적어 선호됨
- 단독 사용시 mild~moderate asthma에서 증상 기간↓, 폐기능 호전, 기도염증↓, 급성악화↓
  (aspirin-sensitive asthma에서 특히 효과적) / severe asthma에서는 add-on therapy로 효과
- but, ICS (±LABA)보다는 효과 적음
  ⇨ ICS (±LABA)로 조절 안 되는 환자에서 add-on therapy로 고려
- 모든 천식 환자에서 효과가 있는 것은 아님 (50% 미만만 반응)
  → 1~2개월 동안 시도해서 호전이 없으면 투약 중단

(5) anti-IgE (omalizumab [Xolair[®]])

- IgE의 Fc receptor에 대한 humanized IgG1 monoclonal Ab → circulating IgE에 결합하여 중화
  → IgE가 mast cells 등에 결합↓ → mast cells 등의 surface IgE↓ → allergen 결합↓
- circulating eosinophils 및 sputum eosinophils 감소, serum free IgE level 감소

- 심한 <u>allergic asthma</u> 환자에서 증상 호전 및 급성악화 크게 감소 - 적응이 되는 경우에만!
  ⇨ 적응 : 고용량 ICS/LABA 치료에도 조절이 안 되는 severe asthma 환자에서(≥6세)
    perennial allergen에 감작(specific IgE or skin test 양성), serum total IgE 30~1500 IU/mL
- 2~4주마다 SC 주사, <u>3~4개월간 투여해본 뒤 반응을 봄</u> (60~70%에서 증상 호전)
- 부작용은 적은 편이지만, 드물게 국소 피부반응 or anaphylaxis 발생 위험 (→ 2시간 관찰)
- 기타 적응 ; chronic idiopathic urticaria, allergic rhinitis, atopic dermatitis 등

(6) anti-IL5

- anti-IL-5 mAb (**mepolizumab, reslizumab**), anti-IL-5 receptor-α Ab (**benralizumab**)
- 심한 (잦은 급성악화) <u>eosinophilic asthma</u> 환자에서 객담/혈중 eosinophils을 크게 감소시킴
  → 증상호전 및 급성악화 감소, steroid↓ 효과
- 적응 ; absolute blood eosinophil ≥300/μL, 12세 이상 (reslizumab은 18세 이상)
- anti-IL-4 receptor-α Ab (**dupilumab**)도 anti-IL-5와 비슷한 적응 & 효과

(7) immunotherapy

- ┌ subcutaneous immunotherapy (SCIT) ; 드물게 anaphylaxis 발생 위험
  └ sublingual immunotherapy (SLIT) ; 가정에서 자가 투여 가능, SCIT보다 안전하지만 효과↓
- allergic triggers가 증명된 일부 환자에서 효과적, 알레르기 전문의가 시행해야 됨
  ; 원인 항원에 대한 IgE-mediated reaction과 (sIgE로 확인) 증상과의 관련성이 확실하면서
    원인 항원에 대한 회피가 불가능한 경우 (기존의 약물 치료로 잘 조절되지 않을 때)
- 집먼지진드기, 꽃가루, 개, 고양이, 곰팡이 등의 일부 항원에서 가능
- 천식 악화 상태가 아닐 때, FEV₁이 70~80% 이상인 상태에서 시행하는 것이 좋음
- C/Ix ; 전신 면역질환, 악성종양, 과민반응시 epinephrine 투여가 불가능, β-blocker 복용
  (relative C/Ix ; 5세 미만 영유아, 임신, 중증 천식)

3. 기타

- 기관지 열성형술(bronchial thermoplasty) ; 기관지내시경으로 열을 가해 기도평활근 세포를 줄임
  → 일부에서(특히 염증 marker가 증가되지 않은 경우) 기도과민성↓, 급성악화↓ (FEV₁은 변화×)
- 대체의학(e.g., 최면, 침술, chiropraxis, 호흡 조절, 요가, speleotherapy생산요법) ; 효과 있다는 증거는
  없으므로 권장 안됨 (해롭지는 않으므로 기존 약물 치료를 지속한다면 사용 가능)
- 면역억제제(e.g., MTX, cyclosporine, azathioprine, gold, IV γ-globulin) ; 효과는 적고 부작용 큼
- 거담(expectorant) 및 점막용해제 ; 과거에는 많이 사용했으나, 현재는 중요시되지 않음
- antihistamines ; 비염이나 가려움증 동반시 금기는 아니나, 천식 자체에는 거의 효과 없음
- IV fluid ; 급성 천식 때 사용했으나, 효과는 불확실
- magnesium sulfate IV ; 심한 천식 악화에서 다른 치료에 반응 없을 때 도움 (흡입제는 효과 적음)

* 천식 환자에서 금기인 약
  ① opiates, sedatives, tranquilizers (∵ 환기↓ → 호흡부전)
  ② β-blockers (∵ 기관지 이완 효과 차단, 폐기능↓)
  ③ parasympathetic agonists
  - lidocaine, atropine 등은 사용 가능!

■ Treatment Guidelines

1. 만성 천식(ambulatory asthma)

<u>GINA (Global INitiative for Asthma) guideline</u> 2018

■ 천식 조절(control)의 평가 ★

천식 증상 조절상태 평가(assessment of asthma Sx. control)

조절상태　　　　　　　평가항목	조절 (Controlled)	부분조절 (Partly controlled)	조절안됨 (Uncontrolled)
주간 천식증상 3회/week 이상			
야간 천식증상/불면	모두 해당 없음	1~2개 해당	3~4개 해당
증상완화제(reliever) 3회/week 이상 필요			
천식으로 인한 활동 제한			

c.f.) 폐기능(FEV₁) : 천식 증상과의 관련성은 약함 → 예후 평가에는 중요하므로 주기적으로 측정

나쁜 예후의 위험인자 평가	
향후 악화(exacerbation) 발생의 위험인자 (천식 증상이 적더라도)	조절 가능한 급성악화(exacerbation)의 위험인자 　High SABA use (한 달에 200회 이상 사용시 사망률 증가) 　ICS 치료 부족, ICS 처방×, 순응도 불량, 잘못된 ICS 사용법 　<u>Low FEV₁</u> (특히 <60% predicted) 　Higher bronchodilator reversibility 　심각한 정신적 or 사회경제적 문제 　흡연 or 감작 항원에 노출 　동반질환 ; obesity, chronic rhinosinusitis, food allergy 　객담/혈액 eosinophilia 　FENO↑ (ICS를 사용 중인 allergic asthma 성인 환자에서) 　임신 기타 중요한 급성악화(exacerbation)의 독립 위험인자 　천식으로 인한 기관삽관 or ICU 입원 병력 　최근 1년 동안 1회 이상의 심한 급성악화 병력
Fixed airflow limitation 발생 (폐기능 감소)의 위험인자	조기분만(preterm), 출산시 저체중 & 영아기 체중 큰 체중 증가 ICS 치료 부족 흡연, 독성 화학물질, 직업성 자극물질 등에 노출 낮은 초기 FEV₁, 만성 점액 과다분비, 객담/혈액 eosinophilia
약물 유해반응 발생의 위험인자	전신적; 잦은 oral steroid 사용, 장기간 고용량/강력한 ICS 사용, 　　　　 P450 inhibitors 병용 국소적; 고용량/강력한 ICS 사용, 잘못된 흡입기 사용

– 천식 진단시 & 주기적으로(특히 급성악화가 있었던 경우) 위험인자 평가
– 진단시 or 치료 시작시 FEV₁ 측정, 질병조절제(controller) 사용 3~6개월 뒤 환자의 최고 FEV₁ 측정,
　이후 주기적으로 평가, 최소한 1~2년마다 측정 (고위험군은 더 자주)
　c.f.) PEF : 초기에는 치료반응, 악화인화 평가에 사용할 수 있으나, 장기간의 PEF monitoring은
　　　　　　 일반적으로 권장 안됨 (심한 천식이나 기류제한의 인지능력이 떨어진 환자에서 고려)

증상조절과 급성악화 방지를 위한 단계적 치료전략 ★

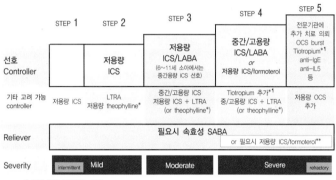

STEP 1 STEP 2 STEP 3 STEP 4 STEP 5

선호 Controller

STEP 2	STEP 3	STEP 4	STEP 5
저용량 ICS	저용량 ICS/LABA (6~11세 소아에서는 중간용량 ICS 선호)	중간/고용량 ICS/LABA or 저용량 ICS/formoterol	전문기관에 추가 치료 의뢰 OCS burst Tiotropium*¶ anti-IgE anti-IL5 등

기타 고려 가능 controller

저용량 ICS	LTRA 저용량 theophylline*	중간/고용량 ICS 저용량 ICS + LTRA (or theophylline*)	Tiotropium 추가*¶ 중간/고용량 ICS + LTRA (or theophylline*)	저용량 OCS 추가

Reliever

필요시 속효성 SABA

or 필요시 저용량 ICS/formoterol**

Severity

intermittent	Mild	Moderate	Severe	refractory

* 12세 미만 소아에서는 금기
¶ Tiotropium (mist inhaler, LAMA) : 급성악화가 있었거나, 최대용량 ICS/LABA도 효과 없는 환자에서 추가로 사용
** 저용량 ICS/formoterol을 유지요법으로 사용 중인 환자에서 reliever로도 저용량 ICS/formoterol을 사용하는 것

■ 단계별 천식 유지치료

* 현재의 천식 조절상태에 따라 약제를 선택

- 조절 ⇨ **3개월** 이상 조절이 유지되면 치료단계 하향 (or 감량) 검토 가능
  (예; 중간/고용량 ICS → 3개월 간격으로 50% 감량, 저용량 ICS 2회/일 → 1회/일)
- 부분조절 ⇨ 기존 투여 약제 용량↑ or 추가 약제 투여 고려 (치료단계 높일지 고려)
- 조절안됨 ⇨ 조절 될 때까지 치료단계 높임
  - 속효성 증상완화제 반복 사용은 증상을 일시적으로 개선시키지만, 1~2일 이상 반복 사용이 필요하면 천식 조절상태를 재평가하고 치료단계 상향 고려
  - 천식 악화로 ICS 용량을 높일 때는 4배 이상 증량 & 1~2주 사용해야 oral steroid와 효과 비슷함 (ICS 용량을 일시적으로 2배 증량하는 것은 효과 없음)

(1) 1단계 : 필요시 reliever inhaler (SABA)

• 증상이 경미하고 간헐적일 때만 고려 : 1회/월 이하, 몇 시간 이내, 야간증상 無, 정상 폐기능
• 증상이 더 잦거나 급성악화의 위험인자(e.g., FEV_1 <80%, 최근 1년내 악화 병력) 존재시에는 규칙적인 controller (ICS) 사용 필요

(2) 2단계 : 저용량 controller (ICS) + 필요시 reliever (SABA)

• 지속적인 천식 증상이 있는 환자는 처음 치료 시작시 대개 2단계(저용량 ICS)부터 시작함
• ICS를 사용할 수 없거나, 부작용이 있거나, allergic rhinitis를 동반한 경우는 leukotriene receptor antagonists (LTRA) 고려 가능 (but, ICS보다 효과는 적음)
• 이전에 controller를 사용한 적이 없는 환자가 저용량 ICS/LABA 복합제로 치료를 시작하면 저용량 ICS 단독보다 증상↓ & 폐기능↑에 더 효과적 (but, 급성악화를 더 방지하지는 못함)
• 서방형 theophylline은 효과↓ & 부작용↑, chromone은 효과가 적어 권장 안됨

(3) 3단계 : 1~2가지의 controller + 필요시 reliever

- 권장 : <u>저용량 ICS/LABA + 필요시 SABA</u> *or* <u>저용량 ICS/formoterol</u>(속효성 LABA) 단독
  (↳ 소아는 중간용량 ICS + 필요시 SABA)   ↳ controller & reliever 두 가지 용도로 가능
- 중간용량 ICS : LABA의 추가보다는 덜 효과적
- 저용량 ICS + LTRA (or 서방형 theophylline)도 덜 효과적임

(4) 4단계 : 2가지 이상의 controller + 필요시 reliever

- 권장 : <u>중간용량 ICS/LABA</u> + 필요시 SABA *or* 저용량 ICS/formoterol (controller & reliever)
  - 최근 1년 이내에 급성악화의 병력이 있으면 저용량 ICS/formoterol을 유지요법 & reliever로 사용하는 것이 향후 급성악화 예방에 더 효과적
    예) budesonide/formoterol (Symbicort®), beclomethasone/formoterol (Foster®)
  - 기존에 저용량 ICS/LABA 사용 중 증상 조절이 잘 안되면 중간용량으로 증량 가능
- 고용량 ICS/LABA : 추가 효과는 크지 않으면서 부작용↑(e.g. 부신 저하)
  → 중간용량 ICS/LABA and/or LTRA, 서방형 theophylline 등으로 잘 조절되지 않을 때만 3~6개월 정도 단기간 시도 고려
- 중간~고용량 ICS + LTRA (or 서방형 theophylline) : LABA의 추가보다는 덜 효과적
- LAMA (tiotropium, mist inhalation spray) : 악화 병력이 있는 경우 add-on therapy로 가능
  - 폐기능 호전↑, 심한 급성악화 발생 지연 (12세 미만은 금기, 급성 증상에는 사용×)
- sublingual allergen immunotherapy (SLIT) : house dust mite에 감작된 allergic rhinitis 동반 환자에서 ICS 사용시에도 악화 발생시 고려 (FEV_1이 70% 이상일 때 시행 가능)

(5) 5단계 : 전문적 치료 and/or Add-on therapy (difficult-to-treat severe asthma)

- 4단계 이상으로 치료가 필요한 경우에는 천식 전문가에게 의뢰하고 add-on therapy도 고려
- ICS/LABA 최대로 증량 : 일부 환자는 high-dose보다 더 높은 용량에서 반응 (but, 부작용↑)
- 표현형(phenotype) [type 2 inflammation] 확인을 위한 검사 실시
  ⇨ blood eosinophil ≥300/μL, F_ENO ≥20 ppb, or sputum eosinophil ≥2%인 경우
  "persistent type 2 inflammation despite high ICS"
- <u>oral corticosteroid (OCS)</u> : 일부 환자에서 효과적이지만, 부작용이 큼 (e.g., osteoporosis)
  - OCS bursts (단기간 고용량)에 반응 있는 type 2 inflammation 환자는 anti-IgE/anti-IL5 나 저용량 OCS 유지 치료에도 효과가 있을 가능성이 높음
  - OCS bursts가 잦으면 (2~3개월에 1번 이상) anti-IgE, anti-IL5, or 저용량 OCS 등 고려 (c.f., 천식 환자의 약 1%는 저용량 OCS 유지 요법이 필요하게 됨)
- 표현형과 관계없는 add-on therapy : 일부에서 LAMA, LTRA, theophylline 고려 가능
- 표현형에 따른 add-on therapy (biologic agents)
  - moderate~severe allergic asthma (IgE↑) ⇨ <u>anti-IgE</u> (omalizumab)[6세 이상]
  - severe eosinophilic asthma ⇨ <u>anti-IL5</u> (mepolizumab SC[12세 이상], reslizumab IV[18세 이상]) or <u>anti-IL5 receptor Ab</u> (benralizumab SC[12세 이상])
  - aspirin-exacerbated respiratory disease (AERD) ⇨ LTRAs
- 비약물치료 : bronchial thermoplasty, high-altitude Tx, psychological intervention 등
- sputum-guided Tx. : 유도 객담의 eosinophilia에 따라 치료 조절 (가능한 전문병원에서만)

2. 천식의 급성악화(acute exacerbation)천식발작

: 천식의 증상과 폐기능이 평소보다 급격히 악화되는 것 (평소 사용하던 inhaler에 반응 없음)

(1) 임상양상/검사

┌ 호흡곤란(빠른 호흡, 호흡음 감소, 호기시간 증가 등), 천명, 가슴답답함 등이 심해짐, 말을 못함
└ paradoxical pulse (>15 mmHg), accessory muscles 사용, 심한 hyperinflation, 청색증

- CO₂ retention의 징후(e.g., 발한, 빈맥, wide pulse pr.)나 acidosis의 징후(tachypnea)는
  PaCO₂↑ or pH↓의 예측 및 severity 평가에는 가치 없음
  (∵ 덜 심하고 흥분된 환자에서도 흔히 보임) → 반드시 ABGA 결과로 판단해야 함!
- cyanosis는 매우 나중에 나타나는 sign이므로, 위험한 수준의 hypoxia도 간과될 수 있음
- 폐기능 : PEF or FEV_1이 평소보다 급격히 떨어짐 ⋯ 증상보다 악화의 severity를 더 잘 반영
  (c.f., MMEFR [max. mid-exp. flow rate] = $FEF_{25-75\%}$; 치료에 가장 늦게 반응)
- 산소포화도(pulse oximetry) : 92% 미만으로 감소하면 입원 (90% 미만이면 더 적극적 치료)
- ABGA : PEF or FEV_1이 50% 미만 or 초기 치료에 반응× or 지속적으로 악화시 시행
  - 심하면 PaO₂↓↓, PaCO₂ 정상~↑, metabolic acidosis (respiratory alkalosis의 소실)
  ┌ 초기엔 hyperventilation으로 인해 PaCO₂↓ & respiratory alkalosis
  └ 심해지면 PaCO₂ 정상~↑ & acidosis 발생 (→ 호흡부전 임박)
- CXR : 합병증이나 다른 질환 감별 필요시 시행

■ 천식 급성악화(급성발작)의 severity 평가 ★

	Mild (경증)	Moderate (중등증)	Severe (중증)	Respiratory arrest imminent (치명적)
호흡곤란	보행시 호흡곤란 누울 수 있음	누우면 호흡곤란 주로 앉아있음	휴식시 호흡곤란 앞으로 구부리고 있음	
말하기	문장으로 가능	구절만 가능	단어만 가능	못함
의식	약간 흥분	불안해함	안절부절 못함	의식장애(졸림, 혼돈)
호흡수(RR)	증가	증가	흔히 >30회/분	
보조호흡근 사용	없음	일부 사용	항상 사용	흉복부운동 부조화
천명음(wheezing)	Moderate 대개 호기말에만	Loud	보통 loud	천명음 없음!
심박수(PR)	<100	100~120	>120	서맥
기이맥 (pulsus paradoxus)	없음 <10 mmHg	존재 가능 10~25 mmHg	흔히 존재함 >25 mmHg	없음 (∵ 호흡근 피로)
기관지확장제 사용후 PEF or FEV_1 (예측치/기저치의 %)	>80%	약 50~80%	<50% (<100 L/min) or 반응지속시간 <2시간	
SpO₂ (on air)	>95%	91~95%	<90%	
PaO₂ (on air) and/or	정상 (대개 ABGA 불필요)	>60 mmHg	<60 mmHg (청색증 존재 가능)	
PaCO₂	<45 mmHg	<45 mmHg	>45 mmHg (resp. failure 가능)	

(2) 급성악화(발작)의 치료 ★

- 고농도 oxygen (face mask) : SpO_2 90% 미만시 투여, 92% 이상 유지 (소아는 94% 이상)
- 고용량 SABA inhaler (e.g., albuterol, formoterol)
  - 20~30분 간격으로 증상이 호전될 때까지 1~4시간 동안 투여
  - PEF or FEV_1 80% 이상이면 SABA 치료만으로도 충분함
  - nebulizer, MDI (+ spacer), DPI (drug powder inhaler) 간의 효과는 동일함
- 기타 기관지확장제
  ① inhaled anticholinergics (e.g., ipratropium bromide) : severe 급성악화시 SABA에 추가!
    - β_2-agonist와 동시 투여시 기관지확장 효과↑, 입원율↓
    - 응급 치료에는 효과적이지만, 입원 후에는 도움이 안 되므로 지속할 필요 없음
  ② magnesium sulfate IV : severe 급성악화 환자에서 한번(2g 20분간 IV) 투여 고려
    - β_2-agonist에 추가하면 기관지확장 효과 더 증가 (Mg inhaler는 효과가 미미함)
    - severe 급성악화 (FEV_1 <50%) or 초치료에 반응하지 않는 환자에서 도움
    - 부작용 거의 없이 안전함 (but, 신부전 or hypermagnesemia 환자는 주의)
  ③ β_2-agonist IV : 일반적으로 권장×, 호흡부전이 임박한 매우 심한 환자에서 inhaler 사용이
     어려울 때에 고려 (but, inhaled β_2-agonist보다 효과는 적고, 심장 부작용이 큼)
- systemic corticosteroid : oral prednisone (매우 심한 경우에는 IV methylprednisolone)
  - moderate 이상의 천식발작에는 빨리 (1시간 이내) 투여하는 것이 좋음
  - 특히 초기 SABA의 효과가 불충분, OCS 사용 중 급성악화 발생, 이전 급성악화/발작 때
    OCS 사용했던 환자 등에서 중요함
  - 구토, 소화기 흡수장애 등으로 oral steroid 복용이 불가능하거나, 매우 심한 급성악화의 경우는
    IV로 투여 (효과는 비슷함 / oral steroid의 효과는 4시간 이후에 나타남)
- inhaled steroid (ICS)
  - systemic steroid 필요 없는 환자에서 고용량 ICS 사용시 입원 필요성 감소
  - systemic steroid에 추가로 고용량 ICS 사용의 효과는 불확실함
- theophylline or aminophylline IV : 과거 심한 급성발작 때 많이 사용했었으나, 효과가 적고
    부작용이 심해 권장 안됨! (∵ SABA가 훨씬 효과적이고 안전)
- LTRA : 급성 천식에서의 효과는 불확실함 (일부 연구에서만 폐기능 개선 효과)
- epinephrine : anaphylaxis or angioedema시에 사용 (일반적인 천식 급성악화에는 사용 안함)
- 진정제, 점액용해제, 흉부물리치료, 성인에서 대량의 수액 공급 등은 모두 권장되지 않음!
- 항생제 : fever, purulent sputum 등 감염의 증거가 있을 때만 (일상적인 투여는 효과 없음!)
- helium oxygen therapy : 다른 치료들에 반응이 없을 때 고려 가능
- NIV (non-invasive ventilation) : 효과 불확실함, 불안해하는 환자에서는 금기, 진정제 사용 금기
- intubation & mechanical ventilation
  - Ix ; $PaCO_2$↑ (CO_2 narcosis 증상), PaO_2↓, 의식저하, 심한 호흡근 피로
    (1) acute CO_2 retention ; $PaCO_2$ >65 or $PaCO_2$ >55이면서 1시간에 5 이상씩 상승
    (2) 치료에 반응 없이 PaO_2 <60 (FiO_2 60~80%에서도)
  - blood gas는 생명을 유지할 정도로만 유지 (e.g., $PaCO_2$ 60~70 mmHg)

(3) 급성악화(발작)의 가정 자가치료

- 모든 악화 환자는 SABA 투여 → 1~2일 이상 반복 투여가 필요하면 controller 증량
- ICS : controller 증량 필요시 사용 중이던 ICS를 최소 2배 이상 증량
  (고용량 ICS의 7~14일 사용은 단기간 OCS 사용과 효과 비슷함)
- 저용량 ICS + rapid-onset LABA (formoterol) 복합제
  - controller와 reliever 모두로 사용 가능 (하루 최대 용량까지 사용 가능)
  - 다른 ICS + slower-onset LABA 복합제와는 병용하면 안됨
- ICS/LABA 사용 중인 환자는 steroid 증량을 위해 추가적으로 다른 ICS를 사용할 수 있음
- oral corticosteroid (OCS) : 40~50 mg/day
  - 적응이 되는 경우 5~7일간 복용, 반드시 병원도 방문
    ↳ ① reliever & controller 2~3일간 증량해도 호전이 없음
       ② PEF (or FEV_1) <60% (예측치/개인최고치) or 급격히 악화
       ③ 이전에 심한 급성악화의 병력
- 환자 스스로 급성악화를 치료한 경우에는 증상이 호전되어도 1~2주 이내 병원을 방문해야 됨

3. 난치성 천식(difficult-to-treat, refractory asthma)

- 일반적인 흡입 치료제(e.g., ICS)에 반응하지 않는 심한 지속성 asthma (천식 환자의 ~5%)
- 난치성 천식의 일부는 천식 자체가 원인이 아닐 수도 있음 (c.f. 매우 심한 천식은 모두 난치성 천식)
  ⇨ 천식이 잘 조절되지 않는 원인을 우선 파악해야 됨!
  ① 천식 진단이 정확한지 확인 : 천식 비슷한 증상을 보일 수 있는 다른 질환 R/O
    ; 특히 vocal cord dysfunction (VCD), 중심기도폐쇄, COPD, 기관지확장증, ABPA, HP 등
    ↳ paradoxical vocal fold motion (PVFM) : 후두과민증이 있는 사람에서 여러 기도자극에 의해
       갑자기 성대의 기능적인 폐쇄가 발생하는 것, 젊은 여성에 호발, 심한 천식에 동반될 수도 있음
       - Sx ; 갑자기 심한 호흡곤란, 기침, wheezing, dysphonia, inspiratory stridor 등
       - Dx ; flow-volume curve에서 inspiratory flattening, laryngoscopy / Tx ; 안심, 심하면 CPAP
  ② 치료제에 대한 환자의 순응도 문제 (m/c) : 특히 ICS (∵ 즉각적인 증상 감소가 없기 때문)
    → ICS 순응도 검사 ; F_ENO, plasma cortisol↓ 및 prednisone/prednisolone 농도 등
  ③ 유발인자 ; 흡연 (조절 실패의 중요 원인, 흡연은 steroid의 효과를 감소시킴),
    allergen or 직업성 노출, 약물, 감염 등 (→ 앞의 유발/악화인자 부분 참조)
  ④ 천식을 악화시키거나 치료를 어렵게 할 수 있는 동반 질환
    - 비염/부비동염(rhinitis/rhinosinusitis) : 반드시 철저히 치료해야 됨 (→ 뒷부분 참조)
    - 비만 : 비만 환자에서 천식 더 흔함, 증상/악화 더 심함, ICS의 효과 감소 → 체중 감량
    - OSA : 천식과 동반 흔함, 특히 야간증상을 악화시킬 수 있음 → polysomnography
    - GERD : 천식 환자에서 더 흔함, β_2-agonist와 theophylline은 LES를 이완 시킬 수 있음
      (증상이 있는 GERD 환자의 치료는 천식 증상/악화 감소에도 도움)
    - hyper-/hypothyroidism : 천식 증상을 강화시킬 수 있음
    - 일부 여성에서 월경전기에 천식 악화 → progesterone or gonadotropin-releasing factor
    - 불안 및 우울 : 천식 환자에서 더 흔함, 치료 순응도↓, 삶의 질↓, 급성악화↑
- 병리소견 ; mild asthma에 비해 T_H1 cells 및 CD8 lymphocytes↑, TNF-α expression↑,
  fibrosis, angiogenesis, 기도평활근 비후 등이 더 흔함

• 치료 ; 대부분은 oral steroid 유지요법이 필요하게 됨 (steroid-sparing therapy는 거의 효과 없음)
⇨ 앞의 GINA 5단계 치료 부분 참조

■ Steroid-resistant asthma

⎡ complete resistance : 고용량 prednisone/prednisolone 40 mg/day 2주간 투여해도 반응 없음
⎢   (PEF or FEV$_1$이 15% 이상 상승하지 않을 때), 매우 드묾 (0.1% 미만)
⎣ reduced responsiveness : 천식 조절을 위해 oral steroid 필요 (steroid-dependent asthma)

• 기전 ; glucocorticoid receptor (GR)-β의 alternatively spliced form 증가,
    steroid에 대한 반응에서 histone acetylation의 비정상 패턴, IL-10 생산 결함,
    HDAC (histone deacetylase)-2 activity 감소 (COPD처럼) 등

■ Brittle asthma : 일부 천식 환자에서 적절한 치료에도 불구하고 폐기능의 변화가 매우 심한 것
• type Ⅰ : 지속적인 변동성을 보임, oral steroid or β$_2$-agonist continuous infusion 필요
• type Ⅱ : 보통은 폐기능이 거의 정상이다가, 갑자기 예측 불가능하게 폐기능이 감소됨
    – 부종을 동반한 localized anaphylactic reaction 때문, 일부에서는 food allergy도 동반
    – 치료 어려움, steroid or inhaled bronchodilator에 잘 반응 안함
    – epinephrine 피하주사가 가장 효과적

경과 및 예후

• 예후는 좋은 편 : COPD 같은 다른 airway dz.와는 달리 진행하지 않음
    (발병시 증상이 경미하고, 소아때 발병할수록 예후가 좋음)
• 증상의 호전과 악화를 반복하는 것이 특징
• 약 20%는 자연 치유, 약 40% 정도는 나이가 들음에 따라 호전됨
• 가정에서의 경과 관찰
    ① 폐기능 측정 ; 최대호기유속(PEF)
    ② 증상의 악화 여부 (severe dyspnea attacks 횟수)
    ③ 증상 악화로 인해 사용한 약물(inhaled SABA 등)의 사용 횟수
• 치료에도 불구하고 호흡부전이 지속될 때의 원인
    ; pneumothorax, pul. embolism, smoking, infection ...

■ 특수 상황

1. 임신

- 천식 환자가 임신을 하면 약 1/3은 증상 호전, 1/3은 악화, 1/3은 변화 없음
  (임신 전 천식의 severity가 높을수록 임신 중 천식 악화 가능성이 높음)
- 일반적인 asthma 치료와 다를 바 없다
- 대부분의 천식 치료제(특히 흡입제)는 태아에 별 영향 없고 안전!
  - SABA, ICS (특히 <u>budesonide</u>), ICS/LABA 복합제, SAMA (inhaled ipratropium),
    적정 용량의 theophylline 등은 모두 안전
  - LABA : 안전할 것으로 추정되지만, 아직 근거 부족 (→ 임신 전부터 사용 중이면 계속 사용)
  - 심한 천식발작시 단기간의 oral steroid도 사용 → prednisone 권장 (∵ 태아에 영향이 적음)
    (but, 장기간 사용해야할 경우 임신 첫 3개월은 피한다)
  - antileukotrienes ; LTRA (montelukast)는 안전한 편, 5-LO inhibitor (zileuton)는 정보 부족
  - LAMA, anti-IgE, anti-IL-5 는 아직 정보 부족
  - immunotherapy : 임신 때 시작하는 것은 권장× (임신 전부터 해왔고 부작용 없으면 가능)
- 심한 천식발작이 발생하면 태아의 저산소증을 초래하여 더 큰 해가 되므로, 안전성이 증명되지 않은
  약제라도 천식 조절에 필요하다면 사용하는 것이 좋음 (더욱 철저하게 치료해야 됨!)
- 사용하면 안 되는 drugs
  - 일부 항생제 ; tetracycline, sulfonamide, ciprofloxacin
  - atropine & atropine-like drugs (→ fetal tachycardia)
  - theophylline (고농도), terbutaline (→ tocolytic effect)
  - α-agonist, brompheniramine, <u>epinephrine</u>, iodine-containing mucolytics (SSKI), PGF2α

2. 상기도 질환

(1) 비염(rhinitis)

- 비염은 천식 발생, 증상 악화의 위험인자임
- 천식 환자의 대부분이 비염을 동반 또는 비염의 병력이 있음 (대개 비염이 선행)
- 지속성 비염 환자의 약 30%에서 천식 발생 → 모든 비염 환자는 천식이 있는지 고려해야
- allergen 등 위험인자가 천식과 동일함, 비염을 치료하면 천식 증상도 호전 가능
  - 비염 & 천식 모두 효과적 ; steroid, cromones, antileukotrienes, anti-IgE, 면역요법
  - nasal steroid와 antihistamine은 비염에만, β-agonist는 천식에만 효과적임

(2) 부비동염(sinusitis)

: acute & chronic sinusitis 모두 천식을 악화시킬 수 있음

(3) 비용종(nasal polyp)

- 비염, 천식과 관련된 비용종은 종종 aspirin hypersensitivity 동반, 주로 40세 이상에서 발생
- 비용종 환자의 30~70%에서 천식 동반, aspirin-sensitive asthma 환자는 대부분 비용종 동반
- local nasal steroid에 반응 좋음 (반응이 없으면 수술)

3. Aspirin-Exacerbated Respiratory Disease (AERD) [과거 aspirin-sensitive asthma]

- 천식 환자의 7%에서 AERD 동반, 심한 천식 환자에서 더 흔함(15%), 소아에서는 드묾
  - aspirin & NSIADs hypersensitivity reaction은 한 번 발생하면 대부분 평생 지속됨
  - 약제를 회피해도 천식의 염증 반응은 계속 지속됨
- triad ┌ vasomotor rhinitis → chronic rhinosinusitis (CRS) : 주로 20~30대에 시작
  ├ 비용종(nasal polyp, NP) : 조직내 eosinophil 침윤이 특징, 수술해도 악화/재발됨
  └ 이후에 asthma (nonatopic, late-onset) & aspirin hypersensitivity 발생
- 기전 : cyclooxygenase (COX)-1 억제 → leukotrienes↑ → mast cells 활성화
  - immediate hypersensitivity는 관련되지 않는다 (IgE는 정상)
- 투여 후 몇 분 ~ 1-2시간 이내에 천식 증상(wheezing), 콧물, 코막힘, 결막자극, 안면홍조 등 발생
  - 적은 용량으로도 발생 가능하며, 심하면 anaphylactoid reaction으로 사망도 가능
- 진단 : 경구 aspirin 유발검사 (위험), lysine-aspirin 흡입 유발검사 (경구보다 안전)
  - IgE-mediated allergy가 아니므로 skin test, RAST 등의 검사는 도움 안됨!!
  - urine LTE$_4$ (cysLTs의 대사물) : AERD 환자에서 증가됨, 유발검사에서 FEV$_1$ 감소가 클수록 더 증가,
    aspirin desensitization 성공하면↓, 실패하면↑ (but, allergic/eosinophilic/severe asthma에서도 증가 可)
- 예방/치료
  ① inhaled steroid (m/g), OCS, LTRA 등 : 치료 및 효과는 일반 천식과 비슷함
  - CRS with NS (코막힘 등) → OCS (prednisone), 매우 심하면 수술 (but, 효과는 일시적)
    (호전되면 nasal steroid 유지요법, LTRA, desensitization 등 고려)
  - 대부분 LTRA도 투여를 하게 됨 → 4~6주 뒤에도 효과 없으면 zileuton으로 대치 or 추가
  ② aspirin desensitization : 전문가가 주의 깊게 시행 고려 (탈감작 이후 매일 aspirin 투여 필요)
    → 증상 및 삶의 질 크게 호전, 비용종 재발/재수술↓, 부비동 감염↓, OCS 필요↓
    (다른 NSAIDs에 대해서도 cross-tolerance 발생함)　　　　　→ 알레르기내과도 참조
  ③ 회피요법 : aspirin 및 NSAIDs (COX1-inhibitor) 금기

Aspirin과 교차반응 갖는 것 ⇨ 금기!	교차반응 없음 ⇨ 사용해도 안전 ★
• NSAIDs ; indomethacin, fenoprofen, ibuprofen, ketoprofen, naproxen, piroxicam, zomepirac sodium, mefenamic acid, phenylbutazone, sulindac ... • Tartrazine 등의 색소도 약 10%의 환자에서 cross-reactivity 가짐	• Acetaminophen (저용량만!) • Selective Cox-2 inhibitors (e.g., celecoxib, etoricoxib, rofecoxib) • Sodium salicylate, choline salicylate, salicylamide, propoxyphene, narcotics (e.g., codeine, meperidine)

c.f.) partial COX-2 inhibitor인 meloxicam도 고용량에서는 천식을 일으킬 수 있음

4. 운동유발기관지수축(exercise-induced bronchoconstriction, EIB) [과거 운동유발천식]

• 기전 ; cold air의 빠르고 깊은 호흡(hyperventilation)

    → 기도표면 액체의 osmolality↑ → mast cells를 자극하여 mediators 분비

    → bronchoconstriction (smooth muscle 수축은 관여 안함)

• 운동은 천식 환자에서 기관지수축 유발인자(trigger)지만, 독립적인 위험인자(risk factor)는 아니므로
exercise-induced asthma란 용어는 잘못되었음 → exercise-induced bronchoconstriction (EIB)

• 운동은 모든 천식 환자에서 bronchospasm을 유발할 수 있음 (정상인은 운동시 bronchodilation)

• 운동시작 5~20분 뒤에 asthmatic attack 시작, 운동을 마친 후 5~10분경에 가장 증상 심함,
대개 1시간 뒤 회복됨

• severity↑ ; 호흡량(운동의 강도)↑, 흡입 공기의 온도↓, 습도↓

    ┌ ice hockey, skiing, skating 등시에 악화↑

    └ 따뜻한 물에서의 수영이 가장 좋은 운동

• 진단 ; 운동유발검사(treadmill, 구강호흡으로 6분 이상 뜀)에서 FEV$_1$ or PEFR 15% 이상 감소

• 치료/예방

  ① SABA (m/g) : 예방 및 치료 가능 (운동 10~15분 전에 흡입 or 증상발생시)

    – 스스로 예측하기 어려운 소아의 경우는 LABA 추가도 가능

    – SABA를 사용하지 못할 때는 anticholinergics도 가능하지만, 예방 효과는 떨어짐

    – SABA or LABA를 규칙적으로 사용하면(1회/day 이상) EIB 예방 효과가 점점 떨어짐

      → β$_2$-agonist가 지속적으로 필요한 환자는 ICS 병용 or LTRA 권장

        (천식이 잘 조절되지 않아 EIB가 발생할 수도 있으므로, 천식 치료단계 상향 검토)

  ② cromolyn or nedocromil : 예방만 가능 (30분 전에 흡입 → 1~2시간 효과)

  ③ LTRA : 예방만 가능 (1~2시간 전에 복용 → 12~24시간까지 예방효과 지속),
         EIB를 동반한 천식 환자의 치료에 LABA보다 효과적

  * 장기적인 예방에는 inhaled steroid의 규칙적인 투여가 m/g (∵ 기도표면의 mast cells 수↓)

비약물 요법
1. 실제 운동 전 10분 이상 충분한 준비 운동
2. 추운 날에는 마스크 착용
3. 가능하면 따뜻하고 습도가 높은 환경에서 운동
4. 운동 종료시에는 서서히 강도를 낮추거나 정리 운동

• 다른 천식의 유발인자와 다른 점

  ① 장기적인 후유증을 남기지 않음

  ② airway reactivity를 증가시키지 않음

천식과 COPD의 차이

		천식	COPD
임상 양상	발병 연령	소아 때가 흔함	40세 이상
	증상 변동성	시간에 따른 변동성 큼 유발인자 흔함	만성, 지속적 (특히 운동시)
	주증상	천명, 호흡곤란	기침, 객담, 호흡곤란
	야간 증상악화	++	–
	알러지 증상	++	–
	흡연력	+/-	++
검사 소견	흉부X선	대개 정상	Hyperinflation, 혈관음영감소 등
	Eosinophilia, IgE↑	+	–
	염증세포 침윤	Eosinophil and/or neutrophils	객담은 neutrophils ± eosinophils 기도는 lymphocytes 등의 염증세포
	기관지확장제 투여후 FEV$_1$ 증가	++	+/-
	DL$_{CO}$	대개 정상	대개 감소
치료 반응	β_2-agonist	++	+/-
	Anticholinergics	+	++
	Steroid	+++	+/-

10
간질성 폐질환

개요

- ILD (interstitial lung dz.) : 폐실질(폐포, 폐포 상피세포, 모세혈관 내피세포, 사이공간, 혈관주위 및 림프조직)에서 염증 및 섬유화를 일으키는 질환으로 저산소증과 제한성 폐기능 장애를 일으키는 광범위한 질환군 (주로 epithelium과 endothelium 사이의 공간을 침범함)

- 특징 : alveolar walls의 광범위한 파괴, functional alveolar capillary units의 상실, collagenous scar tissue의 침착 (fibrosis)

- 병인
  - ┌ epithelial damage & activation (← 외인성/내인성 자극)
  - └ aberrant wound healing (← 유전적 소인, 자가면역 등)
  - – fibroblasts의 이동/증식 및 myofibroblasts로 분화
  - – basement membrane 파괴 (← myofibroblasts 및 epithelial cells에서 분비된 gelatinase)
  - – myofibroblasts에서 extracellular matrix proteins (주로 collagens) 분비, 축적
  - – myofibroblasts apoptosis↓, reepithelialization↓ → fibrosis
    (myofibroblasts에서 angiotensin II 분비 → epithelial apoptosis↑)

- 진단이 어려울 수 있기 때문에 임상양상, 검사소견, 폐기능소견, 영상소견, 조직검사 등을 종합하여 진단

분류/원인

1. *inflammation & fibrosis* : alveolar wall 염증이 만성으로 진행하고 interstitium 및 vasculature로 번져서, 결국은 interstitial fibrosis를 초래하여 심한 폐기능 손상을 유발함

2. *granulomatous lung dz.* : T lymphocytes, macrophages, epithelioid cells 등이 축적되어 폐 실질에 granulomas를 형성 (fibrosis로도 진행 가능), 심한 폐기능의 손상은 드묾

병리양상	Inflammation & fibrosis	Granulomatous lung disease
원인이 밝혀진 질환	Connective tissue diseases 　SLE, RA, AS, SSc, PM/DM, Sjögren's syndrome Asbestosis (폐석면증) Fumes & gases (e.g., 흡연 → RB-ILD, DIP) Drugs 　항생제 ; nitrofurantoin, sulfonamides, cephalosporins, 　　minocycline, ethambutol ... 　항부정맥제 ; amiodarone, ACEi, tocainide, β−blocker 　항염증제 ; gold, penicillamine, NSAIDs, leflunomide, 　　TNF−α inhibitors (etanercept, Infliximab), 　　sulfasalazine 　항암제 ; mitomycin C, bleomycin, alkylating agents, 　　busulfan, cyclophosphamide, chlorambucil, 　　melphalan, methotrexate, azathioprine, cytosine 　　arabinoside, BCNU [carmustine], CCNU 　　[lomustine], procarbazine, nilutamide, INF−α , 　　paclitaxel, IL-2, ATRA, GM-CSF ... 　항경련제 ; phenytoin, fluoxetine, carbamazepine 　항우울제, Cocaine, Heroin, Talc, bromocriptine, 　　Paraquat, L−tryptophan, BCG, Mineral oil ... Radiation, Oxygen toxicity, Aspiration pneumonia ARDS의 후유증	Organic dusts 　Hypersensitivity pneumonitis (HP) 　　; thermophilic actinomycetes, 　　Aspergillus species, 　　avian antigen ... Inorganic dusts 　Beryllium 　Silica (규폐증)
원인을 모르는 질환	Idiopathic interstitial pneumonia (IIP)* − m/c (약 40%) Alveolar filling disorders 　Diffuse alveolar hemorrhage (DAH) 　　Goodpasture's syndrome 　　Idiopathic pulmonary hemosiderosis 　　Isolated pulmonary capillaritis 　　SLE, RA, microscopic polyangiitis 　Pulmonary alveolar proteinosis (PAP) Lymphocytic infiltration disorders 　Lymphocytic interstitial pneumonia (LIP) Eosinophilic pneumonias Lymphangioleiomyomatosis (LAM) Amyloidosis Inherited diseases ; 　Tuberous sclerosis, neurofibromatosis, 　Niemann−Pick disease, Gaucher's dz., 　Hermansky−Pudlak syndrome GI dz. ; CD/UC, PBC, chronic active hepatitis GVHD ; BMT, solid organ transplant	Sarcoidosis Pulmonary Langerhans cell 　histiocytosis (PLCH, 　= histiocytosis X, 　eosinophilic granuloma, 　Langerhans cell granulomatosis) Granulomatous vasculitides 　Wegener's granulomatosis 　Allergic angiitis & 　　granulomatosis 　　(= Churg−Strauss syndrome) 　Lymphomatoid granulomatosis 　Bronchocentric granulomatosis 　i) asthma 동반시 ; Aspergillus 　　등의 진균에 대한 과민반응 　ii) asthma 없을 때 ; RA, 　　infections (e.g., TB, 　　echinococcosis, histoplasmosis, 　　coccidiodomycosis, nocardiosis)

*특발성간질성폐렴(Idiopathic Interstitial Pneumonias, IIP)의 분류

주요 IIP (Major IIP)	특발성폐섬유증(Idiopathic pulmonary fibrosis, IPF) − m/c ┐ 특발성비특이간질성폐렴(Idiopathic nonspecific interstitial pneumonia, NSIP) ┘ Chronic fibrosing IP 호흡세기관지염-간질성폐질환(Respiratory bronchiolitis-ILD, RB-ILD) ┐ Smoking-related IP 박리간질성폐렴(Desquamative interstitial pneumonia, DIP) ┘ 특발성기질화폐렴(Cryptogenic organizing pneumonia, COP) ┐ Acute/subacute IP 급성간질성폐렴(Acute interstitial pneumonia, AIP) ┘
희귀 IIP (Rare IIP)	특발성림프구간질성폐렴(Idiopathic lymphoid interstitial pneumonia, idiopathic LIP) 특발성흉막실질섬유탄력섬유증(Idiopathic pleuroparenchymal fibroelastosis, idiopathic PPFE)
분류불가능 IIP (Unclassifiable IIP)	

■ 임상적 평가

1. 병력

- 연령 및 성별
  - sarcoidosis, CTD, LAM, PLCH, inherited ILD 등은 20~40대에 호발
  - IPF는 대부분 50세 이상에서 발생
  - 여성에서 호발 ; LAM, tuberous sclerosis, Hermansky-Pudlak syndrome, CTD
    (예외: RA에 의한 ILD는 남성에서 호발)
- 가족력/유전
  - AD 유전 ; IPF, sarcoidosis, tuberous sclerosis, neurofibromatosis
  - AR 유전 ; Niemann-Pick dz., Gaucher's dz., Hermansky-Pudlak syndrome
  - surfactant C gene mutation ; NSIP, DIP, UIP
- **흡연력**
  - DIP, RB (respiratory bronchiolitis)-ILD, PLCH (= histiocytosis X), Goodpasture's syndrome,
    pul. alveolar proteinosis 환자는 거의 다 흡연력 有
  - IPF 환자의 66~75%도 흡연력 有
  - hypersensitivity pneumonitis는 비흡연자에서 호발
- 직업 및 환경도 중요
- 발병형태(이환 기간)에 따른 원인

Acute : 수일~수주	Allergy (drug, fungi, helminths), AIP, acute eosinophilic pneumonia, HP, DAH 등 (→ atypical pneumonia와 감별해야)
Subacute : 수주~수개월	Sarcoidosis, drug-induced ILD, chronic eosinophilic pneumonia, COP (BOOP), SLE, PM
Chronic (m/c) : 수개월~수년	IPF, sarcoidosis, pneumoconiosis, PLCH (= histiocytosis X), CTD
Episodic	Eosinophilic pneumonia, HP, COP (BOOP), vasculitides, pulmonary hemorrhage, Churg-Strauss syndrome

2. 증상/진찰소견

- 점차 심해지는 exertional **dyspnea**, nonproductive cough (dry cough)가 주증상
- fatigue, weight loss도 모든 ILDs에서 흔함
- wheezing, hemoptysis, chest pain 등은 드물다
  - chronic eosinophilic pneumonia, Churg-Strauss syndrome, respiratory bronchiolitis,
    sarcoidosis 등에서는 wheezing이 나타날 수도 있음
  - diffuse alveolar hemorrhage (DAH) syndrome, LAM, tuberous sclerosis, granulomatous
    vasculitides 등에서는 hemoptysis가 나타날 수도 있음
  - 갑자기 dyspnea가 악화되고 흉통 발생 시엔 pneumothorax 의심 (뒤의 표 참조)

- bilateral, basilar, fine end-inspiratory "Velcro-like" rales (dry crackle) (m/i)
  (granulomatous lung dz.에서는 안 들릴 수도 있음)
- inspiratory squeak (고음의 rhonchi) : bronchiolitis
- 병이 진행되면 tachypnea, tachycardia도 발생 가능
- 곤봉지(clubbing) - 후기 증상 ; IPF, asbestosis 등에서는 흔히 관찰되지만,
  sarcoidosis, hypersensitivity pneumonitis, histiocytosis X 등에서는 드물다
- cyanosis : 아주 말기 이외에는 드묾
- 말기에 pul. HTN & cor pulmonale 발생시 ; P2↑, tricuspid insufficiency, RV heave, 말초부종

3. 검사소견

- CBC, LFT, RFT 등의 기본검사
- 대개 CRP, ESR, ANA (FANA), RF, anti-CCP, myositis panel 등도 기본적으로 시행

증상/징후에 따라 추가 검사 고려	muscle enzymes (CK, myoglobin, aldolase), antisynthetase Ab (e.g., anti-Jo-1), anti-MDA5 (melanoma differentiation-associated protein 5), anti-Mi-2, anti-NXP2 (nuclear matrix protein 2), anti-TIF1g (transcriptional intermediary factor 1-g), anti-SRP (signal recognition particle), anti-HMGCR (3-hydroxy-3-methylglutaryl-CoA reductase), anti-SAE (small ubiquitin-related modifier-activating enzyme), anti-U1RNP (U1 ribonucleoprotein), anti-PM/Scl75 (polymyositis /scleroderma 75), anti-PM/Scl100, anti-Ku 등
Systemic sclerosis 의심시	anti-Scl-70/topoisomerase-1, anti-centromere, anti-RNA polymerase III, anti-U1RNP, anti-Th/To, anti-PMScl, U3RNP (fibrillarin), anti-Ku 등 추가
Sjögren 의심시	anti-SSA/Ro (Sjögren-specific antibody A), anti-SSB/La 추가
Vasculitis 의심시	anticytoplasmic antibodies 추가

- EKG ; 대개 정상 (진행되어 pul. HTN 발생하면 RAD, RVH, RAE)

4. Chest X-ray

- 대부분 비특이적이며, 증상 및 병리소견과의 관련성도 부족함
- 5~10%에서는 정상 소견을 보임 (특히 hypersensitivity pneumonitis에서)
- bibasilar reticular (m/c), nodular, reticulonodular
- cystic areas (honeycomb pattern) → poor Px.
- 증상은 경미한데 CXR 소견이 심할 수 있는 경우 (특히 질병 초기에) ; sarcoidosis, silicosis, PLCH, HP, lipoid pneumonia, lymphangitis carcinomatosis ...

5. HRCT (m/i)

- activity 및 extent & distribution을 동시에 판정할 수 있고, 원인을 찾는데도 유용
- 최종 진단과의 상관성이 매우 높고, biopsy 할 부위를 결정하는 데도 유용
- IPF, sarcoidosis, PLCH, HP, asbestosis, lymphangitic carcinoma 등은 임상양상이 적합하면
  BAL and/or lung biopsy 없이 HRCT로도 진단 가능함!

특정 ILD를 시사하는 방사선 소견	
Pattern	Common diagnoses
폐용적 감소	IPF, CTD-associated, chronic HP, asbestosis
폐용적 증가	COP (BOOP), LAM, neurofibromatosis, tuberous sclerosis, PLCH
폐 상부의 nodules	Sarcoidosis, PLCH, chronic HP, silicosis, berylliosis, RA, AS
폐 하부를 주로 침범	IPF, CTD-associated, asbestosis
폐 주변부를 주로 침범	COP (BOOP), eosinophilic pneumonia
Micronodules	Infection, sarcoidosis, HP
Septal thickening	Malignancy, CHF, infecton, pulmonary veno-occlusive dz,
Honeycombing	IPF, asbestosis, CTD-associated, sarcoidosis, chronic HP
Ground-glass opacities (GGO)	Eosinophilic pneumonia, HP, NSIP, AIP, DIP, RB-ILD, COP, drugs, PAP
Migratory/remitting infiltrates	COP (BOOP), HP, ABPA, Löffler's syndrome
Pleural disease	CTD-associated, asbestosis, LAM (chylous effusion), malignancy, drugs (e.g., nitrofurantoin), radiation pneumonitis, sarcoidosis
Pneumothorax	PLCH, COP (BOOP), LAM, neurofibromatosis, tuberous sclerosis
Lymphadenopathy (hilar or mediastinal)	Sarcoidosis, silicosis, lymphocytic interstitial pneumonia, amyloidosis, Gaucher's disease, malignancy, infection, chronic beryllium disease
정상	HP, IPF, CTD-associated, bronchiolitis

6. 폐기능 검사

- restrictive pattern ★
  - 모든 lung volume (VC, TLC, FRC, RV) ↓
  - FEV_1 ↓, FVC ↓, FEV_1/FVC 정상 or ↑ (∵ TLC↓)
  - static lung compliance ↓, maximal pulmonary pr.↑, 기도 저항은 정상
  - IIP (특히 IPF, NSIP)에서는 예후와도 관련
- obstructive pattern을 보일 수 있는 경우 ; tuberous sclerosis, LAM, COPD와 ILD가 공존 (드물게 hypersensitivity pneumonitis, sarcoidosis에서도)
- diffusing capacity (DL_{CO}) ↓ ; 흔하지만 비특이적인 소견, V/Q mismatching이 주 원인 (compliance가 감소된 폐 부위에서 perfusion은 유지되지만 ventilation은 ↓)
  - dz. grade (activity)와는 비례하지 않는다

7. ABGA 및 운동능력 평가

- 안정시에는 정상 or PaO_2 ↓, (A-a)DO_2 ↑, respiratory alkalosis (hypoxemia의 원인 ; V/Q mismatching, diffusing capacity 감소)
- $PaCO_2$: 정상 or 감소 (CO_2 retension은 드물며, 말기에나 나타날 수 있음)
  - 휴식/운동시 minute ventilation이 매우 증가
  - respiratory center의 자극 증가에 따른 호흡횟수 증가로
    → $PaCO_2$ ↓, compensatory respiratory alkalosis
- 운동시 : hypoxemia 심해지고 (A-a)DO_2 증가 ($PaCO_2$는 변화 없음)

- 운동부하 심폐기능검사(cardiopulmonary exercise test, CPET)
  - 안정 및 운동시 ABGA [PaO_2, $(A-a)DO_2$], 최대산소섭취량($V_{O2,max}$) 등
  - ILD의 진행정도(dz. activity) 및 치료반응 평가에 매우 유용 (특히 IPF에서)
- 6분 보행검사 : 운동능력 평가, 예후 예측, 치료반응 평가 등에 유용 (삶의 질을 더 잘 반영)

8. BAL (bronchoalveolar lavage)

- 비특이적이라 필수는 아니지만, HRCT에서 UIP에 합당하지 않은 경우 진단에 도움이 될 수
  - ↳ IIP에서는 주로 다른 원인의 R/O에 활용됨 (e.g., HP, 출혈, 감염, 악성종양)
- 정상 범위 ; macrophages 80~90%, lymphocytes 10~15% (70%가 T-cell),
  - neutrophils 1~3%, eosinophils ≤1%, epithelial cells ≤5%, CD4/CD8 = 1.5
- lymphocytes가 증가하는 경우 (lymphocytes >15%)
  - ; TB, sarcoidosis, HP, berylliosis, NSIP, COP (BOOP), drug-induced ILD, LIP, lymphoma,
    collagen vascular disease, extrinsic allergic alveolitis, radiation pneumonitis
  - ┌ >25% ; sarcoidosis, HP, berylliosis, NSIP, COP, drug-induced ILD, LIP, lymphoma 시사
  - └ >50% ; HP, cellular NSIP 시사

Lymphocytic alveolitis		
CD4/CD8 정상(0.9~2.5)	CD4/CD8 ↑ (Th ↑)	CD4/CD8 ↓ (Ts ↑ or Th ↓)
Tuberculosis	Sarcoidosis	Hypersensitivity pneumonitis (CD8 ↑)
Lymphangiosis	Crohn's disease	AIDS (CD4 ↓)
Carcinomatosa	Rheumatoid arthritis	COP (BOOP), DPB, NSIP
	Beryliosis	Drug-induced ILD
	Asbestosis	Silicosis

- eosinophils이 증가하는 경우 (eosinophils >1%) ; eosinophilic pneumonia, asthma, IPF, SLE,
  ABPA, drug-induced ILD, BMT, Hodgkin lymphoma, Churg-Strauss syndrome, infections ...
  (>25% ; 거의 acute or chronic eosinophilic pneumonia)
- neutrophils이 증가하는 경우 (neutrophils >3%) ; IPF, ARDS, asbestosis, aspiration pneumonia,
  bronchitis, collagen vascular dz., diffuse alveolar damage (DAD), infections ...
  (>50% ; acute lung injury, aspiration pneumonia, suppurative infection 시사)
- ┌ lymphocytes 증가 → steroid에 대한 반응↑ (예후 좋음)
  └ neutrophil, eosinophil 증가 → 반응 나쁘다 (예후 나쁨)
- lipid-laden macrophage (foamy cell) ; HP, amiodarone-induced ILD, lipoid pneumonia,
  diffuse panbronchiolitis
- diffuse alveolar hemorrhage (DAH) ; hemorrhagic BAL이 진단에 중요한 단서
- CXR, HRCT 소견은 BAL 소견과 일치하지 않음
- stage 판정, 진행 정도 및 치료에 대한 반응 평가에서의 역할은 아직 불확실
- IIP에서는 주로 다른 원인의 R/O에 활용됨 (e.g., HP, 출혈, 감염, 악성종양)

9. 폐생검 (lung biopsy)

- ILD의 확진과 dz. activity 판정에 가장 정확한 방법
- 모든 환자에서 시행할 필요는 없다 (원인이 밝혀진 경우는 안 해도 됨)
- 기관지내시경을 이용한 multiple (4~8) transbronchial lung biopsy (TBLB)
  - → 특히 sarcoidosis, lymphangitic carcinomatosis, eosinophilic pneumonia,
    Goodpasture's syndrome, infection 등 의심 시에는 1차적 진단방법으로 실시
- TBLB로 진단이 어려우면, surgical lung biopsy 시행 (open-lung or thoracoscopic)
- 폐생검의 relative C/Ix
  - ┌ 심각한 심혈관 질환
  - │ honeycombing 등의 diffuse end-stage dz. 소견
  - │ 심한 폐기능 장애, 기타 주요 수술 위험인자 (특히 노인)
  - └ 여러 부위에서 충분한 조직을 얻을 가능성이 희박한 경우

■ dz. activity 측정(결정) : activity ⬆

① BAL ; lymphocytes 증가 (특히 T cell)
② open lung biopsy (가장 정확) ; inflammation의 정도 심함
③ gallium-67 lung scan (→ limited value) ; uptake 증가
④ ^{99m}Tc-DTPA scan ; clearance 증가
⑤ HRCT ; ground-glass opacification (GGO)
⑥ cardiopulmonary exercise test (CPET), 6분 보행검사
⇨ activity가 높은 경우는 steroid나 cytoxan에 반응이 좋으리라 기대됨

c.f.) steroid에 반응이 좋은 ILD ; eosinophilic pneumonia, COP, CTD, sarcoidosis, HP,
acute inorganic dust exposure, acute/chronic organic dust exposure,
acute radiation pneumonitis, DAH, drug-induced ILD 등
(IPF와 AIP는 반응이 불량함)

■ 특발성 간질성 폐렴 (Idiopathic Interstitial Pneumonia, IIP)

1. Idiopathic pulmonary fibrosis (IPF)특발성폐섬유증

(1) 개요

- m/c IIP (IIP의 약 55%), 원인 모름, 주로 50세 이후에 발병 (평균 69세), 남:여 = 1.5~2:1
- 발병 위험인자 ; 흡연(비흡연자보다 3배↑), 금속/나무 분진, 축산업, 디젤 배출 입자,
  유기용매, GERD에 의한 만성적 흡입인, TB/NTM, viral infections 등
  (c.f. 분진 노출과 관련된 IPF 환자들은 진단 연령이 낮으며 증상이 오래 지속됨)
- 발생기전 ; 면역기전, 상피세포 손상에 대한 치유과정의 이상
- ILD 환자의 진단에서 먼저 IPF와 다른 형태의 IIP를 감별하는 것이 중요함
  (∵ IPF가 특히 예후가 나쁘고 치료에 대한 반응이 안 좋으므로)

(2) 임상양상

- 서서히 진행하는 dyspnea, dry cough (진해제로도 조절 안됨), basilar inspiratory crackle
- pul. HTN, RHF, clubbing → 말기 소견
- BAL : neutrophil & eosinophil 증가 (lymphocyte 증가시 steroid에 대한 반응↑ → good Px)
- CXR : 양폐 하부의 망상(reticular) 음영
- 급성악화 : 감염성폐렴/심부전/패혈증 없이, 며칠~4주 사이에 dyspnea 악화, 새로운 diffuse
  opacities 발생, hypoxemia 악화 → 치료해도 사망률 높음
  (감염, 폐색전증, 기흉 등에 의한 이차성 급성악화도 발생 가능)

(3) 진단

- HRCT : 진단에 필수!, typical UIP (usual interstitial pneumonia) 소견을 보이는 경우
  양성예측도(positive predictive value, PPV)는 90~100%
  ⎡ 양폐 하부 주변부의(subpleural) 망상(reticular) 음영, 벌집모양(honeycombing)
  ⎣ peripheral traction bronchiectasis or bronchiolectasis도 동반 가능
  - 간유리음영(ground-glass opacities, GGO), 결절성(nodular) 음영, 폐 상부~중부 침범,
    폐문/종격동 림프절비대 등은 드묾! → 다른 진단도 고려 (e.g., HP)
- 조직검사 : HRCT에서 typical UIP가 아닌 경우 시행
  - UIP (usual interstitial pneumonia)의 조직병리소견

특징	폐의 주변부, 특히 흉막 직하 부위에 주로 나타남 병변 부위와 정상 부위가 섞여서 산발적으로 나타남 (heterogeneity) 여러 시기의 병변이 동시에 나타남 (temporal heterogeneity)
병변	Interstitial inflammation (lymphoplasmacytic cells 침윤, type 2 pneumocytes 증식) Fibroblastic foci (중심), honeycombing, dense collagen fibrosis, Smooth muscle hyperplasia

UIP 양상은 다른 질환에서도
관찰될 수 있기 때문에 특히
CTD-ILD, HP, 진폐증
(특히 석면폐증) 등과의
감별이 필요함

  - 급성악화(accelerated phase) = UIP + diffuse alveolar damage (ground-glass) 양상
  - SLB (surgical lung Bx.)가 원칙 ; 환자가 single-lung ventilation이 가능하면 개흉술보다는
    VATS (video-assisted thoracoscopy surgery) 기법이 선호되고, 2~3엽에서 multiple Bx.
    c.f. 다른 질환들을 먼저 R/O하기 위해 기관지내시경-TBLB를 우선 시행할 수도 있음
  - 조직학적 UIP/IPF의 약 30%는 HRCT에서 비전형적인 양상을 보일 수 있음

	UIP	Probable UIP	Indeterminate for UIP	Alternative Dx.
HRCT pattern	주로 늑막하, 기저부위의 망상음영(reticular) 및 honeycombing 견인성기관지확장증 동반可	주로 늑막하, 기저부위의 망상음영(reticular) 견인성기관지확장증 동반可 경미한 GGO 동반可	주로 늑막하, 기저부위의 경미한 망상음영 or GGO (early UIP pattern) 다른 질환의 소견 無	다른 질환을 시사하는 소견 예) cysts, nodules, 심한 GGO, 심한 mosaic, consolidation, 상~중엽
조직병리 소견 (SLB)	주로 늑막하/중격주위의 심한 섬유화 및 구조변형 ± honeycombing 폐실질의 비균질 침범 섬유모세포 병소(foci)	일부 UIP의 양상이지만 UIP로는 부족한 소견 & 다른 질환들의 소견 無 or Honeycombing만 존재	UIP와는 다른 양상의 섬유화 ± 구조변형 or 다른 질환을 시사하는 소견 UIP의 일부 소견 + 다른 질환을 시사하는 소견	다른 질환을 시사하는 소견 예) 섬유모세포 병소 無, 느슨한 섬유화, mosaic, 기도중심 섬유화, 육아종, 심한 GGO (늑막하×)

- 임상적으로 IPF가 의심되고 HRCT에서 UIP가 확실한 경우에는 다른 검사들(e.g., SLB) 없이 진단 가능
- HRCT에서 UIP가 확실한 경우 외에는 surgical lung biopsy (SLB) 시행 권장, 필요하다고 생각되면 BAL도 고려
  (transbronchial lung biopsy [TBLB]나 cryobiopsy는 근거 부족으로 권장 안됨)
- 다른 ILD와의 감별을 위한 MMP (matrix metalloproteinase)-7, SPD (surfactant protein D), CCL (chemokine ligand)-18,
  KL (Krebs von den Lungen)-6 등의 serum markers 검사는 권장 안됨

(4) 치료

- 면역억제치료는 권장 안됨 (∵ 효과 없고, 일부에선 morbidity & mortality↑)
- <u>antifibrotic therapy</u> (pirfenidone, nintedanib) : 폐기능 감소속도 완화 및 survival↑

  ┌ pirfenidone (Pirespa®) : TGF-β1, PDGF 등 억제를 통해 antifibrotic & antiinflammatory
  └ nintedanib : PDGF, VEGF, fibroblast growth factor 등의 receptors를 차단하는 TKI
- 물리치료 및 산소공급 : exercise tolerance↑ 및 pulmonary hypertension 발생↓ 가능
- <u>폐 이식</u> : 내과적 치료에 반응 없고 이식의 적응이 되면 시행, survival↑

  (but, 환자의 약 2/3가 고령으로 폐 이식의 상대적 금기임)
- 치료에 대한 반응 평가(F/U) : DL$_{CO}$, HRCT

(5) 예후

- 예후 매우 나쁨 : 3~5년 뒤 약 50% 사망 (진단 뒤 평균 2~4년 생존)
- 약 1/3은 심부전과 허혈성심질환으로 사망, 정상인보다 폐암 발병 위험 증가

  ┌ good Px : 50세 미만, 여성, 짧은 증상기간, 폐기능 보존, steroid 치료에 반응 (흡연은 논란)
  └ poor Px : 50세 이상, 남성, 긴 증상기간, 심한 dyspnea, FVC↓, DL$_{CO}$↓, honeycombing,
  　　　　　　fibroblastic foci↑, BMI↓, 6분보행검사↓, 동반질환(e.g., pul. HTN), 급성악화 등

- *** 급성악화** : IIP 중 IPF에서 가장 흔하고 심함
  - 급성(<30일) 호흡곤란 및 저산소증, HRCT에서 양측성 patchy GGO 및 consolidations
  - 대개 경험적으로 IV steroid (± cyclophosphamide) 치료
  - 치료해도 반응 나쁨 (사망률 >85%), 생존해도 재발↑ (재발시 거의 사망)

2. Nonspecific interstitial pneumonia (NSIP) 특발성비특이간질성폐렴

- IPF보다 10세 정도 낮은 연령에서 발생, 남<여, 비흡연자에서 호발, CTD에서도 흔히 관찰됨
- IPF와 비슷한 임상양상, subacute (~chronic)하게 진행
- HRCT : 양폐 하부 흉막하 ground-glass, reticular 음영 (honeycombing은 매우 드묾)
- BAL : lymphocytes가 증가되지만 (특히 cellular NSIP에서) 비특이적인 소견임
- biopsy (NSIP) : interstitial inflammation ± fibrosis (균일한 침범이 특징, 폐포의 구조는 보존됨!)

  ┌ cellular NSIP : 폐포벽의 만성 염증 세포 침윤이 주 → 약물치료에 반응 좋음
  └ fibrosing NSIP (더 흔함, 80~90%) : 폐포벽의 섬유화가 주
- 예후 좋다 (5YSR >70%), 대부분 steroid ± 면역억제제로 호전됨

3. Acute interstitial pneumonia (AIP, Hamman-Rich syndrome) 급성간질성폐렴

- 40세 이상에서 갑자기 (fever, cough, dyspnea) 발생하여 급격히 악화됨, 드묾
- 독감과 유사한 전구증상 (7~14일) 선행
- 대부분 moderate~severe hypoxia를 보이며 resp. failure 발생
- HRCT : 양측 대칭성 흉막하 diffuse patchy ground-glass opacities (GGO), 주로 하엽에
- 특징 : <u>ARDS의 임상양상 + 폐 생검 (diffuse alveolar damage, DAD)</u>

  → ARDS 중 원인을 찾지 못할 때 AIP라 함
- D/Dx : IPF의 급성 악화, DIP, ARDS, infection (특히 *P. jiroveci*, CMV), HP, AEP 등

- 치료 ; 보존적 (산소공급, lung protective mechanical ventilation)
  (steroid나 면역억제요법의 효과는 불확실하고, 폐이식은 아직 근거 부족)
- 예후 매우 나쁨 ; mortality >60%, 재발 흔함, 대부분 6개월 이내에 사망
  (일부 생존자의 경우 다른 IIP와 달리 폐기능이 정상에 가깝게 회복되고 재발도 드묾)

4. Cryptogenic organizing pneumonia (COP)특발성기질화폐렴

(1) 개요
- 조직학적으로 organizing pneumonia pattern을 보이며 이차적인 다른 원인/질환이 배제된 경우
  (과거 "BOOP [bronchiolitis obliterans with organizing pneumonia]"로 불리기도 했었음)
- 비교적 benign → 대부분 완전히 회복됨 / 50~60대에 호발, 남=여, 비흡연자가 많음
- 이차적으로 BOOP 양상을 보일 수 있는 경우 ; viral, bacterial, Legionella, Mycoplasma, HIV,
  toxic fumes, drug, CTD (특히 RA, DM/PM), IBD, RTx, MDS, BMT, bronchial obstruction)

(2) 임상양상
- 독감 비슷한 증상 (기침, 발열, 권태감, 피로, 체중감소)으로 시작, 2~3개월의 급성/아급성 경과
- crackles (rales)은 흔하나 (2/3), wheezing은 드물다 (1/3)
- cyanosis는 드물고, clubbing은 없다

(3) 검사소견/진단
- PFT ; restrictive pattern (20%에서는 obstructive), DL_{CO} 감소, (A-a)DO_2↑
- chest X-ray ; 양측성 반점형/미만성 alveolar opacities (주로 주변부를 침범)
  병변의 재발/이동(migrating lesion), 크기의 변화가 특징 (폐 용적은 정상)
- HRCT (IPF와의 감별, biopsy 위치 정하는데 도움) ; 기도 경화, ground-glass 음영,
  작은 결절성 음영, 기관지벽 비후/확장 → 양 폐 하부 주변부에 흔함
- BAL ; 세포수↑ (lymphocyte/neutrophil/eosinophil↑, macrophage↓), CD4/CD8↓,
  foamy macrophages
- lung biopsy ; 폐포와 폐포관 및 일부 세기관지 내부로의 육아조직소견(granulation tissue,
  organizing pneumonia pattern, Masson body), 세기관지 내강 폴립 형태도 동반 가능
  - cryptococcosis, Wegener's granulomatosis, lymphoma, HP, EP 등에서도 보일 수 있음
  - 수술(SLB)이 원칙이지만, 다른 IIP와 달리 기관지내시경(TBLB)도 가능

(4) 치료/예후
- Tx ; oral steroid (80% 이상 반응) → 반응 없으면 steroid + 면역억제제(e.g., azathioprine)
- 일부는 자연적으로 회복되기도 하며, 예후는 좋은 편임

5. Desquamative interstitial pneumonia (DIP)박리간질성폐렴
- 드물다 (ILD의 3% 미만), 40~50대 흡연자에서 발생 (흡연 이외의 분진도 가능), 남>여
- PFT ; 주로 mild restrictive 장애, DL_{CO}↓ (흡연에 의한 폐기종 동반시 obstructive도 가능)
- CXR/HRCT ; 양측성 diffuse ground-glass 음영 (폐 하부를 더 잘 침범)
- 조직소견 (RB-ILD와 비슷하지만 더 광범위함) ; pigmented macrophages의 폐포내 침착,
  pneumocyte hyperplasia, 현저한 interstitial thickening 등 (fibrosis는 경미함)
- 금연(m/i)과 steroid 치료에 대한 반응 좋다, 예후 좋음(10YSR ~70%)

6. Respiratory bronchiolitis-associated ILD (RB-ILD)호흡세기관지엽-간질성폐질환

- 보통 30갑년 이상의 <u>흡연력</u>을 가진 30~50대에서 발생 (거의 대부분 흡연이 원인)
- DIP의 일종으로 DIP보다 병변의 범위가 좁음
- PFT ; obstructive/mixed/restrictive 모두 가능
- HRCT ; bronchial wall thickening, centrilobular ground glass nodules, GGO 등
- 조직소견 ; peribronchiolar alveoli 내의 pigmented macrophage 침착이 특징
- 금연만으로도 대부분 회복됨, 사망률 거의 0%

■ 가습기살균제(humidifier disinfectant)에 의한 폐질환

- <u>가습기용 살균제</u>에 의해 발생된 폐질환 (우리나라에서만 분무 형태로 사용됨)
  ↳ 주로 PHMG (polyhexamethylene guanidine)가 문제
- 주로 2006~2011년에 발생 (약 240명 사망), 6세 이하와 임산부가 가장 많이 피해
- ALI (ARDS), AIP, HP, 천식 등과 비슷한 임상양상을 보임, 대개 subacute 경과
- PFT ; restrictive pattern, DL_{CO} ↓
- HRCT ; diffuse GGO (초기에), centrilobular nodules/fibrosis/bronchiectasis 등
- 조직소견 ; non-suppurative necrotizing & obliterative bronchiolitis, BOOP, interstitial fibrosis
  (granuloma나 hyaline membrane은 없음)

■ PLCH (Pulmonary Langerhans Cell Histiocytosis, = <u>Histiocytosis X</u>, Eosinophilic granuloma)

- 드문 cystic ILD, 20~40세 젊은 남성에서 호발, <u>흡연</u>과 관련!
- 임상양상 ; nonproductive cough, dyspnea, chest pain, weight loss, fever
  - 약 1/3은 무증상, 15~25%에서 recurrent spontaneous pneumothorax 발생
  - hemoptysis, DI (diabetes insipidus)도 드물게 발생 가능
- CXR 상 특징
  ① 경계가 불분명한 또는 별모양의 결절(stellate nodules) : 직경 2~10 mm
  ② 양측 diffuse reticular or nodular 음영
  ③ 폐 상부의 이상한 모양의 낭종
  ④ 폐 용적은 정상 or 증가, 종격동 림프절 종대 없음
  ⑤ costophrenic angle (CPA) 보존 (pleural effusion 없음)
- 진단
  - HRCT : 폐 상부의 multiple nodules & thin-walled cysts (폐 하부는 침범 안함)
  - PFT ; DL_{CO} ↓↓ (m/i), 다양한 정도의 restrictive pattern
  - BAL : CD1a & CD207 (+) Langerhans' cells (macrophages) ↑ (>5%)
  - TBLB : <u>Langerhans' cells</u>을 함유한 nodular sclerosing lesions
    ↳ 면역조직화학염색에서 S-100, <u>CD1a</u>, <u>langerin (CD207)</u>, HLA-DR 등 (+)

- HRCT와 bronchoscopic BAL/TBLB에서 진단이 불확실하면 surgical biopsy 필요
 (증상이 경미하거나 없으면 일단 금연 이후 3개월 뒤 HRCT F/U)
- 치료 : 금연 (→ 약 60%에서 임상적 호전을 보임)
 - 금연에도 호전이 없으면 steroid 6개월 이상 (→ nodular 음영을 가진 환자에서 더 효과적)
 - steroid에도 반응이 없으면 cladribine or cytarabine / 최후에는 폐이식
- 예후는 좋은 편 ; 대부분 지속/안정 상태 또는 점진적 진행을 보임 (사망률 약 10%)

결합조직병(CTD)과 관련된 ILD

* 폐 침범시 m/c 조직형은 <u>NSIP</u> (nonspecific interstitial pneumonia)
 (영상 소견으로 IIP와 CTD-ILD를 감별할 수는 없음)
* 많은 CTD-associated ILD 환자에서 폐 질환이 CTD의 초기, 주 or 유일한 증상임
 (→ 일부 환자는 발병시 CTD 자체의 진단기준에는 부족할 수 있음)

1. Systemic sclerosis (SSc)-ILD

- CTD 중 폐침범 m/c ; diffuse SSc의 약 50%, limited SSc의 약 30%에서 ILD 동반
- PFT (폐기능 이상은 ~70%에서 동반) ; restrictive pattern, DL_{CO} ↓
- <u>pulmonary HTN</u>, aspiration pneumonia (식도기능 이상), bronchogenic ca. 등도 동반 가능
 ↳ 단독 or ILD와 동반 가능, limited SSC에서 더 흔함, ILD와 함께 SSc의 주 사망원인
- autoAb. ; topoisomerase I (anti-Scl-70) 양성 환자의 85%에서 ILD 발생 (severity와도 관련)
- HRCT : NSIP (m/c, 80~90%) 및 IPF (10~20%) 양상 (COP, DAD 양상도 가능)
- lung bipsy : fibrotic NSIP (m/c) 및 UIP (IPF) 양상, aspiration 관련 변화 (∵ 식도기능 이상)
- Tx : cyclophosphamide (부작용↑), mycophenolate mofetil (MMF), HSCT, 폐이식 등

2. Rheumatoid arthritis (RA)-ILD

- RA의 19~44%에서 ILD 동반, 흡연 남성에서 더 흔함 (↔ RA는 여성에서 더 흔함)
- autoAb. ; RF 및 anti-CCP도 ILD 동반과 관련
- HRCT 및 biopsy ; UIP 양상이 m/c (50~60%, poor Px.), 기타 NSIP, OP, DIP도 가능
- 기타 pleurisy (± effusion), necrobiotic nodules (± cavity), Caplan's syndrome (rheumatoid pneumoconiosis), pul. HTN, upper airway obstruction (∵ crico-arytenoid arthritis) 등
- Tx : RA 자체의 치료(e.,g, DMARD, anti-TNF), steroid, MMF, rituximab 등 고려

3. SLE-ILD

- 33~50%에서 폐침범 ; pleuritis (± effusion)가 m/c, ILD는 3~9%로 드묾
 (ILD↑ : Raynaud's phenomenon, anti-U1 RNP, 손발가락경화증, 손톱주름모세혈관이상, 고령)
- 기타 atelectasis, diaphragmatic dysfunction, pul. vascular disease, pul. hemorrhage, uremic pul. edema, infectious pneumonia 등 (acute lupus pneumonitis는 드묾)

• 증상은 없어도 PFT (특히 DL_{CO}) 이상을 보이는 경우가 흔함
• HRCT 및 biopsy ; NSIP 양상이 m/c
• Tx : SLE-ILD의 치료 연구는 부족함 → steroid, azathioprine, MMF, rituximab 등 고려 가능

4. Idiopathic inflammatory myopathies (IIM)$_{DM/PM}$-ILD

• 20~78%에서 ILD 동반, 전신질환 발병 전 ILD가 먼저 나타나는 경우가 CTD 중 가장 많음!
• 다양한 임상경과 ; 무증상, 급격히 진행, 만성 경과 등 (ILD 동반되면 poor Px.)
• HRCT 및 biopsy ; NSIP 및 OP 양상이 많음, UIP, DAD (AIP) 등도 가능
• 아래의 경우 ILD 동반이 더 흔하고 심한 증상을 보임

- antisynthetase Ab(+) [antisynthetase syndrome, ASS)] ; myositis, fever, Raynaud 현상,
  ↳ anti-Jo-1 Ab   mechanic's hands (손가락 측면의 과각질성 가피), arthritis, progressive ILD
- anti-MDA-5 Ab(+) ; rapidly progressive ILD, vasculopathic skin ulcer
- anti-PL-12 Ab(+) ; HRCT에서 UIP 양상이 더 흔함, severe ILD
- overlap syndromes ; 다른 CTD의 임상양상도 동반한 경우
• 호흡근 약화로 인한 aspiration pneumonia도 발생 가능
• Tx : steroid ± 면역억제제(azathioprine, MMF, cyclophosphamide)
  → 반응 없으면 calcineurin inhibitors (tacrolimus), rituximab, 페이식 등 고려

5. Sjögren's syndrome-ILD

• 9~24%에서 폐병범, 보통 RA나 SLE처럼 질환의 말기에 나타나며 첫 징후로는 드묾
  (primary Sjögren's syndrome보다 secondary Sjögren's syndrome에서 ILD 동반이 더 흔함)
• 건조 및 기도분비결함이 주로 cough, hoarseness, bronchitis 등을 일으킴
• NSIP (m/c), lymphocytic interstitial pneumonitis, pseudolymphoma, COP (BOOP), bronchiolitis
• autoAb. ; anti-SSA, anti-SSB
• 대개 steroid or 면역억제제가 효과적임, 5YSR 84%

과민성 폐장염 (Hypersensitivity Pneumonitis, HP)
(= Extrinsic Allergic Alveolitis)

1. 정의/원인

• 감수성 있는 사람이 다양한 종류의 organic dusts를 반복 흡입함으로써 발생한 alveolar walls과
  terminal airways의 면역학적인 염증반응
• 가정 및 직업적인 노출과 관련이 많고 원인 물질에 노출된 사람 중 일부에서만 HP 발생 (1~6%),
  유전적인 감수성 관여, 주로 $3\mu m$ 이하의 미세 분진 흡입이 원인
• 원인 물질 ; 호열방선균/바킷살균(thermophilic actinomycetes)- m/c, 진균(e.g., Aspergillus), 원충,
  동식물의 분비물(단백질), 저분자 화학물질, 약물 등 다양함

- 관련 직업 ; 농부(Farmer's lung), 버섯재배자, 조류애호가 등
- 여름철에 호발하는 경향 (∵ 사료/풀의 습도↑, 조류항원 노출↑)
- 전세계적으로는 조류애호가 폐(bird fancier's lung)가 m/c, 농부 폐는 감소 추세
- 흡연자 : HP 발생 감소! (but, 흡연자에서 HP 발생시 progressive or severe HP로 될 가능성↑)

흔한 HP의 예	원인 항원	항원의 원천
집안 (기타 습한 환경)	*Penicillium* spp., *Trichosporon* spp., *Alternaria* spp., *Aspergillus* spp., NTM 등	주로 곰팡이 포자
가습기/에어컨 폐 (ventilation pneumonitis)	*Aureobasidium pullulans*, *C. albicans*, Thermophilic actinomycetes, 결핵균...	가습기/에어컨, 공조장치 등의 오염된 물
Japanese summer-type HP	*Trichosporon cutaneum*, *T. asahii*, *T. mucoides*	집먼지진드기(?), 조류의 배설물
농부 폐(Farmer's lung)	Thermophilic actinomycetes	곰팡이 핀 건초, 곡물, 저장 목초
조류 애호가/사육자 폐	잉꼬, 비둘기, 닭, 칠면조 등의 항원	조류의 배설물, 깃털
화학물질 취급 근로자 폐	Isocyanates (e.g., TDI)	우레탄폼, 광택제, 래커 → 도장공
기타 약물	Amiodarone, bleomycin, efavirenz, gemcitabine, hydralazine, hydroxyurea, isoniazid, MTX, paclitaxel, penicillin, procarbazine, propranolo, riluzole, sirolimus, sulfasalazine ...	

*Thermophilic actinomycetes ; *Micropolyspora faeni, Thermoactinomyces vulgaris, T. saccharrii, T. viridis, T. candidus*

2. 병인

- type III, IV hypersensitivity가 관여
- type III (immune complex-mediated) 관여하는 증거 (예전)
  - late response in skin and bronchi
  - late response with fever and leukocytosis
  - IgG 응집항체 출현
- type IV (delayed T cell-mediated) 관여하는 증거 (최근)
  : 항원에 대한 T_H1-mediated immune response
  (IFN-γ, IL-12, IL-18, IL-1β, TGF-β, TNF-α 등이 HP 발현에 관여)
  - BAL에서 macrophage, activated T-lymphocyte 증가
  - noncaseating granuloma
- blood eosinophilia나 IgE 상승은 드묾! (→ RAST나 skin test는 의미 없음) ★

3. 임상양상

- acute HP ; 노출 후 4~8시간 뒤에 발생, 보통 수일 이내에 소실
  - cough, fever, chill, myalgia, dyspnea, nausea
  - bibasilar crackles, tachypnea, tachycardia
- subacute HP ; 노출 후 수일~수주 뒤에 발생
  - exertional dyspnea, cough, fatigue 등이 서서히 나타남
  - 항원 노출이 지속되면 chronic form으로 진행 가능

- chronic HP ; 보통 6개월 (24주) 이상 지속, 다른 ILD와 비슷 (irreversible fibrosis 가능)
  - 지속적인 exertional dyspnea, cough, cyanosis, 체중감소 등이 나타남
  - 심하면 clubbing, pul. HTN 등도 발생 가능하고.. 폐 질환이 회복 안 될 수도 있음
- 검사소견 ; neutrophilia, lymphopenia (eosinophil은 대개 정상!)
  - ESR, CRP, RF, immunoglobulin 증가 (ANA는 음성)
  - resting hypoxemia도 있을 수 있음 (∵ 주로 V/Q mismatch 때문)

4. 진단

(1) 원인 항원에 대한 혈청 특이 침강항체 (IgG precipitating Ab) … 중요!
- 과거의 노출 상태를 반영 (현재의 진행 상태를 나타내는 것은 아님)
- ELISA 등, 특이도가 낮아 위음성이 많음, 국내에서는 시행 기관도 없음

(2) CXR : ILD pattern (HP에 특이적인 CXR 소견은 없음)
- acute or subacute HP ; micronodular or patchy/diffuse ground-glass 음영
- chronic HP : diffuse reticulonodular infiltrates

(3) HRCT : CXR보다 진단에 훨씬 도움
- 작고 경계가 불분명한 ground-glass 음영의 중심소엽성 결절 (→ 주로 하엽에),
  호기시 air trapping (→ mosaic attenuation)
- 만성 ; patchy emphysema가 더 흔하지만, interstitial fibrosis (IPF와 구별 어려움)도 나타날 수
- hilar or mediastinal lymphadenopathy는 관련 없음

(4) 폐기능검사
- restrictive pattern : lung volume 감소, FEV$_1$/FVC↑
  (chronic form에서는 obstructive pattern도 나타남)
- diffusing capacity (DL$_{CO}$)↓, (A-a)DO$_2$↑, compliance↓
- exercise-induced hypoxemia (∵ V/Q mismatch↑, diffusion 장애 악화)
- acute HP에서는 기관지수축 및 hyperreactivity도 때때로 동반됨

(5) BAL (bronchoalveolar lavage) … 비특이적이므로 진단에 큰 도움은 안됨
- lymphocytes의 심한 증가 (주로 CD8+ suppressor-cytotoxic T-cell → CD4/CD8↓) ★
- neutrophils : 급성기 및 노출 지속시 증가하지만, 노출이 중단되면 감소
- mastocytosis : dz. activity와 비례

(6) lung biopsy (triad) : 다른 검사들로 HP 진단이 불확실할 때 시행
┌ mononuclear bronchiolitis
│ 주로 lymphocytes, plasma cells으로 구성된 interstitial infiltrates
└ 불규칙적으로 분포하는 noncaseating (nonnecrotizing) peribronchial granuloma ★
- 드물게 COP (BOOP) 소견도 보일 수 있지만, vasculitis의 소견은 안 보임
- focal eosinophilic infiltrates도 관찰될 수 있음

■ 참고: Hypersensitivity Pneumonitis (HP)의 진단기준 (2017)

	Definte	Probable		Possible		Unlikely	
Antigen exposure ; 정확한 노출 병력 or 침강항체(specific IgG)+	○	○	×	○	○	×	
HRCT 소견 • Acute/subacute: 상/중엽의 small centrilobular nodules, GGO, lobular areas of decreased attenuation and vascularity • Chronic/fibrotic: 상/중엽의 fibrosis, peribronchovascular fibrosis, honeycombing, mosaic attenuation, air trapping, centrilobular nodules, relative sparing of bases	○	IIP에 가까운 소견		IIP에 가까운 소견		IIP에 가까운 소견	
BAL : Lymphocytosis >20% (often >50%) [X: Lymphocytosis 없음, (–): 미시행]	*항원회피에 반응하면 필요 없음	○	○	(–) or ×	×	(–) or ×	
				확진을 위해 lung biopsy 시행			

* 진단은 대부분 항원 노출 병력 (m/i), 원인항원에 대한 침강항체 증명, HRCT 등으로 가능
* BAL과 lung biopsy는 일부에서만 필요
* specific inhalation challenge (provocation test) : 표준화가 부족하고, 경험이 많은 병원에서나 가능
  - routine으로는 시행하지 않는다! → 조직검사가 불가능하거나 nondiagnostic인 경우 고려
  - HP와 다른 ILD를 감별할 때는 도움이 될 수 있음

5. 치료/예후

• 원인 물질(항원)에의 노출 회피 (m/i) : 원인 물질을 꼭 찾아야!
  - 노출 회피가 불가능하면 마스크, 환기시설 등을 이용하여 노출을 최소화
  - acute HP는 노출 회피로 대부분 자연 회복됨!
    (steroid : 회피가 불가능하거나, 회피 후에도 병이 진행되거나, 증상이 심한 경우 사용 가능)
• subacute or chronic HP → oral steroid (유병기간을 단축 가능)
• immunotherapy는 금기 (∵ IgE 관련 반응이 아니므로 예방효과 없음)
• 조기에 발견하여 원인 물질을 제거하면 예후는 매우 좋다

호산구성 폐질환 (호산구성 폐침윤, PIE)

1. 분류

Pulmonary infiltrates with eosinophilia (PIE)의 원인 ★

Primary (원인 모름)

Idiopathic Acute eosinophilic pneumonia (AEP)
Chronic eosinophilic pneumonia (CEP)
Eosinophilic granulomatosis with polyangiitis (EGPA, Churg-Strauss syndrome)
Hypereosinophilic syndrome (HES)

Secondary

원인이 알려진 호산구성 폐질환
  Asthma and eosinophilic bronchitis
  Allergic bronchopulmonary aspergillosis (ABPA)
  Bronchocentric granulomatosis
  Drug/toxins ; ASA, amiodarone, amitriptyline, ampicillin, ACEi, bleomycin, captopril, carbamazepine,
    daptomycin, gold, 요오드 조영제, L-tryptophan, methotrexate, minocycline, nitrofurantoin, NSAIDs,
    penicillamine, phenytoin, propylthiouracil, sulfasalazine, sulfonamide, 전갈 독, 금속 분진, 마약 흡인 등
  감염 ; 기생충(Löffler syndrome*, 분선충, 폐흡충, 사상충 등), coccidioidomycosis, RSV, TB(드묾) 등

PIE를 동반할 수 있는 폐질환
  Idiopathic pulmonary fibrosis (IPF)
  Hypersensitivity pneumonitis (일부에서 focal eosinophilic infiltrates or BAL fluid의 mild eosinophilia 동반)
  Cryptogenic organizing pneumonia (COP)
  Pulmonary Langerhans cell granulomatosis, 폐 이식 ...

PIE를 동반할 수 있는 전신질환
  Leukemia, Lymphoma, 폐암, 여러 장기의 adenocarcinoma or SCC
  Postradiation pneumonitis
  Sarcoidosis
  Rheumatoid arthritis
  Sjögren's syndrome

* Löffler syndrome : 기생충(회충, 십이지장충 등) 유충의 폐 통과에 대한 반응으로 발생하는 일시적인 PIE ,
  AEP와 유사한 임상양상을 보이나 증상이 경미하고, 이동성 폐침윤이 특징

⌈ eosinophilic pulmonary infiltrates (BAL에서 eosinophils 증가)
⌊ 말초혈액의 eosinophilia (>500/μL)

* asthma의 병력이 있는 경우 → ABPA, CEP, EGPA (Churg-Strauss syndrome) 등을 의심

2. Allergic BronchoPulmonary Aspergillosis (ABPA)

(1) 개요

- 대부분 20~40대의 extrinsic (allergic, atopic) asthma or cystic fibrosis (CF) 환자에서 발생
  ; 천식의 1~2% (만성 steroid 의존성 천식은 7~14%), CF의 2~9% (드물게 다른 질환도 가능)
- Aspergillus spp. (Aspergillus fumigatus가 m/c) Ag.에 대한 복잡한 과민반응
- type IV hypersensitivity, 만성화로 fibrosis를 일으키고 cystic fibrosis까지 일으킬 수 있음

(2) 임상양상/진단

ABPA의 진단기준 (2013)
Predisposing conditions	Asthma, Cystic fibrosis
Obligatory criteria (모두 만족)	*Aspergillus*에 대한 피부반응(+) or *Aspergillus*에 특이적인 IgE ↑ 혈청 total IgE 상승 (>1000 IU/mL)
Other criteria (2개 이상 만족)	*Aspergillus*에 대한 혈청 침강항체(+) or *Aspergillus*에 특이적인 IgG ↑ ABPA에 합당한 영상 소견 말초혈액 eosinophilia (>500/μ L)

- 잦은 악화를 동반한 천식 증상, cough 및 brownish mucus plugs (갈색점성객담) 동반 흔함
- CXR : 주로 상엽의 transient irregular pulmonary infiltrates, mucoid impaction, bronchiectasis
- HRCT ⋯ ABPA 진단에 거의 필수
  - <u>central (proximal) bronchiectasis</u> : 전형적인 소견! (약 1/3에서는 없을 수도 있음)
  - 기타 ; mucus plugs, high attenuation mucus, tree-in-bud 음영, atelectasis, GGO 등
- total IgE : 대부분 1000 IU/mL 이상 (정상: <430), 다른 기준을 만족하면 1000 이하도 가능
- *Aspergillus* 침강항체(precipitating Ab) : 90% 이상에서 (+)
- 객담 : "plugs" with eosinophils, Charcot-Leyden crystals, *Aspergillus* 배양(~2/3에서)
- 조직검사는 권장되지 않음
- 합병증 ; hemoptysis, severe bronchiectasis, pulmonary fibrosis

(3) 치료

- <u>systemic steroid</u> (oral prednisone) ; 천식에 대한 흡입치료제 사용에도 불구하고 증상 지속시
  → 2주 사용 뒤 3~6개월에 거쳐 감량 (∵ 장기간 사용시 부작용 위험)
- 항진균제(e.g., fluconazole, voriconazole) ; 급성악화시 or steroid 감량을 위해, 4개월 사용!
  (steroid와 함께 급성악화의 치료에도 사용 가능)
- monoclonal Ab to IgE (omalizumab) ; severe refractory ABPA (특히 CF 환자)에서 고려
- * inhaled steroid는 ABPA의 증상 예방에 효과 없음

3. 급성 호산구성 폐렴 (Acute eosinophilic pneumonia, AEP)

- 평균 30세에 발생, 남>여, asthma 병력 無
- 수일간의 급성 고열, 마른기침, 심한 호흡곤란 (호흡부전이 흔함, 대부분 ALI or ARDS로 진행)
- 유발인자에 노출된 적이 있는지 확인해봐야 됨! ; 흡연(특히 최근에 시작한 경우), 유해물질, 연기 등
  (pulmonary eosinophilia를 일으키는 것으로 알려진 감염, 약물 등은 제외하고)
- CXR/HRCT : 양측 폐의 미만성 침윤 (ground-glass or reticular opacities)
- 약 2/3에서는 소량의 pleural effusion 동반 (pleural fluid : pH↑, eosinophils↑↑)
- <u>BAL</u> : eosinophils >25% (진단에 m/i), GM-CSF↑, eotaxins↑, <u>IL-5↑</u>
- steroid에 극적인 반응을 보임(2~4주 투여), 일부는 자연 호전 가능(e.g., 흡연이 원인으로 금연시)
- 후유증 없이 완전 회복되며, 재발 안함 (→ 반응이 없거나 재발하면 다른 질환을 의심)

4. 만성 호산구성 폐렴 (Chronic eosinophilic pneumonia, CEP)

- 30~40대에 호발, 남<여, 대부분 비흡연 여성 (평균 45세), 수주~수개월 지속
- 약 2/3에서 asthma 선행이 동반 (intrinsic/nonallergic type), 60%에서 atopy 병력 有
  - ↳ 심한 경우가 흔함, 약 10%는 치료에도 불구하고 fixed airflow obstruction을 보임
- Sx. : productive cough, dyspnea, wheezing, low-grade fever, night sweats, weight loss
  - (AEP와 같은 급성호흡부전이나 심한 저산소증은 잘 발생 안함)
- Lab. : eosinophilia >30% (90%에서), IgE↑(약 1/2에서), ESR↑, hypoxia ...
- CXR/HRCT
  - bilateral peripheral or pleural-based opacities ("photographic negative of pulmonary edema")가 특징
    - (but, 약 25%에서만 관찰됨 → COP [BOOP], sarcoidosis, drugs 등과도 감별해야)
  - 폐 상부의 opacities (50%), migratory opacities (25%), air bronchogram, atelectasis 등
  - 사라졌다가 동일한 위치에서 재출현, oral steroid에 매우 빨리 반응
- PFT : restrictive (47%), obstructive (21%), normal (32%), DL_{CO}↓(50%에서)
- BAL : eosinophils >25% (평균 ~60%)
- 대개 biopsy는 필요 없음 (임상양상, HRCT, peripheral/BAL eosinophilia 등으로 진단)
- Tx. : systemic glucocorticoids (자연 호전은 드묾)
  - 치료 시작 48시간 내에 증상 및 CXR 소견이 급격히 호전됨 (but, 약 50% 이상에서 재발)
  - 대부분 6개월 이상의 장기 치료 필요, ~3/4은 몇 년 동안 치료 필요

5. Churg-Strauss syndrome (Eosinophilic granulomatosis with polyangiitis)

→ 류마티스내과 9장 참조

6. Hypereosinophilic syndrome

→ 혈액종양내과 4장 참조

ALVEOLAR FILLING DISORDERS

1. Pulmonary alveolar proteinosis (PAP)폐포단백증

- 정의 : 폐포 내에 비정상적인 alveolar surfactant (PAS+ phospholipoprotein) 물질이 축적된 것
  - (염증은 거의 없고 폐 구조도 잘 보존됨)
- 병인 : GM-CSF gene의 이상, GM-CSF에 대한 Ab (autoimmune dz.)
  - → alveolar macrophage의 기능 이상 → surfactant clearance 감소
- 30~50대에 호발, 남:여 = 2:1
- secondary PAP : 분진/용제 노출(e.g., silica, asbestos, tin, Cd, Mo, 시멘트), 혈액질환(e.g., MDS, leukemias, neutropenia일부 GM-CSF 사용과 관련), 면역결핍, 만성염증성질환, 만성감염 등
- Sx : exertional dyspnea, nonproductive cough, fatigue, weight loss, low-grade fever
  - (약 15%에서는 기회감염↑ ; Nocardia (m/c), 진균, 결핵균, CMV 등)
- Lab ; polycythemia, hypergammaglobulinemia, LD↑, lung surfactant protein A & D↑

- CXR ; 박쥐 날개 모양의 폐음영
- HRCT ; 지도 모양의 (고르지 못한) ground-glass 음영, interlobular septal thickening
- Dx ; TBLB, BAL ("milky" 폐포액, foamy macrophages, PAS+ material)
- Tx ; 전신마취 하에서 whole lung lavage (40~60 L) → 증상 완화 및 장기적인 효과
  (steroid는 기회감염을 증가시키므로 금기)

2. Diffuse alveolar hemorrhage (DAH)미만성폐포출혈

Diffuse alveolar hemorrhage의 원인	
혈관염(capillaritis) ; 염증성	Systemic vasculitides ; Granulomatosis with polyangiitis (Wegener granulomatosis), Microscopic polyangiitis, Eosinophilic granulomatosis with polyangiitis (Churg-Strauss syndrome), Cryoglobulinemia, Behçet syndrome, HS purpura, IgA nephropathy, Pauci-immune GN ... Rheumatic dz. ; MCTD, Anti-GBM (Goodpasture) dz., PM, APS, RA, SLE, SSc ... 기타 ; Isolated pulmonary capillaritis, Drugs (e.g., anti-TNF, carbimazole, hydralazine), HSCT (BMT), Acute lung transplant rejection, Infective endocarditis, Leptospirosis, UC ...
출혈	Anti-GBM dz. (Goodpasture syndrome)[→ 신장내과 참조], SLE, ITP, TTP/HUS, MS, Toxins, Drugs (e.g., 항응고제, glycoprotein IIB/IIIA inhibitors - abciximab 등) ...
미만성폐포손상	감염(ARDS를 일으킬 수 있는), 면역저하자에서의 기회감염, 폐경색, PM, SLE, AIP, OP, ARDS, RTx., Drugs (e.g., amiodarone, amphetamine, cytotoxic drugs, isocyanates, nitrofurantoin, sirolimus)
기타	Angiosarcoma, Choriocarcinoma, Epithelioid hemangioepithelioma, Metastatic RCC, TSC/LAM Pulmonary vein stenosis, Pulmonary veno-occlusive dz./pulmonary capillary hemangiomatosis ...

- hemoptysis, anemia, CXR에서 폐포 음영 등이 특징 / 기타 dyspnea, cough, chest pain 등
- 약 1/3은 hemoptysis 없음 → hemorrhagic BAL, Hb↓, new alveolar opacities 등이 진단에 도움
- Tx ; 원인에 대한 치료, systemic steroid (사용 전 반드시 감염 R/O)
  ↳ pulse methylprednisolone IV

Pulmonary Lymphangioleiomyomatosis (LAM)

- TSC-LAM : tuberous sclerosis complex (TSC) 일부, TSC 여성의 30%, 남성의 10%에서 발생, germline TSC mutations (*TSC1, TSC2*, AD 유전)
- S (sporadic)-LAM : TSC 없음, 드묾, 거의 대부분 젊은 여성에서 발생, 주로 폐를 침범, *TSC2* mutation (sporadic → 유전×)
  (c.f., TSC-LAM이 약 10배 더 많지만 경미함, 병원을 찾는 대부분의 경우는 S-LAM 임)

- 젊은 여성에서 emphysema, pneumothorax, chylothorax 등 발생시 의심
- chyloperitoneum, chyluria, chylopericardium, meningioma, renal angiomyolipoma도 동반 가능
  → tuberous sclerosis의 임상양상과 비슷할 수 있음
- PFT ; obstructive or mixed obstructive-restrictive
- HRCT ; 정상 폐 조직으로 둘러싸인 thin-walled cysts (2~20 mm 크기, 전 폐야를 침범)
  → cysts가 뭉쳐서 커짐, 진행될수록 cysts 많아짐

- Dx. ··· thoracoscopic or open lung biopsy
  ; atypical smooth muscle-like cells (<u>LAM cells</u>) 증식 및 multiple cysts formation
    → melanocytic markers (e.g., <u>HMB-45</u>) 및 muscle markers (e.g., actin) 양성
- Px. ; 과거 연구보다는 예후 좋음(transplant-free survival 23~29년), 임신시 악화될 수 있음
- Tx. ; 효과적인 치료법은 없음 (폐이식이 유일한 완치법이지만, 이식 후 재발 가능)
  - FEV₁ ≥70%면 경과관찰
  - FEV₁ <70%면 ⇨ mTOR inhibitor (<u>sirolimus</u>) : 폐 질환의 진행을 늦춤 (평생 투여)
    (sirolimus에 반응이 없으면 everolimus or 호르몬 조절제, 폐이식 등 고려)
  - 과거에는 호르몬 조절제를 사용하였으나, 현재는 확실한 근거가 없어 1차로 권장은 안됨
    (e.g., progesterone, tamoxifen, oophorectomy, androgen, LHRH analogs 등)
  - estrogen 제제는 금기임
  - spontaneous pneumothorax (약 50%에서 발생) → 처음 발생부터 pleurodesis 권장

유육종증/사르코이드증(Sarcoidosis)

1. 개요
- 원인을 모르는 multi-systemic inflammatory dz. (noncaseating granuloma의 존재가 특징)
  → 유전적으로 감수성이 있는 사람에서 감염 or 환경요인에 의해 유발?
    예) *Propionibacter acnes*, mycobacterial protein, insecticides, mold
- 20~40대의 젊은 성인에서 호발, 여자가 약간 더 많음, 주로 비흡연자
- 병인 : T helper 1 (T₁1, CD4+) cells과 과도한 면역반응
  → noncaseating epithelioid granuloma 형성, 정상 조직의 파괴

2. 침범장기/임상양상
(1) 폐 (m/c, 95%)
  - bilateral hilar lymphadenopathy (대부분에서 침범)
  - 폐실질 (well-defined noncaseating granuloma), 기도 (endobronchial sarcoidosis)
  - 대개 ILD (exertional dyspnea, dry cough) 양상을 보임, <u>폐 상부</u>를 주로 침범
  - 심한 경우에는 irreversible fibrosis, honeycombing으로도 진행 가능
  - PFT : 주로 restrictive pattern, DL_CO↓, 6분보행거리↓ 등 → severity 평가, F/U
  - 일부는 airway hyperreactivity도 보임 (methacholine 유발검사 양성)
  - PAH (5%) : 직접 혈관 침범 or lung fibrosis 때문
(2) 피부 (약 35%) ; <u>결절 홍반(erythema nodosum)</u>, maculopapular lesion (통증 無,)
  hyper/hypopigmentation, keloid formation, subcutaneous modules 등이 특징적인 소견
  - "lupus pernio" : 코, 눈 아래, 뺨 주위의 특징적인 침범 형태 (→ chronic sarcoidosis)
(3) 눈 (약 20%) ; <u>ant. uveitis</u> (m/c), iritis, retinitis, blurred vision, tearing photophobia, dry eye
(4) 흉부외의 LN (15%)

(5) 간 (13%) : biopsy는 1/2‧ 이상에서 침범 소견을 보이지만, 간기능이상은 20~30%에서만 나타남
  – ALP↑ (m/c), bilirubin↑ (→ advanced liver dz.)
  – 간내 담즙정체로 인한 portal HTN에 의한 증상 (→ ascites, varices)
  – 간경화가 발생해도 대개 약물 치료에 잘 반응함 (간이식은 거의 필요 없음)
(6) BM, spleen, CNS (e.g., lymphocytic meningitis), 심장, 신장 등도 드물게 침범 가능
(7) 비특이적인 전신증상 ; fatigue (m/c), fever, night sweat, weight loss
(8) 검사실 소견
  – CBC ; lymphocytopenia (m/c), mild eosinophilia, anemia (20%)
  – ESR↑, ALP↑, hyperglobulinemia, ACE↑, hypercalcemia or 24hr urine calcium level↑
  – RF or ANA : false (+)
(9) 영상검사 : CT가 더 예민하지만 staging에는 아직 chest X-ray를 선호함
  – **bilateral hilar lymphadenopathy (BHL)** : m/c, 특히 2 cm 이상이면 sarcoidosis 진단에 도움
  – parenchymal abnormality (reticulonodularity), pul. fibrosis 등
  – HRCT ; peribronchial thickening & reticular nodular changes (주로 subpleural)

Stage		자연관해율
I	BHL만 존재	55~90%
II	BHL + 폐침윤	40~70%
III	폐침윤만 존재 (extrapulmonary Cx은 m/c)	10~20%
IV	폐침윤 + bullae, cyst, fibrosis	0%

* BHL을 보일 수 있는 다른 질환들 ; lymphoma, 결핵, 폐암, brucellosis, coccidioidomycosis

3. 진단 및 평가

• 원인이 불확실하기 때문에 100% 확진할 수 있는 방법은 없음
• 임상양상, 영상검사, 조직검사 등을 종합하고 다른 질환들을 R/O한 뒤 진단 가능
• biopsy (확진) : "noncaseating (non-necrotizing) granuloma" → 다른 원인을 R/O해야 됨
  – 기관지내시경을 이용한 transbronchial lung biopsy (TBLB)를 m/c 이용
    → alveolar septa, bronchial walls, 혈관 주위에 주로 granulomas가 분포함
  – 기타 ; hilar nodes (mediastinoscopy), skin, liver, LNs, BM 등의 침범 장기에서 시행 가능
    c.f.) endomyocardial biopsy는 양성률이 낮음
• 혈청 ACE 상승 (2/3에서) : granuloma의 epitheloid cells에서 분비됨, sarcoidosis 양을 반영
  – acute dz.의 60%, chronic dz.의 20%에서 관찰
  – 특이적 소견은 아님 (asbestosis, silicosis, berylliosis, 속립성 결핵, Gaucher's dz., leprosy,
    histoplasmosis, hyperthyroidism 등에서도 상승 가능)
  – lymphoma에서는 대개 감소됨 → sarcoidosis와의 감별에 도움
• PET (or Gallium-67 scanning) : 침범된 장기의 uptake 증가
  ┌ panda sign : parotids & lacrimal glands의 uptake↑
  └ lambda sign : Rt. paratracheal & Lt. hilar area의 uptake↑

- BAL (bronchoalveolar lavage) … 간편하고, radiation 노출 없어 많이 이용
  : lymphocyte 증가, 대부분 helper (CD4+) T cell (CD4/CD8 ratio >3.5)
- skin anergy (tuberculin test에 음성) : 전형적 소견이지만 진단적이진 못함
- Kveim-Siltzbach skin test : sarcoidosis 환자의 비장 적출물을 IM, 4~6주 후 70~80%에서
  sarcoidosis-like 병변 보임 (상용화된 시약이 없어 현재는 거의 안 씀)

* HIV 감염때도 비슷한 소견이 나타나므로 sarcoidosis가 의심되는 환자는 반드시 HIV에 대한
  검사를 하여 HIV 감염을 R/O 하여야 함

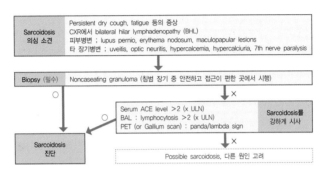

4. 예후

- 전체적인 예후는 좋음
- acute dz.의 경우 2~5년 이내 대부분 후유증 없이 자연 치유됨, 일단 자연 치유되면 재발은 드묾
- 소수에서만 progressive fibrosis & organ impairment 발생
- chronic dz.의 위험인자 ; 발병 시 CXR상 fibrosis, lupus pernio, bone cysts, 심장 or 신경 침범,
  hypercalcemia로 인한 신장 결석, 첫 6개월 이내 steroid 치료 필요시
- 가장 심한 Cx ; CNS 침범, 심장 침범(CHF, 심실부정맥 및 SCD)
- 사망률 약 5%, m/c 사망원인은 cor pulmonale (chronic pul. fibrosis에 의한)

5. 치료

- 증상이 없는 경우가 많고 자연 치유도 흔하므로, 치료 대상의 결정이 중요함
  (hilar & mediastinal adenopathy만 있는 경우에는 80~90%에서 자연 치유됨)
- 증상이 없거나 경미할 때는 경과관찰!
  (신경, 심장, 안구 침범, hypercalcemia 등은 systemic therapy 고려!)
- 단일 장기(non-vital) 침범 (only 눈 앞쪽, 피부, 기침) ⇨ topical steroid
- 여러 장기 침범 ⇨ systemic therapy : glucocorticoid (e.g., prednisone)가 TOC
  - 폐 ; BHL만 있을 때는 치료의 적응이 아니고, 폐질환 침범과 증상이 있어야 적용
  - 보통 6~12개월의 치료 기간 필요, 치료 반응은 임상양상 및 검사소견을 종합하여 판단
  - 치료 후 15~20%에서 재발
- steroid에 반응이 없거나, 감량이 어렵거나, 부작용 발생시 ⇨ 면역억제제 추가
  - cytotoxic agents (methotrexate, azathioprine, leflunomide, MMF) → 폐 및 기타 장기 침범시
  - minocycline, antimalarial drugs (hydroxychlorquine) → 피부 침범에 효과적
- refractory sarcoidosis : 위 치료들에 반응 없는 chronic dz.
  - anti-TNF agents (infliximab, adalimumab) : 효과적! (but, 결핵 재활성화 위험은 더 높음)
        → IGRA or skin test로 결핵 재활성화 여부 면밀히 감시해야
    (c.f., etanercept, golibmumab 등은 효과 적거나 없음)
  - 기타 : cyclophosphamide, hydroxychloroquine 등 (thalidomide, pentoxifylline는 사용×)
- 폐이식 : 치료에 반응 없는 폐 침범 말기에 고려 (이식 후 재발이 흔하나 대부분 경미함)

DPB (Diffuse PanBronchiolitis)미만성 범세기관지염

1. 개요

- 하기도(respiratory bronchioles)의 만성 염증성 질환, 정확한 원인/병인은 모름
- 유전적 요인
  - 극동지방 남자에서 호발 (남:여 = 2:1), 주로 20~50대에 발생, 서양은 드묾
  - HLA-Bw54(일본), -A11(한국)과 관련 (60~70%), DPB 발생 위험 13.3배 증가 → 진단에도 도움
- 관련 질환 ; sinusitis (80~100%), UC, hematologic malignancy
- 흡연과는 무관함 (2/3가 비흡연자)

2. 임상양상/진단

- Sx ; productive cough, sputum, severe (exertional) dyspnea
- 청진 ; crackles & rhonchi
- CXR ; 폐하부의 diffuse fine nodular shadows, hyperinflation
- HRCT ; small nodules, bronchiolar dilatation (세기관지 확장) → staging에 이용 (예후와 관련)
- PFT ; 주로 obstructive pattern (FEV$_1$/FVC↓, FVC↓, RV↑), DL$_{CO}$↓
- BAL ; neutrophil↑↑, CD4/CD8 ratio↓

- Lab ; IgA & IgG↑, RF (+), cold agglutinin (+), anti-mycoplasmal Ab (−)
- 조직소견 ; 주로 respiratory bronchioles의 염증세포 침착, bronchiectasis
- 객담검사 ; *H. influenzae* (초기), *P. aeruginosa* (후기, 폐 손상을 가속화시킴)가 흔함

DPB의 진단기준
1. Persistent cough, sputum, exertional dyspnea
2. Chronic sinusitis
3. CXR or chest CT에서 bilateral, diffuse, small nodular shadows (micronodules)
4. Coarse crackles
5. FEV_1/FVC <70% & PaO_2 <80 mmHg
6. Cold agglutinins ≥1:64
7. Lung biopsy : respiratory bronchioles의 염증, lymphocytes와 plasma cells의 침윤, lipid-laden "foamy" macrophages (foam cells)

진단: 1~3 모두 + 4~6중 2개 이상 만족 (호발 지역에서 조직검사는 필요 없음!)

3. 치료/예후

- 자연 경과는 점진적인 폐기능 악화 및 가끔씩 세균 감염 발생
- <u>macrolide</u> (TOC, 6~18개월) ; <u>low-dose</u> EM (400~600 mg/day), azithromycin, roxithromycin
  - 치료 효과는 항균작용이 아니라 항염증, 면역조절, 점액생산억제 작용 등 때문!
    ; neutrophil 억제, alveolar macrophages 탐식 자극, HLA-DR(+) T-lymphocytes 순환 감소, matrix metalloproteinase (MMP)-2 및 MMP-9 감소, LTB₄ 감소 ...

    ; neutrophil 억제, alveolar macrophages 탐식 자극, HLA-DR(+) T-lymphocytes 순환 감소, matrix metalloproteinase (MMP)-2 및 MMP-9 감소, LTB_4 감소 ...
  - 항균작용도 일부 기여 ; biofilm 형성 억제, *P. aeruginosa*의 flagellar 기능 억제
  - alveolar macrophages 내 농도가 매우 높기 때문에 (혈청의 400~800배) low-dose도 효과적임
- 기도 반응성 있으면 β_2-agonists or ipratropium bromide도 사용(mucociliary clearance 촉진)
- steroid는 효과가 있다는 근거가 부족하고 부작용 위험으로 권장 안됨
- Px ; HRCT 상의 severity 및 *P. aeruginosa*의 감염/치료 여부와 관련
  - low-dose macrolides 치료하면 good Px (10년 생존율 90% 이상)
  - 치료 안하면 5년 뒤 약 50% 사망, 10년 뒤 75% 사망

유지질 폐렴 (Lipoid pneumonia)

- 원인 ; 식물성(e.g., 들깨기름), 동물성(e.g., 상어간유), mineral oils (m/c) 등의 aspiration
  - 변비치료 또는 건강보조식품 내의 광유(mineral oil) 복용 → 폐로 흡인
  - nasal dryness의 치료로 mineral oil로 만든 비강점액제 (최근엔 생리식염수 사용으로 감소)
  - 비행기나 자동차의 mineral oil mist도 가능
- 임상양상 ; 대부분은 무증상
  - cough, exertional dyspnea
  - PFT ; restrictive ventilatory defect, compliance 감소
  - CXR ; air-space infiltrates (dependent portion에서 m/c)
  - 심한 경우 폐기능 감소와 폐섬유화 유발 가능

- 진단
  - 광유(mineral oil) 등 사용의 병력
  - sputum or BAL ; Sudan Ⅳ (or Sudan black, Oil red O) 염색에서 lipid-laden macrophages (확진)
  - CT ; mass or consolidation 부위의 fat 음영
- 치료
  - 원인 물질 노출 회피, 체위 배농, 기침 운동 (expectorant는 도움 안됨)
  - 심한 경우 ⇨ systemic steroid or whole lung lavage 고려

11
직업성 폐질환

진폐증(Pneumoconiosis)

• 정의 : 분진(inorganic dust)에 의해 발생한 폐질환

Agent	Disease	Radiographic Appearance
Asbestos	Asbestosis	Reticular, basilar predominance
Coal dust	Coal workers pneumoconiosis	Nodular, upper lobe predominance
Cobalt	Hard metal disease	Reticular, basilar predominance
Silica	Silicosis	Nodular, upper lobe predominance
Talc	Talcosis	Rounded, irregular, or both

1. 석면증(Asbestosis)

• 석면에 의해 발생한 ILD (pul. fibrosis), m/c 진폐증
• 원인물질 ; 석면(asbestos : 몇몇 무기규산의 총칭), 발암성은 청석면이 최대 & 온석면이 최저
• 관련직업 : 건물파괴/해체업 (단열제), 조선소, 자동차 브레이크패드, 석면 광산 (충남에 m/c) ...
    (남편 옷을 세탁한 주부나 건설현장 인근의 주민에서도 발생 가능)
• 노출의 정도와 기간에 비례 (대개 <u>10년</u> 이상의 중등도 이상의 노출이 필요)
• 증상(pul. fibrosis의 증상) ; cough, exertional dyspnea, crackle ...
• chest X-ray : pul. fibrosis, lower lobe의 honeycombing, irregular linear density
    – IPF와 비슷함 / 차이점 → <u>pleural plaque</u> (석면노출의 특징, 약 25%에서만 관찰됨)
• HRCT : irregular short septal lines, longer thicker parenchymal band, honeycombing
• PFT : restrictive pattern, DL_{CO}↓ (chest X-ray 소견에 비하여 폐기능 장애가 심하다)
• 조직검사 : papanicolau stain (asbestos body 관찰) ··· 진단에는 거의 필요 없음
• 치료 : 보존적 치료, 산소 공급, 금연, 페이식
• 노출 중단 후에도 병은 계속 진행됨!

■ **석면폐증(석면노출)과 관련된 질환**

(1) **흉막 질환(pleural diseases)**

- (calcified) pleural plaque (흉막판) : m/c, 대개 bilateral,
  석면 노출의 marker!, 노출 후 20~30년 경 발생,
  benign, 대부분 심각한 폐기능 장애는 일으키지 않음
- benign pleural effusion : 노출 후 10~15년경 발생,
  자연 소실도 가능

(2) **폐암(SCC or adenocarcinoma)**

- 석면 노출과 관련된 <u>m/c</u> cancer, 노출 후 <u>20~30년</u>경 발생 (노출량에 비례)
- 흡연시 발생위험 매우 크게 증가

(3) **흉막 및 복막의 악성 중피종(malignant mesothelioma)**

- 대부분(>80%) 석면폐증과 관련되어 발생
- 대개 노출 후 30~40년경 발생 (but, 적은 양의 노출 or 노출 1~2년 후에도 발생 가능)
- 흡연과는 관계없다! (but, 흡연 + 석면노출은 폐암 발생 위험↑)
- 대개 locally invasive (→ 대부분 local extension으로 사망), 최대 50%에서 전이도 가능
- 대부분 effusion 동반 (but, mediastinal shift는 없음) → 종양이 가려져서 안 보일 수도 있음
- CT ; 불규칙하게 두꺼워진 흉막 (주로 폐 기저부에서)
- 대개 VATS를 이용한 pleural biopsy를 통해 진단 (c.f., 흉수 cytology는 25%에서만 양성)
  ⇨ 특수염색 ; calretinin (+), cytokeratin 5/6 (+), CD15 [LeuM1] (−), CEA (−), B72.3 (−)
     (adenocarcinoma는 반대로 염색됨)
- Tx ; 효과적인 치료법이 없음, 진단 후 평균 8~12개월 생존
  ① 대증적 치료 ; opiate, O_2, pleural effusion 심하면 pleurodesis (talc) or pleurectomy
  ② 일부 localized dz. 환자에서는 수술을 시도해 볼 수도 있음
  ③ RTx ; 증상 조절 목적 or 수술 이후

  * benign mesothelioma ; 대개 크고 pedunculated, 치료는 수술

2. 규소폐증(Silicosis), chronic silicosis

- 원인물질 ; free silica (SiO_2, 유리 이산화규소) or crystalline silica (보통 석영[quartz] 형태)
- 관련직업 ; 광산, 터널공사, 건물기초공사, 채석장(특히 화강암), 암석가공/연마(특히 sandblasting),
  석공, 금속광업, 주물/주조, 고무나 도료, 도자기, 유리제조업, 시멘트 등
- chronic silicosis는 저농도의 규소에 장기간 노출시 발생, 노출 10~30년 이후
- **결핵**균 및 비결핵항산균(NTM) 감염 위험 2~30배 증가! (∵ alveolar macrophages에 cytotoxic)
  → 평생 결핵에 대한 F/U 필요 (잠복결핵도 더 강하게 치료해야)
- 기타 합병증 ; COPD, 자가면역성 결합조직질환(e.g., rheumatoid arthritis, scleroderma)
- 흡연 ↓ & 라돈 동시 노출↑ 등으로 폐암 발생위험은 높지만, 폐암과의 직접 연관성은 부족함
- chest X-ray
  ① silicotic nodules (작고 둥근 음영들)이 특징 … simple silicosis (이때 폐기능은 대개 정상)
    ; 처음엔 hilar LN에서 발생, 진행되면 폐 실질을 침범 (대개 bilateral, 폐 상부에 주로 발생)

② 폐문부 림프절(hilar LN)의 "eggshell" calcification (특징적, 약 ~20%에서 발견)
  : enlarged hilar LN with outer rim of calcification
③ PMF (progressive massive fibrosis) : 작은 결절들이 융합하여 큰(>1 cm) mass로 된 것,
  계속 진행하여 더 커지는 경우 흔함 … complicated silicosis

- HRCT : silicotic nodulation 파악 및 융합된 mass 조기 발견에 CXR보다 더 우수함
- D/Dx : 기관지내시경을 통한 폐 조직검사 or BAL에서 silica 발견되면 진단에 도움
  ↳ 폐암, 결핵 등과 감별 필요
- PFT : both obstructive & restrictive 장애, DL_{CO}↓
- pathology ; 양파 모양의 결절 형성 (concentric fibrous ring)
- 노출 중단 후에도 계속 진행하여 PMF로 될 수 있음!!
  (∵ free silica clearance↓, immunologic mechanism 진행, reaction to Tbc.)

* Acute silicosis (silicoproteinosis)
  – 단기간에 규소 함량이 높은 분진에 대량 노출시 발생 가능 (e.g., sandblasting), 노출 몇 개월 뒤
  – 임상양상 및 병리 소견은 pulmonary alveolar proteinosis와 비슷
  – CXR : bilateral diffuse ground glass opacities (miliary infiltration or consolidation)
  – HRCT ; "crazy paving" (두꺼워진 중격에 둘러싸인 다각형의 간유리 음영) 양상이 특징
  – Tx. ; 특별한 치료법 없음 (노출 중단 및 보존적 치료), steroid or whole lung lavage 시도 가능
  – Px. ; 매우 나쁨, 급격히 진행하여 4년 이내 사망 (결핵이나 진균 감염이 합병될 수도)

3. 탄광부 진폐증(Coal worker's pneumoconiosis, CWP)
  - 원인물질 : 석탄 분진
  - 관련직업 : 탄광(광부), 연탄공장 종사자
  - 흡연은 CWP의 발생 위험을 증가시키는 않지만, 폐기능 악화와 폐암 발생에는 기여 가능
  - coal macule → coal nodules (2~5 mm, 상엽에 분포) → PMF (progressive massive fibrosis),
    chronic bronchitis, COPD   *silicosis와는 달리 소수만(5~15%) PMF로 진행
  - PFT : obstructive + restrictive
  - 폐기능 장애에 비하여 chest X-ray 소견이 심하다
  ┌ simple CWP : 증상은 없고 방사선학적 이상 소견만 있음
  └ complicated CWP : PMF의 한 형태, DL_{CO}↓, 사망률↑
  - 노출이 중단되면 병은 계속 진행 안 한다
  - CWP 단독으로는 결핵 및 NTM 감염 위험은 증가하지 않고 폐암과의 관련성도 부족하지만,
    탄광에서 규소(silica) 등에도 노출되고 흡연율도 높으므로 결핵, 폐암 등의 발생률은 높음

* Caplan's syndrome
  ┌ sero (+) rheumatoid arthritis
  │ pneumoconiosis : CWP or silicosis
  └ PMF (progressive massive fibrosis) ; large pulmonary mass

4. 베릴륨증(Berylliosis), CBD (chronic beryllium dz.)

- 원인물질 − 베릴륨 ; 전자제품, 형광등, 합금, 금형, 정밀기계(비행기엔진 등), 원자로 등
- 노출 2~15년 뒤 증상 발생, type IV hypersensitivity (cell-mediated delayed)와 관련
- MHC class II marker (HLA-DPβ-1^{Glu69}) 존재시 발생위험 증가
- 임상양상은 sarcoidosis와 비슷함, (논란은 조금 있지만) 폐암 발생↑
- CXR ; ill-defined nodular or irregular opacities ⋯ sarcoidosis와 비슷함
  (hilar lymphadenopathy는 약 40%에서 관찰되지만 sarcoidosis보다 경미하고 드묾)
- PFT ; 초기에는 정상, restrictive and/or obstructive pattern, DL$_{CO}$↓
- 진단 ; 기관지내시경을 통한 폐 조직검사 (noncaseating granuloma, monocytic infiltration,
  beryllium-specific CD4+ T cells 침윤) or BAL (BeLPT)
  − beryllium lymphocyte proliferation test (<u>BeLPT</u>) ; blood or BAL fluid에서
  beryllium에 대해 lymphocytes 증식(specific delayed hypersensitivity) 확인
- 치료 ; 노출 중단, 보존적 치료, long-term steroid (일부 호전 가능)

c.f.) Acute berylliosis ; 짧은 시간에 다량 노출되면 급성 폐렴 증상

ORGANIC DUSTS

1. 면폐증(Byssinosis)

- 원인물질 − 면이나 그 밖의 섬유에 의한 먼지 ; 직물업 종사자
- 임상양상 ; "Monday chest tightness" (기침, 호흡곤란, 흉통 등)
  − 일주일중 일을 시작하는 <u>첫째 날</u> 일이 끝날 시간에 발생
  − <u>FEV$_1$</u> & FVC 크게 감소 (← direct bronchoconstriction)
  − 흡연시 증상 및 FEV$_1$ 감소 더 심함
  − 대부분 증상 발생 일(e.g., 월요일) 이후에는 증상이 없으나, 심한 경우엔 계속 증상 발생
- 발생위험↑ ; 오랜 시간 노출, 폐기능 감소, 호흡기 알레르기의 과거력, 흡연
- PFT ; obstructive pattern이 흔함
- 치료 ; 노출 회피/중단, bronchodilator, antihistamines (→ Monday chest tightness에 효과적)

2. 농부폐증(Farmer's lung)

- 노출요인 ; thermophilic actinomycetes
- 임상양상 ; hypersensitivity pneumonitis

→ 10장 간질성 폐질환의 HP 부분 참조

TOXIC CHEMICALS

Drugs에 의한 폐 증상

Asthma
β-blockers, aspirin, NSAIDs, acetylcysteine, histamine, methacholine, pentamidine (연무), any nebulized medication

Chronic cough
ACEi

Pulmonary infiltration
Eosinophilia 없음 ; amitriptyline, azathioprine, amiodarone
Eosinophilia 동반 ; sulfonamides, L-tryptophan, nitrofurantoin, penicillin, methotrexate, crack cocaine

Drug-induced SLE
Hydralazine, procainamide, isoniazid, chlorpromazine, phenytoin

Interstitial pneumonitis/fibrosis
Nitrofurantoin, bleomycin, busulfan cyclophosphamide, methysergide, phenytoin

Pulmonary edema
Noncardiogenic ; aspirin, chlordiazepoxide, cocaine, ethchlorvynol, heroin
Cardiogenic ; β-blockers

Pleural effusion
Bromocriptine, nitrofurantoin,
SLE를 일으키는 모든 drugs
methysergide, chemotherapeutic agents

Mediastinal widening
Phenytoin, corticosteroids, methotrexate

Respiratory failure
Neuromuscular blockade ; aminoglycosides, succinylcholine, gallamine, dimethyltubocurarine (metocurine)
CNS depression ; sedatives, hypnotics, opioids, alcohol, TCA, oxygen

폐질환별 직업/환경 원인

폐질환	직업/환경 요인
Asthma	Aeroallergens, organic dusts, chemicals (e.g., isocyanate), metals, and irritants
COPD	Cigarette smoking, cadmium
Bronchitis	Chronic dust inhalation
Granulomatous lung disease	Beryllium
Hypersensitivity pneumonitis	Organic dusts (동물성/식물성 항원), 미생물, 저분자화합물 (e.g., TDI), 금속가공유
Pulmonary alveolar proteinosis	Silica
ARDS	Noxious gases
Pulmonary fibrosis	Asbestos, silica, tungsten carbide, and paraquat
Bronchogenic carcinoma	Asbestos, bischloromethyl ether, and radon

→ 9장 기관지 천식의 직업성 천식 부분도 참조

공기 오염

오염물질	원인
이산화질소(NO_2)	석탄 및 석유의 연소, 공장, 자동차, 난방기구, 담배연기, 건축자재
아황산가스, 이산화황(SO_2)	석탄 및 석유의 연소, 제련, 기타 제조업
일산화탄소(CO)	석탄 및 석유의 연소, 자동차, 난방기구, 조리기구, 담배연기
이산화탄소(CO_2)	자동차, 공장, 사람의 활동
오존(O_3)	NO_2와 탄화수소로부터의 2차 형성, 프린터, 복사기 등
휘발성유기화합물(VOCs)	건축자재(카펫, 보드), 페인트, 가구, 의복, 화장품 등
포름알데히드(HCHO)	건축자재(카펫, 보드), 가구, 의복, 섬유, 담배연기, 화장품 등
미세먼지(PM_{10})	석탄 및 석유의 연소, 공장, 자동차, 거주자의 활동
초미세먼지($PM_{2.5}$)	자동차, 디젤엔진, 목재 연소, 공장
석면(asbestos)	건축자재(마찰재, 방화제, 보온단열재)

- **새건물증후군(Sick building syndrome), 새집증후군(Sick house syndrome)**
  - 사무실, 학교, 가정 등의 실내에 머무르면 피로, 집중력 장애, 두통, 메스꺼움, 근육통, 피부염, 눈/코/목/호흡기계 자극 등의 증상이 나타나고, 실외로 나가면 보통 소실됨
  - 기관지 감수성 등의 host factors도 관여
  - 원인물질 – volatile organic compounds (VOCs) 등
    : formaldehyde (HCHO), toluene, xylene, benzene 등이 대표적인 예

12
폐 혈전색전증

개요

1. 정의

- 폐색전증(pul. embolism, PE) : 체내 또는 체외 유입 물질이 폐동맥을 막아서 일으키는 질환으로 호흡곤란, 흉통, 저산소혈증 등의 소견을 보임
- 폐색전증의 90% 이상은 <u>심부 정맥혈전증(DVT)</u>이 원인
  (기타 원인 ; 지방, 종양세포, 공기, 양수, 정맥도관, talc 등)
- * 폐경색(pulmonary infarction)은 잘 안 생기는 이유 (10%에서만 infarction 동반)
  ; 폐의 산소 공급은 여러 군데에서 오기 때문에 (폐동맥, 기관지동맥, 기도 등으로부터)

2. 심부정맥혈전증 (deep vein thrombosis, DVT)

- m/c source : 골반과 하지의 deep veins(95%), venous valve 주위 및 intimal injury 부위에 호발
  - 골반 및 종아리(calf) 근위부의 DVT : 약 50%에서 폐색전증(PE) 발생
  - 종아리에 국한된 DVT : 폐색전증의 위험은 낮지만(5~20%), paradoxical embolism
    (동맥 순환계로의 색전증)의 m/c 원인
  - 상지의 DVT : 중심정맥도관(catheter), 심박동기 등의 사용 증가로 증가 추세
- 발생기전 (Virchow's triad)
  - (1) 혈류의 정체(stasis) ; 수술, 장기간의 부동자세(e.g., bed rest) 등
  - (2) 혈관벽의 이상 ; 골반/하지의 외상/수술, 수술 중 정맥의 micro tear
  - (3) 과다응고성향(hypercoagulability) ; estrogen, APS 등
- 임상양상 (초기에는 50%가 무증상)
  - 전체적으로 DVT 환자의 약 1/3에서 폐색전증(PE) 발생
  - PE 외에는 <u>정맥염/혈전 후 증후군(postphlebitic/post-thrombotic syndrome)</u>이 주증상 (25~50%)
    ; 만성 무릎 종창(swelling), 종아리의 종창 및 통증 (특히 오래 서 있은 뒤), 열감, 피부색 변화,
    매우 심한 경우에는 피부 궤양도 발생 가능 (특히 medial malleolus에 위치),
    측부(collateral) 표재정맥 확장 등
- DVT & pul. embolism 환자의 약 15%는 악성종양을 가지고 있음
- DVT 환자에서 유전성 혈전 성향(hypercoagulability) 검사를 해야 하는 경우
  - ① 40세 이전의 발병   ② 가족력이 있을 때
  - ③ unusual site (e.g., upper extremity, axilla)   ④ recurrent or massive DVT

Venous thromboembolism (DVT & PE)의 위험인자	
선행요인(predisposing factor) ★	**혈전성향증(thrombophilia)**
이전의 DVT 병력 장기간의 부동자세 ; 비행기 여행, 침상 생활, 뇌졸중, 척추손상 ... 수술 (30분 이상의 전신마취) 골반이나 하지의 수술/외상 CHF, MI, HTN, COPD 중심정맥도관 유치 악성종양 or 항암화학요법 임신 (특히 출산 시 C/S 뒤) Estrogen (경구피임약, HRT) DM, 비만, 흡연 고령 (70세 이상) * Alcohol은 아님!!	**후천적** Antiphospholipid antibody syndrome (APS) SLE, MPN (e.g., ET, PV), PNH, DIC NS, IBD, Behçet's syndrome Thromboangiitis obliterans (Buerger's dz.) **유전적** Factor V Leiden mutation Prothrombin gene mutation Hyperhomocystinemia Antithrombin III deficiency Protein C or S deficiency Abnormal fibrinogens Plasma fibrinolytic system의 이상

3. PE의 병태생리

(1) **폐혈관 저항의 증가** : 혈관 폐쇄 or 혈소판의 vasoconstrictors (e.g., serotonin) 분비 때문
   (→ 색전 이외의 부위에서 V/Q mismatching 유발 가능)

(2) **가스 교환의 장애**
  - 혈관폐쇄로 인한 alveolar dead space 증가
  - 폐쇄되지 않은 부분의 relative hypoventilation (V/Q mismatching), R-to-L shunt
  - 가스교환장벽의 소실로 인한 폐확산능(DL_{CO}) 감소

(3) 자극 수용체의 반사자극으로 인한 **alveolar hyperventilation**

(4) 하부 기도의 수축에 의한 **기도 저항 증가**

(5) **폐 탄성(compliance)의 감소** (∵ lung edema, hemorrhage, surfactant 소실)

* RV dysfunction : 폐혈관 저항↑ → RV wall tension↑ → "RV dilatation & dysfunction"
  → ┌ LV 이완기 장애 (LV filling↓) → LV 심박출량(CO)↓ → ischemia, collapse, death
     └ Rt. coronary artery 압박 → RV ischemia/infarction 유발도 가능

임상양상

1. 증상/진찰소견

- 갑자기 발생한 dyspnea (73%) 및 pleuritic chest pain (66%)이 주증상 (기타 cough, wheezing 등)
- tachypnea (≥20회/분), tachycardia (때때로 paradoxical bradycardia도 발생 가능),
  diaphoresis, low-grade fever ...
- hemoptysis는 드묾 (→ infarction 시만!)
- **massive PE** (→ pul. HTN → RV failure)
  - severe dyspnea, hypotension, syncope, cyanosis, edema
  - RV gallop, RV lift, P_2 증가, JVP상 prominent *a* wave, 경정맥 확장

- moderate~large PE : RV hypokinesis는 있지만 혈압은 정상
- 약 1/3에서는 전형적인 증상이 없음, 노인에서 모호한 흉통 호소시 반드시 ACS와 감별해야 됨 (chronic pul. HTN으로도 진행 가능)

폐경색(pul. infarction) 발생시의 소견
대개 폐주변부 흉막 부근의 small PE에 의해 발생
Pleuritic chest pain, cough, hemoptysis
Pleural friction rub, pleural effusion
Fever, leukocytosis, ESR 증가
CXR상 parenchymal infiltrates & pleural effusion

2. 검사소견

- leukocytosis, ESR ↑ (→ infarction시)
- ABGA (진단에는 도움 안됨) ; $PaO_2\downarrow$, $PaCO_2\downarrow$, "respiratory alkalosis", $(A\text{-}a)DO_2\uparrow$ (∵ hyperventilation)
- cardiac biomarers ; troponin↑ (∵ RV microinfarction), BNP↑ (∵ myocardial stretch)
  → PE의 주요 합병증 발생 위험 증가 및 나쁜 예후를 시사
- EKG : sinus tachycardia (m/c) 외엔 대부분에서 정상
  * massive PE
    - RAD, tall peaked P wave (acute pul. HTN 소견)
    - ST-T change, RBBB (RV strain 소견)

3. 감별진단

- PE와 임상증상이 비슷한 다른 질환들이 많으므로 반드시 R/O!
- ACS (UA, AMI), CHF, pericarditis, primary pul. HTN
- pneumonia, bronchitis, COPD exacerbation, asthma, pleurisy
- rib fracture, pneumothorax, 근골격계 통증 (e.g., costochondritis)
- 악성종양, 복부질환(e.g., 급성 담낭염, 비장 경색)
- herpes zoster, hyperventilation syndrome, 불안 ...
  * DVT의 D/Dx ; ruptured Baker's cyst (갑자기 심한 통증), cellulitis (오한), postphlebitic syndrome에 의한 venous insufficiency 악화

진단

1. DVT에 대한 검사

- D-dimer (latex immunoassay, quantitative ELISA)
  - low clinical probability 일 때 DVT 및 PE R/O위해 가장 먼저 시행
  - 500 ng/mL 이상이면 DVT/PE 진단에 sensitive (DVT >80%, PE >95%)

→ negative predictive value 매우 높음 (거의 100%) → 정상(<500)이면 DVT/PE R/O 가능!
- 발생 1주일 후까지 상승되어 있음
- nonspecific (specificity 40~60%)한 것이 단점!
- false(+) : 고령, 최근의 수술/외상, 입원, 급성 질환, 임신/출산, 류마티스질환, 악성종양,
  신부전(eGFR <60), 모든 감염/염증성 질환 (MI 등 arterial thromboembolic dz. 때도↑)

• 하지 정맥 US : real-time Doppler ("duplex") 등
- 증상이 있는 근위부 정맥의 DVT 검사시 sensitivity & specificity 각각 95%
- DVT 진단 : 정맥의 compressibility 감소/소실이 m/i 소견
- thrombus 확인 : homogeneous, low echogenicity
- Doppler : 종아리를 누르면 정맥 혈류 약해짐 (정상에서는 강해짐), 호흡에 따른 변화 소실
- 증상이 없거나, 대퇴 하부 환자에서는 민감도가 떨어짐
- PE 환자의 약 1/2에서는 US 정상 → US 정상이라도 DVT/PE를 R/O 못함
  (∵ clot이 이미 폐로 떨어져 나갔거나, 골반 정맥 내에 존재)
• 기타 영상검사 : MR or CT venography, invasive phlebography (venography)

2. Chest X-ray

• normal (m/c) → 호흡곤란 환자에서 CXR가 정상이면 반드시 PE를 R/O해야!
• 이상 소견은 대부분 경미하고 대체적으로 진단에 도움 안됨 ; 무기폐, 폐침윤, 흉막삼출 등
• Westermark's sign : 국소 혈관의 감소/소실로 비정상적인 방사선투과성을 보임
• Hampton's hump : diaphragm 위의 peripheral wedge-shaped density
• Palla's sign : Rt. descending pul. artery의 비대

3. Chest CT

• V/Q lung scan을 대신하여 PE 진단에 주로 이용됨 (first imaging choice!)
• contrast-enhanced spiral MD-CT (CT pulmonary angiography/arteriography, **CTPA**)
- invasive angiography보다 더 해상도 높음 (폐동맥의 6번째 분지까지 확인 가능)
- 심장도 촬영되어 예후 평가에 유용 (RV enlargement가 있는 경우 사망률 5배)
- 폐동맥 촬영후 바로 하지의 DVT도 진단 가능 (정확도는 US와 비슷)
- triple R/O CT : 흉통의 주요 원인인 PE, ACS, AAS (acute aortic syndrome) R/O 가능
- 다른 비혈관성 질환도 발견 or R/O 가능 (e.g., 폐렴, 폐기종, 폐침윤화, 종양, 대동맥 질환 등)
• PE의 소견 ; 폐동맥 내의 filling defect and/or thrombus (조영증강 안됨),
  막힌 부위 이전의 폐동맥 확장
• CT 결과 nondiagnostic or 시행× → lung scan 시행 (→ nondiagnostic이면 하지 초음파 시행)

* MRI ; MRPA (MR pulmonary angiography) : PE의 진단 정확도는 1세대 CT와 비슷
- PE (large, proximal)와 DVT를 동시에 발견 가능
- 신독성이 없는 gadolinum 조영제 사용 (→ 신부전 or 조영제 allergy 환자에서 시행)
- 우심실 기능도 평가 가능 (→ PE의 진단 및 혈역학적 평가 가능)
- 단점 ; 불안정한 환자에서는 시행하기 어려움

4. 환기관류폐주사 (Ventilation-Perfusion Lung Scan)

- 과거에는 PE 진단에 가장 많이 이용되었으나, 대부분 CT (CTPA)로 대체되었음
  (신부전 or 조영제 allergy로 CT 검사가 불가능할 때 CT 대신 이용!)
- normal → PE 배제 가능, 추가적인 검사 불필요
- high-probability → specificity는 매우 높으나 (97%), sensitivity가 낮음 (41%)
- 진단에 도움이 되는 경우 (normal or high-probability)는 40% 미만,
  나머지(low or intermediate probability)는 다른 추가검사가 필요함(nondiagnostic)!
- clinical probability는 높지만 low-probability scan으로 나온 경우의 약 40%에서
  혈관조영술상 PE 존재
- PE → mismatched defect (ventilation이 정상인 부위의 perfusion defect)
- false (+) ; COPD, 천식, 폐렴, 무기폐, 기흉, 폐기종..

5. 폐혈관조영술 (pulmonary angiography)

- PE 진단에 gold standard 였었지만 chest CT로 대치되었음
- invasive하고, 조영제를 사용하며, 기술적으로 어려워 거의 이용 안됨
- 이용되는 경우
  ① 기술적으로 CT를 시행하기 어려운 환자
  ② 폐동맥 4~5번째 분지의 관찰이 불가능한 구형 CT
  ③ catheter embolectomy or catheter-directed fibrinolysis 등의 중재시술 예정인 환자
- 폐색전증(PE)의 소견
  ① intraluminal filling defect (m/c)
  ② abrupt cutoff of vessels, segmental hypoperfusion, slow filling ...

6. Echocardiography

- AMI, pericardial tamponade, aortic dissection 등 PE와 증상이 비슷한 질환의 R/O에 유용
- PE의 치료 방침 및 예후 결정에도 중요!
- RV strain or pr. overload (PE의 30~40%) ; RV 크기↑, RV 기능↓, TR, 중격운동이상 등
  ↳ 혈역학적으로 안정해도 (혈압 정상이라도) fibrinolytic therapy or embolectomy 시행
- PE의 간접적인 징후 ; McConnell's sign (RV free wall hypokinesia & normal RV apical motion)
- TEE ; large proximal PE를 직접 볼 수 있음 (TTE는 PE의 직접 확인은 거의 불가능)
  → CT를 시행하기 어렵거나 CT/scan에서 진단이 안된 경우 시행

* 결론적으로 "clinical probability"를 평가하여
  ┌ Low probability DVT or Unlikely PE인 경우에만 D-dimer 검사를 시행하며
  └ 이외의 (DVT/PE가 의심되는) 경우는 D-dimer 검사의 의미가 없으므로 (∵ specificity 낮음)
     영상검사(leg US or chest CT)를 바로 시행함!

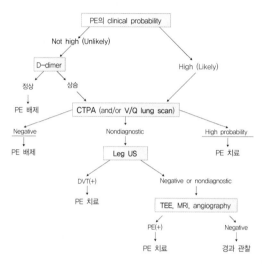

■ **PE의 clinical probability (Wells' score)**

변수	점수
DVT의 증상 및 징후	3
다른 질환들보다 PE가 더 의심되는 임상양상	3
빈맥(심박수 >100회/분)	1.5
3일 이상의 부동자세 or 최근 4주 이내의 수술	1.5
PE or DVT의 과거력	1.5
객혈	1
악성종양	1

PE probability
(Wells' criteria)

High >6점
Intermediate 2~6점
Low <2점

Simplified PE likelihood
(Modified Wells' criteria)

Likely >4점
Unlikely ≤4점

■ **DVT의 clinical probability (임상양상)**

변수	점수
악성종양	1
마비, 불완전마비, 석고붕대고정	1
3일 이상의 부동자세 or 최근 12주 이내의 수술	1
심부정맥 분포 부위의 국소 압통	1
하지 종창(부기)	1
한쪽 종아리 종창(부기) >3 cm	1
오목부종(pitting edema)	1
측부(collateral) 표재정맥 확장 (nonvaricose)	1
다른 질환이 의심되는 임상양상	-2

DVT probability

High ≥3점
Intermediate 1~2점
Low ≤0점

Low probability → D-dimer 검사 먼저 시행 (→ 높으면 영상검사 시행)
Not-low probability → 영상검사(leg US) 시행

■ **Massive (or High-risk) PE의 정의**

: 폐 혈관의 반 이상을 침범하여 혈역학적으로 불안정한 PE

Massive or high-risk PE = 혈역학적으로 불안정한 PE (5~10%)	Hypotension (15분 이상동안 systolic BP <90 mmHg or 이전보다 40 mmHg 이상 하락 or vasopressors 또는 inotropic support가 필요한 경우) : sepsis, arrhythmia, LV dysfunction, hypovolemia 등 PE 이외의 원인은 배제 Pulselessness or 지속적인 서맥(<40 bpm)이면서 shock의 증상/징후가 있는 경우
Submassive or intermediate-risk PE (20~25%)	혈역학적으로 불안정한 PE의 기준에는 미흡한 hypotension or RV dysfunction을 동반한 PE
Low-risk PE (65~75%)	Small, mildly symptomatic or asymptomatic PE → 예후 매우 좋음

치료

- primary therapy ; fibrinolysis, embolectomy
- secondary prevention ; anticoagulation, IVC filter

• 대부분 PE는 자연 용해되므로, 치료 목표는 PE의 재발 방지 (secondary prevention)

★ **고위험군** ⇨ primary therapy (e.g., fibrinolysis)도 필요

① 혈역학적으로 불안정한 (저혈압) massive PE

② RV dysfunction (sub-massive PE)

③ RV microinfarction (troponin↑)

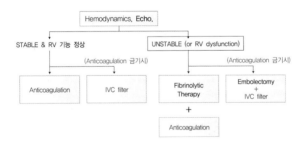

1. 항응고제 (anticoagulation)

: 더 이상의 새로운 혈전 형성 억제

(이미 형성된 혈전을 직접 녹이지는 못함 → 저절로 organization or dissolution 됨)

(1) 비경구(parenteral) 항응고제 (UFH, LMWH, fondaparinux)

• DVT or PE가 의심되는 모든 환자에서 즉시 투여, 5~7일 사용

(massive PE or severe iliofemoral DVT의 경우는 약 10일 사용)

- unfractionated heparin (UFH)
  - aPTT로 monitoring : 정상 상한치의 2~3배로 유지
  - 반감기가 짧음 (몇 시간 뒤면 효과↓) → 목표 aPTT 유지 어려움, 잦은 채혈 필요
    (→ surgical embolectomy 같은 침습적 시술 때는 유용)
  - 다른 제제들보다 부작용이 많음 (e.g., heparin-induced thrombocytopenia)
- Low Molecular Weight Heparin (LMWH) ; enoxaparin, dalteparin, tinzaparin
  - bioavailability 우수 : dose-response 관계 예측 가능, 반감기 길어 하루 1~2회 피하주사 가능
    → 대부분 aPTT monitoring 및 용량 조절 필요 없음
    (but, 신부전 환자 및 심한 비만에서는 감량 필요, C_{Cr} ≤30이면 금기 → UFH 권장)
  - UFH보다 심각한 출혈 및 사망률 29% 감소
  - thrombocytopenia와 osteopenia의 부작용도 매우 적다
- fondaparinux (indirect Xa inhibitor) ; 하루 1회 피하주사 (monitoring 필요 없음),
  heparin-induced thrombocytopenia 안 일으킴, 신부전시에는 감량 필요
- UFH, LMWH, fondaparinux 등의 DVT 예방 효과는 비슷함
- 부작용
  ① hemorrhage (m/c) → 위중하면 protamine sulfate 투여
  ② heparin-induced thrombocytopenia (immune, IgG-mediated)
    ⇨ direct thrombin inhibitor 사용 ; argatroban, bivalirudin, lepirudin 등
  ③ osteopenia ; 1개월 이상 장기간 투여시 발생 가능, 비가역적
  * 임신 ; UFH, LMWH는 태반을 통과하지 않으므로 안전하게 사용 가능
    (fondaparinux는 소량 통과 가능성이 있으므로 heparin을 사용하지 못할 때만 사용)

(2) 경구 항응고제 (warfarin) : vitamin K 의존성 항응고제
- 처음 5~7일간은 비경구 항응고제와 병용해야 됨
  - 이유 ┌ warfarin이 실제로 항응고 효과를 나타내려면 5~7일 필요
        └ warfarin 투여 초기에 protein C, S가 먼저 감소하여 hypercoagulability를 초래 가능
- PT로 monitoring : INR 2.5 (2.0~3.0)로 유지
  - 출혈 위험이 높은 경우는(e.g., 노인, 위장관출혈 과거력) 6개월 뒤 INR 1.5~2.0 유지
- 용량 조절 ; 1/2 이상은 연령, 성, 체중, 병용 약물, 동반 질환 등에 의해 용량을 조절하게 됨
  - 유전적 변이에 따른 용량 조절(e.g., CYP2C9, KORC1 → 저용량으로 투여 시작)
  - PT:INR 자가측정기(POCT)로 스스로 용량을 조절한 환자군이 적절 INR 유지에 더 성공적
- 부작용
  ① bleeding (m/c) → vitamin K, FFP, 심하면 prothrombin complex concentrate 등으로 치료
  ② alopecia (출혈 이외의 m/c Cx)
  ③ skin necrosis (protein C 감소 때문), osteoporosis (vitamin K 억제 때문)
  ④ teratogenic ; 임신 6~12주 때 위험 최고 (출산 후나 수유 시에는 안전!)

(3) 새로운 경구 항응고제 (novel oral anticoagulants, NOACs) : non-vitamin K antagonists
- 고정 용량으로 투여, 복용 몇 시간 이내에 항응고 효과 발생, monitoring 필요 없음
- 약물상호작용 및 출혈 부작용도 warfarin보다 적음, 임신 중에는 피함

- indirect factor Xa inhibitors
  - betrixaban : 급성 질환 입원 환자의 venous thromboembolism (VTE) 예방에 허가 (FDA[2017])
  - rivaroxaban, apixaban : DVT 및 PE의 초기 & 유지 치료에 monotherapy로 허가
  - edoxaban : VTE에서 5일간의 비경구 항응고제 치료 이후 유지 치료에 허가
- direct thrombin inhibitor (dabigatran) : 〃 비경구 항응고제 치료 이후 유치 치료에 허가

* DVT & PE의 anticoagulation은 3가지 방법이 있음

비경구 항응고제(UFH, LMWH, fondaparinux) 5~7일 병용 후 → warfarin으로 전환 (전통적, 사용 감소 추세)
비경구 항응고제 5일 → NOAC (dabigatran, edoxaban) 유지요법
NOAC monotherapy : rivaroxaban (3주), apixaban (1주) 부하용량 투여 후 유지요법

c.f.) Heparin (UFH, LMWH)으로 유지요법을 해야하는 경우 ; 임신, active cancer (VTE 재발 예방에 더 효과적)

(4) 치료 기간

- 수술, 외상, estrogen (e.g., 경구피임약, 임신, HRT) 등에 의해 발생한 PE는 (provoked VTE)
  재발률이 낮으므로 보통 3~6개월의 치료로 충분함
  - 상지 or 종아리에 국한된 단일 DVT → 3개월
  - 하지 근위부의 DVT → 3~6개월
- 암 환자에서 발생한 VTE → warfarin 없이 LMWH만 암이 완치될 때까지 계속
- idiopathic VTE, unprovoked VTE, recurrent VTE, APS (anticardiolipin Ab level이 중등도↑)
  등은 치료 중단 시 재발률이 높으므로 평생 항응고제로 치료함
  ⇨ INR 2~3 유지 or 첫 6개월 이후에는 INR 1.5~2 유지
  (재발 위험이 낮고, 특히 장기 항응고제 치료가 어려운 경우에는 표준 항응고제 이후 저용량 aspirin도 가능)
- 장시간 비행기 여행은 unprovoked VTE에 해당함 (잠복기-재발로 이어지는 만성 질환으로 보임)
- factor V Leiden, prothrombin gene mutation 등은 recurrent VTE의 위험이 높지 않음

2. IVC filter (interruption)

- Ix ① 항응고제/혈전용해제의 금기시 (e.g., active bleeding, CVA) ┐ 주요 적응
  ② 충분한 항응고제 치료에도 불구하고 PE 재발시 ┘
  ③ thrombolysis를 하지 못하는 Rt-HF 환자에서 PE 재발 예방시
  ④ fatal PE 발생 고위험 환자의 예방적 치료 (e.g., extensive DVT, chronic pul. HTN)
- 국소마취 후에 jugular / femoral vein을 통해 경피적으로 filter 삽입
- Cx ; 대정맥 혈전, DVT 발생률↑ (→ 가능하면 anticoagulation도 병행)
- retrievable filter : 일시적인 VTE/PE 발생 위험이 높은 환자에서 사용 가능
  (e.g., perioperative PE의 과거력이 있는 환자가 비만 치료 수술을 받을 때, ICU 입원 환자)
  예) Angel® catheter : (fluoroscopy 없이) US 하에 femoral or int. jugular vein을 통해 삽입
  가능하고, 필요 없어지면 쉽고 안전하게 제거 가능

3. 혈전용해치료 (fibrinolytic/thrombolytic therapy)

- recombinant t-PA (alteplase, m/c), urokinase, streptokinase 등
- RV failure를 단기간에 호전시켜 PE에 의한 사망 및 재발을 감소시킴
  (PE 발병 후 14일까지 혈전용해치료에 반응 가능)
- 효과
  ① 폐동맥을 막고 있는 혈전을 용해시킴
  ② pul. HTN을 악화시킬 수 있는 neurohormonal factors (e.g., serotonin)의 분비 예방
  ③ 심부정맥의 혈전을 용해 → PE 재발 감소
- 적응증
  ① <u>혈역학적으로 불안정한 massive PE</u> … FDA의 유일한 적응
  ② <u>severe or worsening RV dysfunction</u>이 동반된 submassive PE
  ③ 기타 ; cardiopulmonary arrest (소생술 뒤 BP >90 mmHg), extensive clot burden
     (e.g., large perfusion defects, 대량의 iliofemoral DVT), RA/RV 내의 free thrombus 등
- thrombolytic therapy와 함께 대개 항응고제도 투여함 (반감기가 짧은 UFH 권장)
- 출혈이 m/i 부작용 ; major bleeding (10~20%), 뇌출혈(2~3%)
- <u>fibrinolytic/thrombolytic therapy의 금기</u> ⇨ embolectomy!

Absolute C/Ix	Relative C/Ix
Active internal bleeding	Major internal bleeding (6개월 이내)
Intracranial hemorrhage 병력	HTN (>180/110 mmHg), Aneurysm
3개월 이내의 ischemic stroke	3개월 이전의 ischemic stroke
최근의 뇌/척추 수술	Trauma, invasive procedure or surgery (10일 이내)
최근의 골절을 동반한 두부 외상	최근의 closed-chest CPR
출혈성 소인	최근의 noncompressible vessel의 puncture
	Active or infective endocarditis, pericarditis
	75세 이상, 임신/분만 10일 이내, Diabetic retinopathy

- thrombolysis의 금기/실패, 동반질환/고령 등으로 surgical embolectomy가 힘든 경우에는
  <u>catheter-directed [low-dose] thrombolysis (CDT)</u> (systemic thrombolysis보다 출혈 부작용 적음)
  ↳ mechanical thrombolysis or US-assisted CDT도 시행 가능

4. 색전제거술 (embolectomy)

- surgical embolectomy
  - 적응증 : <u>RV dysfunction or 혈역학적으로 불안정한 massive PE</u> 환자에서
    ① 혈전용해제의 금기로 사용이 불가능 or
    ② 혈전용해제를 포함한 모든 내과적 치료에 실패시
  - 응급 수술에 따른 사망률이 높은 편임 (~8%)
- catheter-directed embolectomy : surgical embolectomy 대신 고려할 수 있음

* 혈전내막제거술(thromboendarterectomy)
  - chronic thromboembolic pul. HTN : acute PE의 2~4%에서 발생
  - 처음부터 pul. HTN을 동반했던 PE 환자는 약 6주마다 echo. F/U하여 폐동맥압 정상화 확인
  - chronic thromboembolic pul. HTN으로 호흡곤란이 심하면 thromboendarterectomy 시행

5. 기타

- 산소 투여, NSAID (pain control), 정신적 안정 유도
- massive PE
  - N/S 500 mL 정도만 투여, CVP 측정 가능하면 12~15 mmHg 이하로 유지
    (∵ 과도한 수액은 RV wall stress를 증가시켜 RV 확장 및 허혈 유발 위험)
  - RHF & cardiogenic shock → dopamine, dobutamine이 1st choice inotropic agents
    (기타 NE, vasopressin, phenylephrine 등)
  - ECMO : surgical embolectomy or CDT 전/후 보조요법, 소생술 등으로 시행 가능
- postphlebitic (post-thrombotic) syndrome
  - leg elevation, leg exercise, compression therapy 등
  - symptomatic acute DVT → Graduated compression stocking (below knee, 30~40 mmHg)
    착용시 postphlebitic syndrome 일부 예방 효과 (무증상인 경우엔 효과 없음)

예후 및 예방

- 빨리 진단, 치료한 경우엔 예후 좋고, 재발에 의한 사망률도 낮음(<3%)
- 대부분의 생존자에서 perfusion defects도 소실 됨

Prognostic factors	
임상양상	Shock, DVT 동반
검사	심초음파 or CTPA에서 　RV dysfunction 　RV/RA thrombus BNP (or NT-proBNP)↑, troponin↑
기타	신부전, Hyponatremia, LD↑, WBC count↑, 고령 ...

- 정맥혈전색전증(VTE)/PE의 발생 예방
  ① leg elevation (15~20°)
  ② 수술 후 조기 활동, 규칙적인 다리 운동
  ③ 간헐적 공기 압박술 (IPC : intermittent pneumatic compression)
  ④ 탄력/압박 스타킹 (GCS : graduated compression stocking)
  ⑤ mini-dose UFH or LMWH or pentasaccharide 등 (→ 모두 예방효과는 비슷함)
  ⑥ warfarin or rivaroxaban or dabigatran 등 (→ 모두 예방효과는 비슷함)
- 각 상황별 정맥혈전색전증(VTE)/PE의 예방법
  - 일반적인 고위험 수술 → mini-UFH or LMWH (출혈 위험시에는 IPC)
  - 흉부수술 → mini-UFH (or LMWH) + IPC
  - 고관절/슬관절 치환술, 골반/대퇴골 골절 수술 → LMWH, fondaparinux
    or warfarin, rivaroxaban dabigatran

- 종양(부인과 종양 포함) 수술 → LMWH (1개월)
- 일반적인 부인과 수술 → mini-UFH
- 신경외과 수술, 안과 수술 등의 anticoagulation 금기시 → IPC
- 뇌종양 수술 → mini-UFH (or LMWH) + IPC + 퇴원전 venous US
- 심한 내과적 질환 → mini-UFH or LMWH   (출혈 위험시에는 GCS or IPC)
- 장기간의 비행기 여행 → VTE의 고위험군에서만 활동, 종아리 운동, 통로나 넓은 자리에 앉기,
  below-knee GCS 등을 고려   (aspirin이나 항응고제는 권장 안됨)

지방 색전증 (Fat embolism)

1. 원인/위험인자

- 대부분 pelvis, long bone (특히 femur)의 traumatic fracture 뒤의 early Cx.으로 발생
  (12~36시간 뒤, 48시간 이내)
- long bone fracture 환자의 1/4에서 발생 가능
- 지방조직 or 지방간의 trauma 후에도 가능 (e.g., breast op.)

2. 임상양상

- 임상적으로 진단
  ① dyspnea, chest pain, hypoxemia, 1~2일 내에 CXR상 diffuse infiltrates
  ② 의식저하, confusion 등의 cerebral dysfunction 소견
  ③ 점상출혈(petechiae ; upper chest, axilla, conjunctiva, oral mucosa 등에),
     망막출혈(retinal hemorrhage)
  - fracture 뒤 72시간 이내에 적어도 한 가지가 나타나야 됨
  - 72시간 이후면 다른 원인의 가능성을 고려 (e.g., fluid overload, aspiration, sepsis)
- no laboratory tests are diagnostic!
- BAL fluid에서 중성지방에 대한 염색(oil red O)은 도움될 수도 있음
- thrombocytopenia, DIC도 나타날 수 있음
- ARDS에 빠질 수 있으므로 주의

3. 치료

- 보존적 치료뿐! ; O_2 투여, 필요시 mechanical ventilation (PaO_2 70 이상 유지)
  - steroid, heparin 등은 모두 효과 없음! / colloid fluid는 저혈압 시에만 투여
- 일반적으로 예후는 좋다 (mortality <10%)
- acute long bone fracture시 fat embolism 발생 예방
  ① 골절 부위의 즉각적인 수술적 고정!
  ② 골수강내압(intraosseous pressure) 상승 방지 (e.g., venting hole)
  ③ corticosteroids (논란) : 일상적 투여는 권장 안됨, 일부 연구에선 inhaled steroid가 효과적

13
폐 고혈압 (Pulmonary arterial HTN, PAH)

개요

- 폐고혈압 : 평균 폐동맥압(mPAP)이 안정시 25 mmHg (활동시 30 mmHg) 이상 [정상: 12~16]
- 폐성심(cor pulmonale) : 폐질환 또는 폐동맥질환으로 인하여 우심실의 afterload가 증가되어 우심실이 비대해 진 경우
  - 폐고혈압이 폐성심의 m/c 원인이며, 심한 폐성심에서는 우심실부전(RV failure)도 발생
    (c.f., RV failure의 m/c 원인은 LV failure)

1. 병태생리/원인

기전	예 (폐고혈압 및 폐성심의 원인)
1. Pulmonary blood flow 증가	Congenital heart disease (L-to-R shunt) CO의 심한 증가 (e.g., severe anemia) 심한 bronchiectasis (systemic-to-pulmonary artery shunts)
2. Pulmonary arteries의 이상 : flow에 대한 저항 증가 or 단면적 감소	Pulmonary embolism, pulmonary fibrosis Sarcoidosis, scleroderma Extensive pulmonary resection Severe COPD Thoracic deformities (e.g., kyphoscoliosis, severe pectus excavatum) Schistosomiasis Extensive neoplastic or inflammatory infiltration
3. Pulmonary arterioles의 이상 : vasoconstriction and/or obliteration	Hypoxia (e.g., COPD, 만성 천식, 고지대) Hypoventilation syndromes (e.g., sleep apnea) Acidosis, toxic substances Idiopathic PAH (pul. arterial HTN)
4. Pulmonary veins의 이상 : 폐정맥압과 저항의 상승 (pressure/volume overload)	LA HTN (e.g., LV failure, MS, constrictive pericarditis, cardiomyopathy, AS) Pulmonary venous thrombosis Pulmonary veno-occlusive disease Mediastinitis (e.g., methysergide-induced sclerosing mediastinitis)
5. Blood viscosity의 증가	Polycythemia vera, leukemia
6. Intrathoracic pressure의 증가	COPD, mechanical ventilation (특히 PEEP)

분류		기전	폐동맥 수축	PAP	PCWP (LA pr., LVEDP)	PAP - PCWP	예
Precapillary PH (pulmonary HTN)		Pul, arteriole and/or artery의 저항 증가	+	↑	N (≤15)	>12 mmHg	Idiopathic PAH, Pul, embolism, Parenchymal lung dz., COPD, ASD, VSD
Post capillary PH	Passive	폐정맥압 증가에 이차적으로	−	↑	↑	≤12 mmHg	MS, AS, LV failure, Fibrosing mediastinitis
	Reactive	precapillary + passive	+	↑	↑	>12 mmHg	Long-standing MS, Pul, veno-occlusive dz.

* 폐동맥 고혈압의 병태생리 (폐혈관 저항의 증가)
  - 혈관수축, 혈관벽의 폐쇄성 재형성(remodeling), 혈전 형성, 염증 등 여러 기전이 관여
  - 폐혈관 내피세포 및 평활근세포를 조절하는 여러 molecular pathways & genes의 이상
    ; voltage-regulated potassium channel의 발현 감소, BMPR-2 receptor gene mutations,
    tissue factor 발현 증가, serotonin transporter 과다발현, hypoxia-inducible factor (HIF)-1α
    활성화, activated T cells의 nuclear factor 활성화 등
    → 평활근세포의 apoptosis 상실 → 혈관 내벽의 폐쇄성 변화 + thrombin 축적
  - 폐동맥 평활근의 수축과 관련된 물질 ; endothelin, NO, prostacyclin 등 → 치료의 target!

2. 임상적 분류 (WHO 분류)2013

Group 1 : 폐동맥 고혈압(PAH) 폐동맥압(PAP)↑ & PCWP 정상	Idiopathic PAH (IPAH) Familial (heritable) PAH Drug/toxin-induced PAH 기타 ; Connective tissue dz., Congenital heart dz., Portal HTN, HIV infection, Schistosomiasis
Group 1′ : Pulmonary veno-occlusive dz. (PVOD) and/or pulmonary capillary hemangiomatosis (PCH)	
Group 1″ : Persistent pulmonary HTN of the newborn	
Group 2 : 좌심질환에 의한 폐고혈압 폐동맥압(PAP)↑ & PCWP↑	LV systolic/diastolic dysfunction, 판막질환, Congenital/acquired left heart inflow/outflow tract obstruction & congenital cardiomyopathies
Gruoup 3 : 저산소성 폐질환에 의한 폐고혈압 만성 저산소증 & 경미한 PAP↑	COPD, ILD, Mixed restrictive & obstructive pattern을 보이는 기타 폐질환, 수면장애에 의한 호흡부전, Alveolar hypoventilation d/o., 고지대 거주자, 폐 발달장애 등
Group 4 : 만성 혈전/색전에 의한 폐고혈압 3개월 이상의 폐동맥 폐쇄 & PAP↑	만성 폐 혈전색전증, 비혈전성 폐 색전증 ; 종양, 이물 등
Group 5 : 다양한 불확실한 기전에 의한 폐고혈압	혈액질환 ; MPN (e.g., PV), Chronic hemolytic anemia, Splenectomy 전신질환 ; Sarcoidosis, Histiocytosis, Lymphangioleiomyomatosis 대사질환 ; Glycogen storage dz., Gaucher dz., 갑상선질환 기타 ; Tumoral obstruction, Fibrosing mediastinitis, CRF, segmental PH

3. 진단

(1) 임상양상

- 증상 ; exertional dyspnea (m/c), fatigue, angina, syncope ...
- 진찰소견 : 경정맥확장(JVP↑), carotid pulse↓ (CO↓), RV lift 촉진
  - S2 (P2) ↑, narrow splitting of S2, Rt-sided S3 & S4
  - 삼첨판역류(TR)에 의한 systolic ⑩ 흔함 (흉골좌연) → RV failure의 특징
  - 말초 부종 and/or 청색증, 간울혈(간비대) → 말기에 발생
  - 손가락 곤봉증 → 선천성 심장질환 또는 저산소성 폐질환을 시사

(2) 검사소견

- CXR : 중심 폐동맥 확장, 작은 폐혈관 감소(vascular pruning), 심비대(RV/AE), 폐실질 정상
- CT : 위의 소견 + 폐정맥 질환, ILD, 폐색전증 등도 확인 가능
- EKG : RAD, RVH
- echocardiography (with bubble study) ··· screening test로 m/g!
  - 폐동맥 수축기압 간접 측정 가능 (estimated PA systolic pr.) : modified Bernoulli 공식
    ⇨ pulmonic valve 정상일 때 PAsP ≒ RV systolic pr. = $4(V_{TR})^2$ + RA pr. (CVP)
       [RVSP]   ↳ Doppler에서 TR jet
    (peak TR jet이 3.4 m/s 이상이면 PH 가능성 높음 ≒ RVSP 37~50 mmHg)
  - RV 및 RA의 확장, RVH, LV 크기의 감소
  - 원인 파악에도 도움 ; 판막질환, LV dysfunction, 심장내 shunts (bubble study) 등
  - 정상이면 PE R/O 가능하지만, dyspnea/hypoxemia로 계속 PE 의심되면 우심도자술 시행
- PFT : mild obstructive or restrictive pattern, hypoxia, diffusing capacity 감소
- perfusion lung scan : 폐색전증에 의한 폐고혈압 감별에 유용
  (but, PE 이외의 원인에 의한 만성 폐고혈압에서도 미만성 비분절성 관류 결손은 흔함)
- BNP, NT-proBNP : RV dysfunction, hemodynamic/functional severity, 치료 효과 판정에 유용
- 기타 ; HIV, ANA, RF, anti-scl-70, 갑상선기능검사(∵ iPAH 환자에서 갑상선 이상 흔함) 등

(3) Functional tests

- cardiopulmonary exercise test (CPET) : physiologic limitation 확인 및 dyspnea 원인 감별
  (심장↔폐) 가능 → 정상이면 우심도자술 시행 안해도 됨
- 6분 보행검사(6-minute walk test) : severity와 밀접한 관련, 치료 효과 판정에 흔히 이용됨!

(4) 우심도자술(right heart catheterization, RHC) ··· 확진(gold standard)

- femoral vein을 통해 우측 심장을 catheterization & angiography
- 폐동맥압, PCWP 등 여러 혈역학적 지표들을 측정
  ⇨ PAH 확진 : mPAP ≥25 mmHg, PCWP (LVEDP) ≤ 15 mmHg, PVR >3 Wood units
- 심장내 단락(shunt), 폐동맥 색전증, 폐동맥 협착 등도 R/O 가능
- 혈관반응성검사 : short-acting pulmonary vasodilator (e.g., inhaled NO or epoprostenol)
  투여 후 혈역학적 변화를 측정하여 확진 및 치료방침 결정에도 이용
  ⇨ 평균 폐동맥압(mPAP)이 10 mmHg 이상 (or 절대 값 40 mmHg 이하로) 떨어지면 반응군(+)
    (CO의 감소 없이) → long-term CCB 치료 대상 (장기 예후도 좋음 /but, 15% 미만)

폐동맥 고혈압 (Pulmonary arterial HTN, PAH)

1. 특발성 폐동맥고혈압 (idiopathic PAH, iPAH)

(1) 정의

- 예전에는 primary pulmonary HTN (PPH)으로 불리었음
- 특별한 원인이 없이 폐동맥압과 폐혈관 저항이 증가한 것
- pul. HTN을 일으키는 다른 원인들을 모두 R/O 한 뒤 진단 가능
- 드물다, 남<여, 30~40대에 호발 (젊은 여성에 많다)
- familial IPAH : IPAH의 약 20%, AD 유전, 대부분 BMPR Ⅱ (type Ⅱ bone morphogenetic protein receptor), TGF (transforming growth factor)-β superfamily gene mutation이 원인

(2) 병리

① pulmonary arteriopathy (>90%)
② pulmonary venoocclusive dz. (<10%) ; 말기에 PCWP 증가의 원인
③ pulmonary capillary hemangiomatosis (매우 드묾)

(3) 병태생리

- 폐혈관저항 증가 → 폐동맥압↑, 말기에는 CO도 감소
  (severity 및 경과 판단에는 폐혈관저항, CO이 유용)
- 폐동맥압은 COPD 때보다 훨씬 많이 증가됨 (거의 systemic level까지)
- RA pr.↑, PCWP 정상
- V/Q mismatch → hypoxemia, hypocapnia
- PFT : 정상 or mild restrictive pattern, diffusing capacity↓

(4) 임상양상/예후

- progressive exertional dyspnea (m/c)   → 앞 부분 참조
- LVF의 sign (e.g., pul. rales)은 나타나지 않는다!
- 현재의 치료법 이전에는, 진단 뒤 평균 생존기간 2~3년
- 예후는 NYHA functional class와 관련 (사망원인은 대개 RV failure)

(5) 치료

① 일반적인 치료
- 과격한 신체적 활동을 피함 (∵ 운동시 폐동맥압↑)
- digoxin : CO↑, 혈중 NE↓
- 이뇨제 : RV volume overload↓ (→ 폐동맥압↓), 증상(부종, 호흡곤란) 완화에 효과적
- 산소 : 폐혈관 수축 호전에 도움 → dyspnea 및 RV ischemia 호전
- 항응고제(warfarin) : 모든 PAH 환자에게 권장 (∵ 폐혈관계의 thrombin 침착 때문)
  → 수명 연장 효과, INR은 2~3으로 유지
- 임신 중에는 PAH가 악화되므로, 피임을 권장

② (high-dose) CCB (e.g., nifedipine, amlodipine)
- 심도자술(혈관반응성검사)에서 hemodynamic benifit (혈관확장제에 반응)이 있을 때만 사용!
- 반응이 좋으면 수명도 연장되지만, 장기간의 CCB 치료에 반응하는 경우는 20% 미만 뿐

③ endothelin receptor antagonist : oral ambrisentan, bosentan, macitentan
- 일반적인 치료에 반응이 없거나, NYHA class Ⅲ~Ⅳ인 경우 사용
- 간기능 악화가 흔하므로 매월 LFT monitoring 필요

④ phosphodiesterase-5 inhibitor : oral sildenafil, tadalafil … inhaled NO와 동일한 효과
- 혈관 평활근세포의 증식을 억제, NYHA class Ⅱ~Ⅲ에 사용
- m/c 부작용은 두통, nitrate 제제와는 병용 금기

⑤ prostacyclin (= PGI₂) agonits
- epoprostenol (IV prostacyclin) : 강력한 pul. vasodilator, 반감기 4시간
  - 다른 모든 약물치료에 반응이 없거나, NYHA class Ⅳ인 경우 TOC
  - 증상↓, 운동능력↑, 수명↑ 효과 / 장기간 정맥도관 유치에 의한 감염 발생이 가장 큰 문제
- treprostinil (IV, SC, inhalation) : prostacyclin analog, epoprostenol보다 반감기 긺
  - 다른 모든 약물 치료에 반응이 없거나, NYHA class Ⅱ~Ⅳ인 경우 사용
  - 피하주사 부위의 국소 통증이 가장 큰 문제
- iloprost (inhalation) : prostacyclin analog, 반감기가 짧아 2시간마다 투여 (6~9회/day), NYHA class Ⅲ~Ⅳ에 사용
- selexipag (Uptravi®) : oral, non-prostanoid prostacyclin (PGI₂) receptor (IP receptor) high-affinity agonist, 다른 prostanoid receptor에는 영향×, 반감기가 길어 1회/2일 복용, WHO FC Ⅱ~Ⅲ에 사용, 다른 약제보다 입원율↓, 질병진행↓ (사망률은 큰 개선 없음)
- IV prostacyclin 제제가 PAH에서 가장 효과적이고, 다른 치료에 반응이 없는 경우에도 유용

⑥ soluble guanylate cyclase (sGC) stimulant : oral riociguat (Adempas®)
- endogenous nitric oxide (NO)에 대한 NO receptor의 민감도↑ 및 직접 NO receptor 자극

⑦ 폐이식 : IV prostacyclin을 사용해도 Rt-HF가 진행되는 경우 고려
  (폐이식 후 PAH의 재발은 없음)

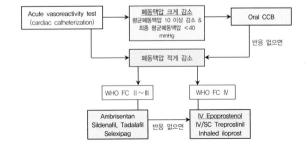

2. 이차성 폐동맥고혈압

(1) collagen vascular dz.
- CREST syndrome 및 scleroderma (SSc)에서 흔히 발생!
- SLE, Sjögren's syndrome, DM/PM, RA 등에서도 드물게 발생 가능
- 일반적으로 ILD (pul. fibrosis)도 동반
- 폐고혈압을 치료해도 질병의 자연경과에는 영향 없다

(2) congenital systemic-to-pulmonary shunts
- 삼첨판 이후의 shunts (e.g., VSD, PDA)에서 심한 폐고혈압 발생 흔함
- 삼첨판 이전의 shunts (e.g., ASD, anomalous pul. venous drainage)에서도 드물게 발생 가능
- IPAH와 비슷하게 치료하며, 장기 생존율은 더 높다

(3) portal hypertension
- 폐고혈압의 발생기전은 잘 모름
- 폐고혈압 발생 위험은 기저 간질환의 중증도와는 관련 없음
- 복수와 부종은 간 또는 심장의 원인에 의해 모두 발생 가능

(4) HIV infection

(5) drugs
- 식욕억제제 (e.g., aminorex, fenfluramine) : IPAH에 비해 치료반응이 안 좋고, 예후도 나쁘다

(6) pulmonary venoocclusive diseases

(7) pulmonary capillary hemangiomatosis

폐정맥 고혈압 (Pulmonary venous HTN)

* 폐정맥 환류의 저항 증가로 인해 폐고혈압이 발생한 것

1. 좌심방/심실의 질환 : LV diastolic dysfunction
   ; HTN, CAD, DM, obesity, hypoxemia, 고령 등이 흔한 원인
2. 좌측 심장판막 질환 ; MS, MR
3. 중심 폐정맥의 외부 압박 ; fibrosing mediastinitis, adenopathy, tumors
4. 폐정맥폐쇄성 질환

폐질환 및 저산소증과 관련된 폐고혈압

- chronic hypoxia에 의해 폐혈관 수축 및 remodeling 발생
- 수축기 폐동맥압이 50 mmHg (평균 폐동맥압 40 mmHg) 이상으로 상승하는 경우는 드물다
  → 심하게 상승되면 다른 원인을 고려 (e.g., IPAH 등)
- 저산소증에 의한 polycythemia 발생이 특징적 소견

1. COPD

- 만성 폐성심(<u>chronic cor pulmonale</u>)의 m/c 원인 (COPD 환자의 1/2 이상이 폐성심 동반)
- 폐동맥압의 상승은 경미하나, 예후는 나쁨
- 기전 : generalized pulmonary vasoconstriction (→ pul. HTN → RV failure)
  ① alveolar hypoxia (m/i), acidosis, hypercapnia
     (hypoxia가 가장 중요한 원인이기 때문에, 적정 O_2 level 유지하는 것이 cor pulmonale 방지에 유일한 방법이며, LVF 치료는 소용없다)
  ② 증가된 폐용적의 폐혈관에 대한 기계적인 영향
  ③ emphysema 부위의 혈관 영역에서 small vessels의 소실
  ④ hypoxia → polycythemia → CO & blood viscosity ↑
- emphysema보다 chronic bronchitis에서 더 흔히 발생
  - hypoxic pul. vasoconstriction 때문
  - 예후는 emphysema에서 cor pulmonale 합병시 더 나쁨
- 산소 투여 : 유일한 치료법, 수명 연장

2. ILD

- 기전 ; 폐 섬유화 및 파괴로 인한 혈관의 폐색, hypoxemia, pul. vasculopathy
- collagen vascular dz.와 동반된 경우도 흔함
- 폐고혈압에 대한 모든 치료법이 효과 없다

3. 환기장애

- sleep apnea : 20% 이하에서 폐고혈압이 발생하지만, 대개 경미함
- thoracovertebral deformities
- neuromuscular diseases

폐색전증에 의한 폐고혈압

- 폐 실질의 질환에 의한 것 (e.g., COPD)보다 pul. HTN이 심하다
- 급성시엔 RV enlargement, 만성시엔 RV hypertrophy가 주된 양상

1. 급성 폐색전증(PE)

- large emboli → 갑자기 low-output state에 빠짐 (RV 수축력 ↓)
  → pul. systolic pr.가 2배 (40~45 mmHg) 이상으로 증가하면 RVF 발생
- venous thrombosis의 환자 or 유발인자가 있는 경우에서 갑자기 심한 dyspnea가 생기고 cardiovascular collapse가 발생한 경우, PE에 의한 acute RV failure를 고려해야 함
- 임상양상 ; low CO (창백, 발한, 저혈압, 빈맥), 간비대, TR의 systolic ⑩, presystolic (S4) gallop sound, 경정맥확장 (TR에 의한 prominent ν wave)

2. 만성 폐색전증(PE)

- acute PE 환자가 적절한 항응고제 치료를 받으면 폐고혈압 발생은 드묾
- 일부에서 혈전의 용해가 완전하지 않으면, 기질화 및 불완전한 재소통으로 인해 폐혈관의 만성 폐쇄가 발생함
- PAH와 임상양상이 비슷하고, 초기의 PE를 모르고 넘어간 경우가 많음
- 진단 ; spiral CT, lung scan, angiography ...
- 치료 ; embolectomy, warfarin ... (fibrinolytic therapy는 도움 안됨)

폐혈관에 직접 영향을 주는 질환에 의한 폐고혈압

1. 유육종증 (sarcoidosis)

- 심한 폐섬유화 및 심혈관계 직접 침범에 의해 심한 폐고혈압 발생
- IV epoprostenol 치료에 반응이 좋다

2. 주혈흡충증 (schistosomiasis)

- 간비장 침범과 portal HTN 때 폐고혈압 발생이 흔함
- 간에서 떨어져 나온 충란이 폐혈관에 염증을 일으킴

3. HIV 감염

- 드물게 폐고혈압이 발생하며, 기전은 모름
- 치료는 IPAH와 동일 (HIV 감염의 치료가 폐고혈압의 자연경과에는 영향을 못 미침)

14
환기 장애

만성 저환기 (chronic hypoventilation)

1. 개요

- 정의 : $PaCO_2$ >43 mmHg (대부분 50~80 정도)
- alveolar hypoventilation ($PACO_2\uparrow$) → $PaCO_2\uparrow$ (m/i), $PaO_2\downarrow$
  - (1) $PaCO_2\uparrow$ → 보상($HCO_3^-\uparrow$, $Cl^-\downarrow$), 뇌혈관 확장(→ 아침 두통)
  - (2) $PaO_2\downarrow$ → 수면장애(피곤, 낮시간의 졸리움), cyanosis, polycythemia,
    폐혈관수축(→ pul. HTN, RVH, CHF)
- 대개 수면 중에는 hypoventilation이 더 심해짐

2. 원인

(1) respiratory drive 감소
- peripheral & central chemoreceptors ; carotid body dysfunction, trauma,
  prolonged hypoxia, metabolic alkalosis
- brainstem respiratory neurons ; bulbar poliomyelitis, encephalitis, brainstem infarction,
  hemorrhage, trauma, brainstem demyelination, degeneration, chronic drug administration,
  primary alveolar hypoventilation syndrome

(2) respiratory neuromuscular system 장애
- spinal cord & peripheral nerves ; high cervical trauma, poliomyelitis,
  motor neuron disease, peripheral neuropathy
- respiratory muscles ; myasthenia gravis, muscular dystrophy, chronic myopathy

(3) 환기장치(ventilatory apparatus)의 장애
- chest wall ; kyphoscoliosis, fibrothorax, thoracoplasty, ankylosing spondylitis, obesity
- airways & lungs ; laryngeal & tracheal stenosis, obstructive sleep apnea, cystic fibrosis,
  COPD (m/c)

		Primary hypoventilation	신경근육 장애	흉벽/폐/기도 장애
CO₂ 및 저산소증에 대한 반응	환기	↓	↓	↓
	흡기직후 구강압력	↓	↓	N
	횡격막 EMG 반응	↓	↓	N
수면 중 변화		저환기,무호흡↑	저환기,무호흡↑	다양
자발적인 호흡증가		N	N	
최대 흡기/호기 압력		N	↓	N
폐용적, 기류속도		N	↓	Abn
기도저항, 탄성도		N	N	Abn
(A-a)DO₂		N	N	↑

N: normal, Abn: abnormal

3. Primary alveolar hypoventilation ("Ondine's curse")

- 신경근육계나 호흡계가 정상인데도 alveolar hypoventilation (chronic respiratory acidosis)을 보이는 것
- metabolic respiratory control system의 장애 (respiratory drive 감소)로 생각됨
- 비교적 드물며, 20~50세 남성에서 호발
- ABGA 소견이 매우 나빠도 dyspnea는 드물, 치료 안하면 계속 심해져서 사망도 가능
- hypoxia, hypercapnia는 자발 호흡으로 호전 가능
- 수면중에 더 심해져 central hypopnea or apnea가 흔히 발생
- 치료 ; NIPPV or mechanical ventilation, 심하면 diaphragmatic pacing
  (진정제는 respiratory drive를 더욱 떨어뜨려 acute respiratory failure를 유발할 수 있으므로 금기)

4. Obesity-hypoventilation syndrome (Pickwickian syndrome)

- 정의 : BMI >30kg/m² + chronic daytime alveolar hypoventilation (PaCO₂ ≥45 mmHg)
- obesity → chest wall compliance↓ → FRC (호기말 폐용적)↓,
  closed lower airway (→ uneven ventilation), (A-a)DO₂↑
- 일부 비만 환자에서 hypercapnia, hypoxia → polycythemia, pul. HTN, Rt-HF로 진행
- central respiratory drive는 감소되어 있는 경우가 많음
  (c.f., 보통의 비만 환자는 central respiratory drive가 증가되어 정상 PaCO₂ 유지)
- Pickwickian syndrome ; daytime somnolence도 동반된 경우 → 폐쇄성 수면 무호흡(OSA)이 특징
- 치료: 체중 감량 및 생활습관개선(금연, 금주 등)
  + NIPPV (OSA 동반시엔 CPAP [실패시 BPAP], sleep-related hypoventilation 동반시엔 BPAP)
  - 2nd line Tx ; tracheostomy, bariatric surgery 등
  - 기타 ; respiratory stimulants (e.g., progestins, acetazolamide), 산소 (단독으로는 금기)

■ 수면 무호흡 (Sleep apnea)

- 정의 : 수면 중 최소 10초 이상의 무호흡(apnea) 또는 저호흡(hypopnea)이 발생하는 것
  - hypopnea : 호흡기류의 30% 이상 감소를 보이며, 산소포화도 3% 이상 감소 or 각성을 동반
  - apnea : 호흡이 완전히 정지되는 것 (호흡기류의 90% 이상 감소)
    - obstructive apnea : apnea 기간 동안 호흡노력은 지속됨
    - central apnea : apnea 기간 동안 호흡노력이 없음
- 대부분은 20~30초의 무/저호흡을 보이며, 심한 경우 2~3분까지도 나타남
- 유병률 : 중년 남성의 약 4%, 중년 여성의 2%, 폐쇄성이 대부분임

1. 폐쇄성 수면 무호흡-저호흡 증후군
(Obstructive sleep apnea/hypopnea syndrome, OSAHS, OSA)

(1) 원인 (위험인자)

> **비만** (60~70%가 비만) … 체중 10% 증가시 AHI 32% 증가, OSA 발생 6배 증가
> 두개안면 및 상기도의 구조적 문제 : 상악골 and/or 하악골 이상(단축, 저형성),
>   adenoid/tonsilar hypertrophy, retrognathia, micrognathia, macroglossia, acromegaly,
>   nasal congestion/obstruction
> 내분비 질환 ; DM, hypothyroidism, acromegaly (→ 조직침윤으로 상기도가 좁아짐)
> 심혈 질환 ; HTN, myocardial ischemia, CHF, COPD, asthma
> 기타 질환 ; GERD, renal failure, myotonic dystrophy, Ehlers–Danlos syndrome
> 약물 ; 대부분의 수면제 및 진정제
> 음주 (∵ 상기도 근육의 선택적 억제 효과), 흡연
> 연령 (보통 40~65세에 호발), 성별 (남>여), 가족력
> 동아시아인 (∵ cranial base [nasopharynx]가 좁음) … 비만이 아닌데도 OSA 많음

(2) 임상양상

- 대부분 비만한 중년 이후 남성에서 발생 (남:여 = 2~4:1), 여성은 폐경 이후 증가
  - 수면 중 loud cyclical snoring (코골이), 호흡정지, 숨막힘 &
  - **주간의 과도한 졸림(EDS, excessive daytime somnolence/sleepiness)**
- 인지장애, 수면장애, 우울증, 아침 기상후 입 마름 or 머리 무거움, 피곤함 …
- 비만과 관계없이 insulin resistance (DM)↑, 간효소↑, 지방간, 간섬유화↑
- HTN (>50%), CAD & MI 발생 위험 증가, 심부전 환자에서는 LV function 악화,
  - (└ 평균 혈압 4~10 mmHg 상승 → MI ~20%↑, stroke ~40%↑)
  - 부정맥(sinus bradycardia, AV block, VT/VF 등), stroke 위험 증가, 수면 중 돌연사 등
- 일부에서는(<10%) pul. HTN, RV failure, polycythemia, chronic hypercapnia & hypoxemia
- * 소아 : 집중력 감소, 산만, 학업성적 저하, 심리/정신적 장애

(3) 진단

① 수면 일기(설문지) : Epworth Sleepiness Score/Scale (ESS)
② 수면다원검사(polysomnography, PSG in-laboratory) … 확진 (but, 시간과 비용이 많이 듦)
  - key diagnostic finding : 강한 호흡노력이 있는데도 airflow가 없는 것

- 무호흡지수(apnea index, AI) : 시간당 10초 이상의 무호흡(apnea) 횟수, 5회 이상이면 진단
- 무호흡-저호흡 지수(apnea-hypopnea index, AHI) : 시간당 apnea + hypopnea의 횟수
- 호흡장애지수(respiratory disturbance index, RDI) : apnea + hypopnea + RERA의 횟수
  * RERA (resp. effort-related arousal, 호흡노력관련각성) : hypopnea 정의에는 못 미치지만
    호흡노력이 증가하여 각성이 일어나고, 각성이 일어나면 호흡노력이 감소되는 것

Severity	AHI	RDI
Mild	5~15	5~15
Moderate	15~30	15~30
Severe	>30	>30

c.f.) AHI 값 자체보다는 sleep apnea의 결과인
<u>최저 산소포화도</u>, 각성 횟수, 무호흡-저호흡 시간 등이
진단 및 치료에 더 중요함

③ <u>가정수면무호흡검사(home sleep apnea test, HSAT)</u> = out-of-center sleep testing (OCST)
  - 집에서 시행하는 휴대형/간소화된 PSG 형태로 (AHI 측정 가능) 간편하고 부담이 적음
  - 단점 : 기술적 실패 가능성이 PSG보다 높고, 대부분 EEG가 없어 수면과 RERA는 측정 못함
  - 기저질환이 없고 OSAHS 가능성이 높은 (증상이 전형적인) 환자에서만 권장
④ 산소측정법(overnight oximetry) : 1시간에 10~15번 이상 산소포화도가 감소하면 OSAHS 의심
⑤ 주간의 수면 잠복기 검사 (MSLT : multiple sleep latency test)
⑥ 두부계측법(cephalometry) ; 두개안면의 구조적 이상과 인두 기도의 폐쇄 정도를 알 수 있음

(4) 치료

① 행동요법 : <u>체중 감량</u> (10% 체중 감소시 AHI 약 26% 감소), nasal patency 향상,
  수면 전 담배/술 금지, supine position으로 수면 금지 (옆으로 누워서 자기),
  진정제/수면제 등의 약물 금지 등
② 기도양압술(positive airway pressure, PAP)

PAP 치료의 적응
Moderate~severe OSA (AHI ≥15)
Mild OSA (AHI 6~14)이면서 증상/합병증이 동반, 졸면 안되는 중요한 직업 종사자
AHI ≤5 or RERAs ≥10 + 심한 주간 졸림

• <u>CPAP (continuous positive airway pr., 지속양압기)</u> : 대개 5~20 mmHg
  ┌ 효과 ; 증상↓, 삶의 질↑, 혈압↓, 뇌졸중 및 심혈관 사고(e.g., MI) 감소
  └ 단점 : 고가, 이동성 제한, 불편함 (m/c 부작용은 기도 건조)
  - TOC (80% 이상에서 효과적), 순응도는 65~70%, 병원에서(in-lab) PAP titration이 원칙
  - 행동요법은 (e.g., 체중 감소) PAP의 필요 압력을 줄일 수 있음
• BPAP (Bi-level PAP) : 흡기시와 호기시의 압력 정도를 달리하여 환자의 착용 거부감을 줄인 장치, CPAP을 불편해하면 고려
  (호기시 압력↓)
• APAP (automatic, auto-titrating PAP) : 환자의 호흡운동을 감지하여 기도의 폐쇄 정도에
  따라 적절한 양압을 공급하여 환자의 순응도를 높인 장치, 가정에서도 PAP titration 가능
  - uncomplicated OSA, 필요 압력 변화가 많은 경우, 병원 접근이 어려운 경우 등에서 고려됨
  - complicated OSA (e.g., COPD, CHF, CSA 동반)에서는 금기 → in-lab CPAP 시행
• ASV (adaptive servo-ventilation) : low level CPAP + 흡기양압 조절, CSA 동반시 유용
  - CPAP 사용 중 발생한 CSA, opioids, 뇌질환, 신장질환 등에 의한 CSA 등
  - Cheyne-Stokes respiration (CSR)을 동반한 CSA (HFrEF)에는 권장 안됨 (∵ 사망률↑)

③ 구강내 장치(oral appliance) : 하악전진기구(mandibular repositioning splint, MRS)
  • 수면 중 하악과 혀를 앞으로 당겨 기도의 공간을 확보하는 장치 → 수면중 상기도 개방성↑
  • 치료 성공률은 약 53% (mild에선 81%, moderate에선 60%, severe에선 25%)
  • mild~moderate OSA 환자가 CPAP를 거부하거나 순응도가 떨어질 것으로 예상될 때 권장
④ 수술적 치료법 : ②,③의 치료를 거부하거나 실패시 고려
  • uvulopalatopharyngoplasty (UPPP) : 약 50%에서 효과적 (apnea보다는 snoring에 더 효과적),
    1~2년 뒤 재발이 많음, 증상이 심한 경우엔 적용할 수 없음!
  • maxillo-mandibular advancement (MMA) : 가장 효과적이지만, 가장 invasive
  • laser-assisted uvulopalatoplasty (LAUP), radiofrequency ablation
  • tracheostomy : 다른 치료에 모두 실패한 매우 심한 OSAHS에서 고려
⑤ 상기도 신경자극 : implantable neurostimulator device (→ hypoglossal nerve stimulation)
⑥ 약물치료는 효과 없음
  (CPAP에 의해 rhinitis가 악화되는 경우에는 topical nasal steroids가 도움 가능)
⑦ 야간 산소요법 ; 효과가 불확실하며 도움 안됨!
  (nocturnal hypoxia는 향상시키나, apnea는 연장시킴)

■ upper airway resistance syndrome (UARS)
  • 수면 중 산소포화도의 하락 없이 (-) intrathorax & airway pr. or snoring에 의해 미세 각성
    (brief arowsal)이 발생 → 수면의 분절 → 주간의 과도한 졸리움
  • 진단 ; polysomnography + esophageal manometry
    → (-) intrathorax pr.의 증가후 EEG의 각성을 볼 수 있음
  • RDI는 대개 5 미만
  • 치료 ; OSAHS와 비슷

2. 중추성 수면무호흡 (Central spleep apnea, CSA)
  ; OSAHS보다 드묾, 단독 or 폐쇄성과 동반될 수 있음(mixed SA, 더 흔함)

(1) 분류/원인
  ┌ primary (idiopathic) CSA
  └ secondary CSA ; 내과적질환, 약물, 고지대 등 원인이 있는 경우
    ↳ Cheyne-Stokes respiration (CSR)과 관련 많음 : crescendo-decrescendo 호흡양상
  ┌ hypoventilation-related (hypercapnic) CSA ; alveolar hypoventilation, CNS 질환, 약물,
  │   신경근육질환, kyphoscoliosis 등 → REM sleep 때 현저
  └ hyperventilation-related (nonhypercapnic) CSA ; 대부분의 CSA → non-REM sleep 때 현저
    - chronic hyperventilation (PaCO$_2$↓) → central respiratory drive 억제 → apnea와
      hyperventilation이 교대로 나타남
    - prolonged circulation delay (e.g., HFrEF) ; 주로 CSR-CSA를 보임
    - hypoxia (e.g., 고지대, 폐질환, 심혈관질환) → chronic hyperventilation

* complex sleep apnea : OSA 환자가 고압의 CPAP 치료 이후 CSA 발생 가능

(2) 임상양상/진단

- obesity와 HTN은 OSAHS보다 드물다
- 수면다원검사 (확진) ; 호흡노력(식도압력 or 호흡근 EMG 변화)이 없는 recurrent apnea
- transcutaneous $PaCO_2$ 측정

(3) 치료

- 유발/악화 요인이 있으면 원인을 먼저 교정
- hyperventilation-related (nonhypercapnic) CSA의 치료
  - 야간 산소요법 ; hypoxemia 환자
  - CPAP : 특히 HF에 의한 secondary CSA에 효과적 → sleep quality 및 주간 심장기능 향상
    (HFrEF 환자에서는 adaptive servo-ventilation [ASV]와 BPAP은 권장 안됨)
  - CPAP에 실패하거나 거부하는 HF 환자는 야간 산소요법 및 약물 치료
  - acetazolamide (carbonic anhydrase inhibitor : metabolic acidosis 유발 → 호흡 자극)
    : nonhypercapnic CSA의 증상을 일부 호전시킴
- hypoventilation-related (hypercapnic) CSA : 치료가 필요한 경우 BPAP을 우선 시도

■ 과환기 증후군 (Hyperventilation syndrome)

1. 정의

- hyperventilation : $PaCO_2$ <37 mmHg
- hyperpnea : $PaCO_2$에 영향 없이 호흡량만 증가된 것
- tachypnea : $PaCO_2$에 영향 없이 호흡횟수만 증가된 것

2. 원인

```
신경질환 ; psychogenic or anxiety hyperventilation, CNS 감염, 종양
저산소증 ; 고지대, 폐질환, cardiac shunt
호흡기질환 ; pneumonia, intersitial pneumonitis, fibrosis, pulmonary edema,
    pulmonary emboli, vascular disease, bronchial asthma, pneumothorax,
    chest wall disorders, upper airway obstruction
심혈관계질환 ; ACS, CHF, 저혈압
대사장애 ; metabolic acidosis (e.g., DKA, lactic acid, CRF), hepatic failure
약물 ; salicylates, methylxanthine derivatives, β -agonists, progesterone
기타 ; 고열, 패혈증, 통증, 임신
```

- 불안신경증이 m/c 원인

3. 임상양상

- 임상적으로 빠른 호흡이나 과다호흡을 보이면 의심
- dyspnea (m/c Sx) : hyperventilation의 severity ($PaCO_2$)와는 관련성 부족

- alkalemia에 의한 이차적인 혈관수축과 관련된 증상
  ① 신경학적 증상 ; 현기증, 시각장애, 실신, 경련, 감각이상, 손목과 발목의 연축/강직/근력약화 ...
  ② 심장 증상 ; arrhythmia, myocardial ischemia
- ABGA : $PaO_2\uparrow$, $PaCO_2\downarrow$, $pH\uparrow$ (primary respiratory alkalosis)

4. 치료

- 원인 질환의 치료
- 급성 치료 ; 충분한 설명 및 안심
  - 호흡 재훈련(breathing retraining) : 복식호흡 등
  - 심한 증상이 지속되면 소량의 short-acting benzodiazepine (e.g., lorazepam) 투여
  - rebreathing into CO_2 bag (비닐/종이봉지)은 hypoxia 유발 위험으로 권장 안됨!
- 만성적인 환자를 위한 치료 ; 호흡 재훈련(breathing retraining)이 TOC
  - hypocapnia를 지속시키는 습관 회피(e.g., 한숨, 하품)
  - 호흡 재훈련이 효과 없으면 인지행동치료(cognitive behavioral therapy, CBT)
  - 모두 효과 없으면 약물치료 고려 ; SSRI, β-blocker (palpitation, tremor 동반시 유용)

15
호흡 부전

■ 정의

<u>Acute respiratory failure</u>
- Hypoxic : PaO_2 <60 mmHg ($PaCO_2$는 정상/감소)
- Hypercapnic-Hypoxic : $PaCO_2$ >50 mmHg, PaO_2 감소
  (COPD 환자는 $PaCO_2$ >55 mmHg)

* 특정 질환이 아니고 기능장애를 의미

특징	Hypoxic	Hypercapnic-Hypoxic
Physiologic	Ventilation은 충분하여 CO_2 배출은 지장이 없지만, shunt or V/Q mismatch에 의해 hypoxia 발생 대개 hyperventilation	(1) <u>Ventilation 감소</u> : 폐포의 가스교환에는 장애가 없지만, 환기가 잘 되지 않아 hypoxia와 hypercapnia가 발생, (A-a)DO_2 정상 ; CNS 질환, 신경근육질환, 약물 등 (2) <u>Ventilation 정상/증가</u> : dead space ↑, 심한 V/Q-mismatch, (A-a)DO_2 ↑ ; COPD, asthma, 흉벽기형, 천추만곡증
Anatomic	심한 edema Atelectasis or consolidation Hyaline membranes	Mucous gland hyperplasia (bronchitis); alveolar wall destuction (emphysema); hypertrophied bronchial muscle & mucus impaction (asthma); upper airway obstruction (fixed or variable); normal
Clinical presentation		
Medical Hx	괜찮음, HTN, heart disease	만성적인 호흡곤란, depression의 병력, weakness & wheezing
Present illness	일시적으로 일부 serious event (예; TA, sepsis, worsening HTN, chest pain)와 관련된 호흡곤란	Recent URI ; 점차 악화되는 호흡곤란 cough, sputum, wheezing 증가; drug overdose; muscle weakness
P/Ex	Acute illness, tachypnea (>35), tachycardia, hypotension, diffuse crackles, consolidation의 signs	Tachypnea (<30), tachycardia, prolonged expiration,breath sounds 감소, wheezing, pedal edema, strength 감소, 의식변화
Laboratory examination		
Chest X-ray	Small, white lungs; multiple patchy, diffuse infiltrates; lobar atelectasis or consolidation	Hyperinflation; large black lungs, bullage; wide interspaces; prominent bronchovascular marking with COPD or asthma; Hypoinflation, small black lungs; with overdose or neuromuscular dz.
EKG	Sinus tachycardia, AMI, LVH	RVH, "P" pulmonale, low voltage, clockwise rotation; normal
Laboratory	Respiratory alkalosis, metabolic acidosis, BUN ↑	Respiratory acidosis, mixed metabolic & respiratory acidosis; K^+ ↓

Type I, Hypoxic respiratory failure의 원인
ARDS/ALI Pneumonia Pulmonary emboli (massive) Acute atelectasis Cardiogenic pulmonry edema or shock ; heart failure Lung contusion or hemorrhage ; trauma, Goodpasture's disease,   idiopathic pulmonary hemosiderosis, SLE

Type II, Hypercapnic-Hypoxic respiratory failure의 원인

Ⅰ. Altered control
  Primary intracranial disease ; tumor, hemorrhage
  Trauma & IICP
  Drugs, poisons, toxins
  Central hypoventilation
  Hypercapnic 환자에게 과도한 산소 투여

Ⅱ. Neuromuscular diseases
  Guillain-Barre syndrome
  Acute myasthenia gravis
  Spinal cord lesions ; trauma, tumor, vascular
  Acute polyneuritis
  Ascending polyradiculopathy
  PM/DM
  Parkinson's disease

Ⅲ. Metabolic derangements
  Severe acidosis, Severe alkalosis, Hypophosphatemia, Hypomagnesemia

Ⅳ. Lung and airway diseases
  COPD, Asthma, ILD, Upper airway obstruction

Ⅴ. Musculoskeletal alterations
  Kyphoscoliosis, Ankylosing spondylitis

Ⅵ. Obesity-hypoventilation syndrome

* hypercapnic respiratory failure (pH로 구분)
  ┌ acute : $PaCO_2$ >50 mmHg, pH <7.3 → mechanical ventilation 고려
  └ chronic : $PaCO_2$ >50 mmHg, pH >7.3 → mechanical ventilation 거의 필요 없음, close F/U

Hypoxia와 hypercapnia의 임상양상

Hypoxemia		Hypercapnia
Tachycardia	Cyanosis	Somnolence
Tachypnea	Hypertension	Lethargy
Anxiety	Hypotension	Restlessness
Diaphoresis	Bradycardia	Tremor
Altered mental status	Seizures, coma	Slurred speech
Confusion	Lactic acidosis	Headache
		Asterixis
		Papilledema
		Coma

■ **임상양상**

(1) earliest : V/Q mismatch

- PR 증가, dyspnea, fine inspiratory crackle
- ABGA : $PO_2\downarrow$, $PCO_2\downarrow$, $(A-a)DO_2\uparrow$, O_2 투여시 $PaO_2\uparrow$

(2) progression : shunt

- severe hypoxia, cyanosis, dyspnea
- O_2 투여해도 교정 안됨

(3) further progression : hypoventilation

- PCO_2 증가, hypoxia 악화

급성 호흡곤란/부전 증후군
ARDS (Acute Respiratory Distress Syndrome)

1. 정의/진단

- diffuse lung injury (폐포-모세혈관의 투과도 증가) & non-cardiogenic pulmonary edema에 의해 발생한 acute hypoxic respiratory failure, 보통 임상적으로 진단함

- **ARDS의 정의 : Berlin definition (2012)**★ … 모두 만족해야!

① acute onset : 임상적 사건 or 호흡기 증상의 발생/악화 이후 <u>1주일 이내</u>

② 흉부영상 : pulmonary edema에 합당한 양측 폐의 미만성 침윤(bilateral opacities)

- pleural effusion, lobar/lung collapse, pulmonary nodules 등에 의해 완전히 설명 안 됨

③ cardiogenic (hydrostatic) pul. edema는 아님 ; LA pr. 상승 or fluid overload 없음

- ARDS의 유발인자가 없으면 심초음파 등으로 R/O 필요함
- 과거 기준이었던 PCWP ≤18 mmHg는 침습적이고 신뢰도가 낮아 제외되었음

④ hypoxia (oxygenation) : PEEP 기준을 포함한 기계환기 하에서

$\begin{bmatrix} \text{mild ARDS} : 200 < PaO_2/FiO_2 \leq 300 \text{ mmHg} \quad (\text{PEEP or CPAP [NIV]} \geq 5 \text{ cm } H_2O) \\ \text{moderate ARDS} : 100 < PaO_2/FiO_2 \leq 200 \text{ mmHg} \quad (\text{PEEP} \geq 5 \text{ cm } H_2O) \\ \text{severe ARDS} : PaO_2/FiO_2 \leq 100 \text{ mmHg} \quad (\text{PEEP} \geq 5 \text{ cm } H_2O) \end{bmatrix}$

(c.f., 과거 PaO_2/FiO_2 ≤300를 모두 ALI라고 하였으나, mild ARDS와의 혼동 우려로 ALI 용어는 삭제되었음)

- ICU 입원 환자의 약 10%가 acute resp. failure를 가지며, 이 중 최대 20%가 ALI/ARDS에 해당함

c.f.) **APACHE II score**의 항목 ; 직장체온, 평균혈압, 심박수, 호흡수, 동맥혈 pH, oxygenation (PaO_2 or $(A-a)DO_2$), 혈청 Na/K/Cr, Hct, WBC count, GCS (glasgow coma score), 연령, 만성질환 병력, ICU 입원경로 등 → 점수가 높을수록 사망률↑

2. 원인/유발인자

직접 폐손상 (폐성 ARDS)	간접 폐손상 (폐외성 ARDS)
폐 감염 ; 폐렴, 결핵, SARS 위 내용물의 흡인 폐 타박상, 폐포 출혈, 폐절관염 익사 직전(near-drowning) 독성물질/연기 흡입, 흡입화상 산소 과다흡입(oxygen toxicity) 지방 또는 양수 색전증	폐외성 패혈증 (m/c) 심한 외상 ; burn, multiple bone fracture, chest wall trauma/flail chest, head trauma 대량 수혈, TRALI 약물 과다 췌장염 심폐우회술(cardiopulmonary bypass)

- 50% 이상의 환자는 손상 후 처음 24시간 이내에 발생
- 흔한 원인 ; sepsis (m/c), 세균성 폐렴, 외상, 위 내용물의 흡인, 대량 수혈, 약물 과다
    → 전체의 80% 이상차지
- 기타 ARDS 발생 위험이 증가하는 경우 ; 고령, 흡연, 알코올중독, 대사성 산증, 심한 기저질환,
    심한 외상 (APACHE II score↑)

3. 병태생리

Edema → Hyaline membrane → Interstitial inflammation → Interstitial fibrosis

- inflammatory response (초기의 exudative phase)
  ① initiation : 유발인자(e.g., sepsis)에 의해 다양한 mediators와 cytokines 분비
      (e.g., TNF-α, IL-1, IL-8, leukotriene B$_4$)
  ② amplification : 작용세포(주로 neutrophil)의 activation … IL-8이 관여
  ③ injury phase : 작용세포 내에서 reactive oxygen metabolites, protease 등을 분비
      → alveolar capillary endothelial cells과 type I pneumocytes (alveolar epithelial cells) 손상
      → fluid와 macromolecules에 대한 alveolar-capillary barrier 파괴 → vascular permeability 증가
      → alveolar & interstitial edema (단백질이 풍부함) : "non-cardiogenic" pulmonary edema
- 농축된 단백질, 세포 잔해, 변성된 surfactant 등이 모여서 hyaline membrane 형성
- alveolar edema (주로 dependent portion에 발생), surfactant↓ → atelectasis, ventilation↓
    (↔ neonatal RDS : primary로 surfactant 생성↓)
  ⇨ lung volume↓ (제한성 폐기능장애), compliance↓, diffusing capacity↓
      → intrapulmonary shunt↑, hypoxemia, 호흡노력 증가 → 호흡곤란
- pulmonary vascular injury도 ARDS 초기에 발생 (∵ microthrombi, fibrocellular proliferation)
  ⇨ microvascular occlusion → 환기(ventilation) 부위의 폐동맥 혈류(perfusion) 감소
      → dead space↑, V/Q mismatch, shunt 증가, pulmonary HTN → hypoxemia 악화
- PaO$_2$↓, PaCO$_2$↓ (∵ 초기에 hypoxemia에 의한 ventilation 증가로), (A-a)DO$_2$↑
- 나중에는 PaCO$_2$↑ (∵ dead space↑, 호흡근의 피로로 ventilation↓)
- inflammatory mediators
  ┌ bronchial narrowing → 기도 저항↑
  └ vascular narrowing (microthrombi도 관여) → 폐동맥압↑ (pul. HTN)

c.f.) cardiogenic pulmonary edema (CPE)와의 감별

	CPE	ARDS
PCWP (LA pr.)	↑ (>18)	정상 (<15)
Edema fluid의 단백질 농도	↓	↑
Cardiomegaly	+	−

- ARDS에 의한 pulmonary edema에서 폐기능장애가 더욱 심함

4. 병리소견

(1) **early exudative stage** (처음 7~10일까지) ··· diffuse alveolar damage (DAD)
- alveolar capillary endothelial cells 및 type I pneumocytes (alveolar epithelial cells) 손상
  → alveolar-capillary barrier 파괴 → interstitial & alveolar edema
- 급성 & 만성 염증반응 → basement membrane 파괴, hyaline membrane 형성

(2) **proliferative stage** (1~3주)
- 대부분의 환자는 이 시기에 회복됨 ··· lung repair 시작
  - edema 감소, alveolar exudates의 organization, neutrophils 대신 lymphocytes 침윤
  - type II pneumocytes 증식 (3일째부터도 가능) → surfactant 생산, type I pneumocytes로 분화
- interstitial inflammation & fibroblast 증식
- alveolar type III procollagen peptide (pulmonary fibrosis의 marker) 존재시엔 예후 나쁨

(3) **chronic fibrotic stage** (3주 이후)
- 일부 환자에서 진행됨, extensive alveolar-duct & interstitial fibrosis로 전환 (사망률↑)
- 정상 세엽 구조의 심한 파괴 → emphysema-like changes, large bullae, cysts
- 폐 미세혈관의 섬유증식 → progressive vascular occlusion, pul. HTN
- 기흉 발생 위험↑, lung compliance↓, dead space↑

5. 임상양상

- dyspnea, tachypnea (RR↑), cyanosis, diffuse crackle ...
- ABGA ; PaO₂↓, PaCO₂↓, respiratory alkalosis
  → 나중에는 PaCO₂↑ 및 respiratory acidosis도 발생
- high FiO₂에도 불구하고 severe hypoxemia 지속 (∵ shunt)
- 폐용적(TLC, VC, FRC, TV)↓, FEV1/FVC↑ (FEV1↓, FVC↓↓), DL_CO↓
- chest X-ray : non-cardiogenic pulmonary edema
  ① diffuse bilateral interstitial & alveolar infiltrates (폐야의 3/4 이상 침범)
  ② hilum, upper mediastinum은 확장되지 않음
  ③ cardiophrenic angle과 costophrenic angle은 유지함
- chest CT : heterogeneous pattern
  ┌ 주로 폐의 dependent portion의 alveolar edema & atelectasis
  └ 폐의 나머지 부분은 정상
- BAL ; neutrophils 증가 (→ alveolar protein 양 및 lung injury 정도와 비례)

6. 치료

(1) 원칙

① 원인 질환의 발견 및 치료 (e.g., sepsis, aspiration, trauma)

② 불필요한 시술 및 합병증 최소화 ; ventilator-induced lung injury (VILI) 예방 등

③ 중환자에 대한 표준화된 묶음 치료 (e.g., VTE, GI bleeding, aspiration, 과도한 진정, 장기간의 기계환기, 중심정맥관 감염 등의 예방)

④ 원내 감염의 빠른 파악 및 치료, hemodynamic stability 유지, 적절한 영양의 공급 등

(2) 산소

- PaO_2 60 mmHg (or SaO_2 90%) 이상을 유지할 수 있는 최소한의 FiO_2 사용

- 대부분은 적절한 oxygenation을 위해 mechanical ventilation이 필요함

- intubation 전까지는 face mask or high-flow nasal cannula를 통해 high-flow O_2 공급

(3) mechanical ventilation

- 목적 : 산소공급의 향상, work of breathing 감소, respiratory acidosis 교정

- mode : volume-cycled, assist-control ventilation (ACV)

  (c.f., 즉시 intubation이 필요하지 않는 안정적인 mild ARDS에서는 NIV. [BiPAP]도 가능)

- lung-protective strategy : VILI (volutrauma/barotrauma, atelectrauma 등) 예방

  ┌ volutrauma 예방 ; $V_T \downarrow$, $P_{plat} \downarrow$, prone positioning
  └ atelectrauma 예방 ; PEEP↑, prone positioning

① <u>low tidal volume [TV, V_T] ventilation (LTVV) : ≤6 mL/kg [PBW]</u> ★

- "permissive hypercapnia" : low TV → minute ventilation 감소 → 어느 정도 hypercapnia & resp. acidosis 발생할 수 있음 (pH 7.25 정도의 acidosis는 허용)

  - hypercapnia 최소화 방법 ; auto-PEEP이 발생하지 않는 선까지 호흡수(RR)를 증가시킴 (~35 bpm), ventilator tube를 가능한 짧게 함 (∵ dead space ↓), heated humidifier

  - permissive hypercapnia의 C/Ix. ; 두개내압↑, 심한 심혈관불안정/폐고혈압/metabolic acidosis

- plateau inspiratory airway pr. (P_{plat}) ≤30 cm H_2O 유지 (최소 4시간마다 check)

- conventional TV (12 mL/kg)을 쓰면 volutrauma 발생↑ (∵ compliance가 감소된 침범 부위를 완전히 팽창시키면, 상대적으로 compliance가 높은 정상 폐 부위의 손상 발생)

- ARDS의 치료법 중 사망률 감소 효과가 가장 확실함!!

② <u>high PEEP</u> (positive end expiratory pressure)

- Ix : PaO_2/FiO_2 ≤200인 moderate~severe ARDS (에서만 사망률 감소가 증명됨)

- 적정 PEEP level : nontoxic FiO_2 level (≤0.6)로, 심박출량(CO)에 큰 영향 없이, 적합한 SaO_2 (≥90%)를 유지할 수 있는 정도 (너무 높이면 barotrauma 위험)

  ⇨ 5 cmH_2O에서 시작, 효과 없으면 3~5씩 증가, 대개 15 cmH_2O까지만 [P_{plat} ≤30 유지하면서]
  (c.f., 최적의 PEEP setting에 대한 통일된 기준은 아직 없음)

- 효과

  ⓐ mean alveolar pr.↑ → atelectatic alveoli 개방, end-expiratory airway & alveolar collapse 방지 (FRC↑, shunt↓) → oxygenation 향상 (낮은 FiO_2로 PaO_2 높일 수 있음)

  ⓑ closed alveoli의 반복적인 reopen 감소 → alveolar damage 방지

- 부작용 ; 정상 alveoli의 overdistension, 심박출량(CO) 감소 (→ 저혈압)

  (c.f., 최근 연구 결과 barotrauma는 증가되지 않았음)　　　　[→ 기계적환기법 편 참조]

③ prone positioning (복와위)

- Ix : severe ARDS에서 금기가 아닌 경우 시행 → 사망률 감소
- 장점 : oxygenation 향상
  ⓐ pleural pressure의 uniform distribution
  ⓑ V/Q mismatching의 개선
  ⓒ 분비물의 postural drainage 증가
- 최소 10시간/day 이상 시행
- 단점 : intubation tube나 central venous catheter가 빠질 수 있음

  (구토와 흡인성 폐렴이 증가할 수 있으므로 경관 영양시 상체 거상, 위장운동촉진제 고려)
- C/Ix : 두개내압↑(>30 mmHg), 대량 객혈, 평균 동맥압 ≤65 mmHg, 임산부, 15일 이내의

  기관지 수술, 흉골 절개술, 두부 손상, DVT, pacemaker 삽입 등

④ alveolar recruitment maneuver (폐포동원술)

- 일시적으로 PEEP을 많이 높이는 것 (~35-45 cm H_2O, 30~40초)
- oxygenation은 향상되지만 수명 연장 효과는 논란, moderate~severe ARDS에서 고려

⑤ extracorporeal membrane oxygenation (ECMO)

- Ix : LTVV & high-PEEP 등의 기계환기로도 호전이 없는 "severe ARDS"에서 구조요법으로
- 기저질환이 회복 가능성이 있어야 하고, 출혈성 경향이 없어야 됨
- 적절한 대상에서 조기에 시행한 경우에는 사망률 감소 효과
- * ECCO2R (extracorporeal carbon dioxide removal) ; ECMO보다 작은 캐뉼라 & low flow

  (펌프가 없음), 기계환기의 강도를 줄여주지만(e.g., TV↓) 예후에는 차이가 없었음

⑥ 기타

- open lung ventilation (OLV) : LTVV + recruitment maneuver (이후 PEEP titration),

  기존의 LTVV + PEEP 방법에 비해 사망률이나 기계환기기간 감소 효과는 없음
- high-frequency oscillatory ventilation (HFOV), airway pressure release ventilation (APRV),

  partial liquid ventilation (PLV) 등 → 모두 예후 개선 효과 없음

(4) fluid

- fluid restriction & diuretics : PCWP <12 유지 → 좌심방 충만압(LA filling pr.)을 정상 or

  낮게 유지해야 pul. edema가 최소화되고, 폐기능이 향상되어 사망률도 감소함!
- 저혈압이나 주요 장기(e.g., 신장)의 hypoperfusion 시에만 금기
- 과량의 fluid는 alveolar damage를 악화시키고, 산소요구량을 증가시킴
- hypovolemia시에는 crystalloid solution을 사용

  (colloid는 간질로 새어나가 edema를 더욱 악화시킬 수 있음)

(5) 근이완제/신경근육차단제(neuromuscular blocker)

- patient-ventilator synchrony 향상 → compliance와 가스교환 호전, VILI 감소
- moderate~severe ARDS 환자에서 기계환기 시작 48시간 동안 사용시 hypoxemia 호전,

  사망률 감소, barotrauma (e.g., 기흉) 감소 등의 효과

(6) steroid
- 초기 치료에는 도움 안 됨, 1주일간 다른 치료에도 호전 없는 moderate~severe ARDS에서 고려
- radiation pneumonitis나 fat embolism에 의한 ARDS, fibroblastic phase 때는 도움이 될 수도
- sepsis가 동반된 경우 IV steroid 투여는 오히려 mortality를 증가시킴

(7) antibiotics
- 예방적 항생제 투여는 효과 없음! (내성균주의 출현만 조장)
- infection이 의심되면 즉시 광범위 항생제 사용

(8) 기타
- 폐혈관확장제 ; inhaled NO (nitric oxide), inhaled prostacyclin (epoprostenol)
  → 일시적인 oxygenation 향상은 있지만, 사망률이나 기계환기기간 감소 효과는 없었음
- surfactant 보충, 기타 항염증치료(e.g., ketoconazole, PGE_1, NSAIDs) ; 효과 없음 (권장×)
- 영양 공급 ; enteral feeding 선호 (25~30 kcal/kg, protein 1.5 g/kg)
- GI bleeding 예방 ; H_2-blocker, PPI, antacids 등
- anemia 동반시 → RBC 수혈로 Hb 높여야

* 사망률 감소가 증명된 치료법 ; low TV ventilation (LTVV), LA filling pr. 상승 최소화,
    심한 ARDS에서 high-PEEP, prone positioning, 초기 2일간 신경근육차단제 사용, ECMO

* ventilator 설정/목표치 ; TV ≤6 mL/kg, plateau pr. ≤30 cmH_2O, RR ≤35 bpm
    ⇨ FiO_2 ≤0.6, PEEP ≤10 cmH_2O, SpO_2 88~95% ⇨ pH ≥7.3 ⇨ MAP ≥65 mmHg
        (oxygenation)   (acidosis 최소화)   (diuresis)

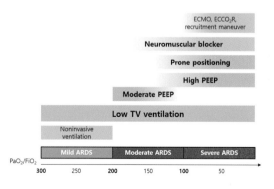

7. 합병증
; LV failure, secondary bacterial infection, DIC, bronchial obstruction (∵ intubation 때문에),
    pneumothorax, pneumomediastinum, oxygen toxicity ...

8. 예후

- 사망률 (감소 추세) : mild ARDS 34.9%, moderate ARDS 40.3%, severe ARDS 46.1%
  - isolated ARDS < 15%
  - MOSF (multiple organ system failure) : 70%
  - sepsis가 합병되면 80~90%
- 사인 : 대개 폐 이외의 원인 때문
  - 초기 (3일 이내) : ARDS를 일으킨 원인 질환에 의해
  - 후기 (3일 이후) : 2차 감염 & sepsis, 호흡부전 지속, MOSF
- 이전에 정상 폐기능을 가진 환자는, 만약 회복되면 장기 예후는 매우 좋다!
  (대개 6개월 후에 거의 정상으로 회복)
- 약 50%는 폐기능 이상이 남음 (restrictive, DL_{CO}↓)

예후가 나쁜 경우 (사망률↑)
고령
기저 만성질환 : 만성 간질환, 간경변, 알코올중독, 면역저하, 패혈증, 만성 신질환, 폐외 장기부전, 높은 APACHE II score 등
직접 폐 손상 : 폐렴, 폐 타박상, 흡인 등
조기에 (24시간 내) dead space가 커진 경우

* hypoxemia, PEEP level, CXR상 침윤 정도, lung injury score 등은 사망률과 별로 관련 없음
  (→ 폐기능의 회복과는 관련)

THERMAL INJURIES & SMOKE INHALATION

1. 개요

(1) immediate reaction : CO or cyanide poisoning, smoke inhalation, 상기도의 direct thermal injury에 의한 상기도 폐쇄
(2) ARDS (24~48시간 뒤에 발생) ; noncardiogenic pul. edema
(3) late-onset pul. Cx. ; pneumonia, atelectasis, thromboembolism, chest wall restriction ...

2. 임상양상

- tachypnea, cough, dyspnea, wheezing, cyanosis, hoarseness, stridor (→ upper airway edema)
- infection ; P. aeruginosa, S. aureus
- 체표면의 화상의 정도와 respiratory distress의 정도와는 관계없다

3. 치료

- most immediate life-threatening Cx. : upper airway obstruction, CO intoxication
  → fiberoptic brochoscopy와 ABGA로 감시
- steroid : edema의 치료에 도움이 될 수 있으나, 감염 위험의 증가에 주의

- prophylactic antibiotics는 pneumonia의 예방에 도움이 안 된다
- careful pulmonary toilet, humidification, sterile suctioning : pneumonia를 예방하기 위해
- serial bronchoscopy : mucous plug를 제거하여 atelectasis 방지

■ 참고 : 산소공급방법에 따른 흡입산소농도(FiO_2)

		산소유량 (L/min)	FiO_2 (%)
Nasal cannula		1	24
• 간단, 저렴, 사용 쉬움, 환자가 편하게 느낌		2	28
• 산소를 6 L/min 이상으로 공급해도 FiO_2 44%		3	32
이상으로는 증가하지 않고, 비강내 점막의		4	36
건조를 일으켜 환자가 불편해 함		5	40
• 대략 1 L/min 증가 당 FiO_2 4% 씩 증가		6	44
Simple O_2 mask		5~6	40
• FiO_2 50~60%까지 유지 가능		6~7	50
• 산소유량이 최소 5~6 L/min 이상 되어야 마스크 내 CO_2 저류를 피할 수 있음			
• 정확한 산소농도 공급이 어려워 COPD에는 사용×		7~8	60
Mask with reservoir bag (Reservoir mask)		6	60
• 호기류가 거의 없는 호기 후기에 100% 산소가		7	70
dead space를 채워서 더 고농도의 산소를 공급 가능		8	80
• 일부 호기도 저장백에 유입되어 산소와 혼합됨		9	90
• 산소유량이 최소 5~8 L/min 이상 되어야 마스크 내 CO_2 저류를 피할 수 있음		10	>99
Nonrebreathing Mask		4~10	60~ 100
• 저장백 속의 산소가 호기와 혼합되지 않음			
Venturi mask (high-flow system)	Blue	4	24
• 제트기류로 산소를 공급하고 옆의	Yellow	6	28
구멍을 통해 대기가 일정하게 혼합되도록 특수하게 고안된 장치	White	8	31
• 흡입 가스 전체를 system이 공급함	Green	10	35
• 일정한 FiO_2 유지 가능	Pink	12	40
→ COPD 환자들이 사용하기에 적당	Orange	12	50

c.f.) 공기중 산소농도(분율) FiO_2는 0.21

* **고유량 비강 캐뉼라**(high-flow nasal cannula, HFNC)
  - air/oxygen blender를 이용하여 FiO_2 21~100%로 조절할 수 있으며, 산소유량을 ~60 L/min까지 공급할 수 있음 (신생아는 ~8 L/min까지)
  - 기존의 low-flow system과 달리 호흡양상의 영향을 덜 받으므로 일정한 FiO_2 공급이 가능함 (가장 효과적인 방법!)
  - 고유량에 따라 호기시 저항이 발생하여 CPAP (continuous positive airway pressure) effect도 생김
  - 가온/가습기를 이용하여 따뜻하고 습기가 찬 산소 투여에 불편감이 적고 기도 점막의 건조 방지 (기도 수축 최소화, 호흡 일 감소 → 특히 COPD 환자에서 유용)
  - 단점 ; 비쌈, barotrauma 위험(특히 신생아에서)

16
기계환기(Mechanical Ventilation)

■ 기관내삽관

- 기관내삽관(endotracheal intubation)의 목적
  ① mechanical ventilation or 고농도 산소 투여를 위해
  ② 상기도 폐쇄의 방지/회복을 위해
  ③ 위 내용물의 흡인을 방지하기 위해
  ④ 기도의 분비물 제거를 촉진하기 위해
  - IICP 환자 (의식혼탁)의 경우 예방적 intubation은 안한다
- tube의 tip은 기관분지부(carina) 상방 3~5 cm에 위치하도록 한다
- ballooning (ET cuff) pr. : 18~25 mmHg 정도가 직당 (저혈압 환자에서는 더 낮게 유지해야)
  - cuff pressure manometer or Posey Cufflator™ (ET inflator & manometer)로 확인
  - 높으면 기관점막 모세혈관의 허혈 위험↑ / 낮으면 cuff air-leak 및 aspiration 위험↑
- 정상적인 삽관의 길이 (앞니 ~ 도관 끝) : 남 21~23 cm, 여 19~21 cm
- 기관삽관 후 도관의 위치 확인법
  ① 청진 : 양측 폐의 호흡음이 균등하게 잘 들림
  ② 시진 : 흡기시 양측 흉곽의 확장, 호기시 도관 내에 김이 서림
  ③ CO_2 검출 … $ETCO_2$ (end tidal CO_2) : 정상 5~6% (35~45 mmHg)
    - 혈류가 있는 경우 정확 → 식도 삽관 시에는 <5 mmHg or 검출 안됨
    - 심폐정지, 폐색전 시에는 기관 삽관은 잘 되었어도 $ETCO_2$↓
    - 직전에 탄산음료를 마신 경우에는 식도 삽관인데도 $ETCO_2$↑ 가능
  ④ 기관지내시경 : 직접 위치 확인 및 조절 가능
  ⑤ light wand (lighted stylet) : suprasternal notch에서 빛이 보이는지 확인
  ⑥ chest X-ray : 도관 끝이 carina 위 mid-trachea (대동맥궁) 위치
  ⑦ esophageal detector device, syringe aspiration technique …
- 기관삽관 후 생리적 변화
  ┌ 심혈관계 : 교감신경계 항진 → 고혈압, 빈맥
  └ 기도 : 사강(dead space)↓, 기도저항↑ (기관내 관의 내경이 작을수록)

기계환기(mechanical ventilation)의 적응증

(1) acute hypoxic respiratory failure (m/c, 65%)

  e.g.) ARDS, 폐울혈을 동반한 심부전, 폐렴, 패혈증, 수술/외상의 합병증

(2) hypercarbic ventilatory failure (acute hypercapnic respiratory failure, AHRF)

  ; coma (15%), COPD의 악화 (13%), 신경근육질환 (5%)

(3) clinical instability : 위 내용물 흡인을 방지하기 위해 기관내삽관

  e.g.) 약물 중독시 위 세척, 위장관 내시경 시술

(4) hyperventilation therapy가 필요할 때

  e.g.) IICP 환자에서 뇌혈류 감소, 수술 뒤 폐고혈압 환자에서 폐 혈역학 개선

VENTILATOR MODE

- trigger (유발) : 호흡 주기의 시작을 결정하는 인자 (환자, 기계)
- cycle (주기) : 흡기의 종료를 결정하는 인자 (volume, pressure, time)
- limited = control (조절) : 흡기의 목표, 환기 중의 기류 조절/제한 (volume [flow], pressure)

- volume-cycled modes ; control, assist, assist/control (ACMV), IMV, SIMV
- pressure-cycled modes ; PSV, PCV, CPAP, BiPAP

  * ACMV와 SIMV를 가장 많이 이용함

1. CMV (controlled mechanical ventilation, continuous mandatory ventilation)

- 완전히 기계에서 설정된 일회호흡량(volume-cycled) or 기도압(pressure-cycled) 및 rate 만큼 환기가 이루어짐 (강제환기) ; VCV (용적조절환기/정량/종량), PCV (압력조절환기/정압/종압)
- 환자 스스로의 호흡 차단 (강한 진정 및 근이완제) … 자발호흡이 없거나 없애야하는 경우

2. ACMV (assist CMV), ACV 보조/조절 환기

- 기계환기를 처음 시작할 때 권장되는 mode (patient/time triggered, time cycled, pressure limited)
- 환자의 흡기노력(trigger)에 의해 시작되는 기계에 의한 환기로, 설정된 일회호흡량(TV) 또는 기도압 만큼 환기가 이루어짐
- 정해진 최소한의 backup rate 보다 늦으면 (환자의 흡기 노력이 없으면) 기계가 호흡을 시작시킴
- 장점 ┌ 환자의 상태에 따라 호흡횟수가 변화
      └ 환자의 흡기노력이 없어도 최소한의 호흡 보장
- 단점 ┌ tachypnea시 respiratory alkalosis 발생 위험 (e.g., 불안, 통증, 기도자극)
      └ 기계에 의한 호흡과 환자에 의한 호흡이 충돌되어 (dysynchrony)
         dynamic hyperinflation (auto-PEEP) 발생 가능 (→ CO↓, barotrauma)
      * 딸꾹질도 trigger로 작용하여 기계에 의한 호흡이 유발될 수 있음 (→ SIMV로 변경)

3. IMV (intermittent mandatory ventilation)

- 기계에 의한 호흡 (→ 환자 스스로의 호흡과 무관하게 진행)
  + 환자 스스로의 호흡 허용 (기계호흡 사이에)

4. SIMV (synchronized IMV) 동조된 간헐적 양압환기

- weaning의 일환으로 호흡근을 훈련시키기 위해 사용 (∵ 기계에 의한 환기를 감소시킴)
- 기계에 의한 환기(환자의 흡기노력에 의해 시작) + 환자 스스로의 호흡 허용(기계환기 사이에)
  (patient triggered, time cycled, pressure limited) ; 기계환기 사이에 자유롭게 자발호흡이 가능
- ACMV와의 차이 : 자발호흡 가능, 기계에 의한 환기는 설정한 횟수만큼만 시행됨
- 자발 흡기의 중기/말기에 기계호흡도 발생되어 폐가 과팽창되는 것("breath stacking")을 방지 가능
- 기계에 의한 호흡(triggered breath)은 호흡역학상 control mode 때와 동일
- 장점 ┌ 환자의 자발호흡이 가능 → 호흡근의 기능 향상 (위축 방지)
        │ lower sedation requirement, mean airway pressure ↓
        │ resp. alkalosis의 빈도가 낮다
        └ 흉강 내압이 낮아 심혈관계통의 부작용이 적다
- 단점 ┌ unstable 환자에선 minute ventilation을 유지하기 어려울 수 있음
        │ ventilator의 rate가 낮은 경우 호흡근의 피로를 일으킬 수 있음
        │ tachypnea 시는 사용 어려움 (→ sedation 시켜야)
        └ 조기에 SIMV로 전환시 acidosis에 의한 빈호흡 발생 (→ 다시 ACMV mode로 전환)

5. PSV (pressure-support ventilation) 압력보조(지지)환기

- patient triggered, flow cycled, pressure limited (I/E ratio도 기계가 정함)
- 자발 호흡 가능 환자에서, 설정한 만큼 환자의 흡기를 보조(가압), 환자가 환기량(TV) & RR 결정
- 장점 ; patient-ventilator synchrony (동조성) 좋음, 환자의 호흡일 감소(→ 자발호흡, TV 향상)
- 단점 ; 환자가 불안정하거나 진정 상태인 환자에서는 적용하면 안됨
- weaning or SIMV에서 자발적 호흡노력을 증가시킬 때 적용 (SIMV + PSV)
- CPAP과 마찬가지로 non-invasive ventilatory assist로서도 사용이 시도되고 있음

6. PCV (pressure-control ventilation) 압력조절환기(정압식/종압식환기)

- 최대 기도압을 정해주면 일회호흡량(TV)과 분당환기량은 환자의 호흡 정도에 따라 변동됨
  (time triggered, time cycled, pressure limited), CMV의 일종
- Ix ; barotrauma (e.g., pneumothorax) 환자, 흉부 수술 후
- 장점 ; 기도압을 안전하게 유지 가능
- 단점 ; patient-ventilator asynchrony → heavy sedation이 필요
- TV을 증가시키는 방법
  ┌ pressure limit를 올림
  └ inspiration time을 늘림 : IRV (inverse inspiratory-to-expiratory ratio ventilation)
       → PEEP과 함께 사용하면 collapsed alveoli를 열어 oxygenation 향상

기계에 설정해주는 변수 (환자와 무관)

	Tidal volume	Ventilator rate (Respiratory rate)	FiO2	PEEP level	Pressure limit	Inspiratory pressure level
ACMV	○	○	○	○	○	
IMV	○	○ (기본 호흡수) 중간에는 자발호흡	○	○	○	
PCV		○, I/E ratio	○	○		○
PSV			○	○	○	○
NIV (non-invasive ventilation)			○			Inspiratory & expiratory pressure

7. 기타

- ECMO : 적절하게 사용되면 사망률 감소 효과, 점점 사용 증가
- prone positioning : ventilation-perfusion matching 향상, 단기 및 장기 예후 향상 (사망률 감소)
- inverse ratio ventilation (IRV) : PCV의 variant로 흡기시간을 길게 하는 것 (I/E ratio >1)
  - 효과 ; 호기시간↓ → dynamic hyperinflation → (PEEP 비슷하게) 호기말 압력↑
  - 낮은 peak airway pr.로 높은 mean airway pr.를 유지 (but, oxygenation 향상은 불확실함)
  - 단점 ; 수명 연장 효과 없음, 높은 sedation 및 neuromuscular blockade 필요
- high-frequency oscillatory ventilation (HFOV), airway pressure release ventilation (APRV), partial liquid ventilation (PLV) 등 → 모두 예후 개선 효과 없음
- patient-ventilator synchrony 향상을 위한 새로운 방법들
  - proportional assist ventilation (PAV)비례보조환기 : respiratory resistance와 compliance도 반영하여 PSV보다 더 synchrony 향상 (환자의 흡기 노력 정도에 맞추어 압력을 보조함)
  - neurally adjusted ventilator assist (NAVA)신경보정환기보조 : 횡격막에서 흡기유발 신호를 인지

8. PEEP (positive end-expiratory pressure)

: end-expiratory or baseline airway pressure을 양압으로(>0 cm H_2O) 유지하는 것

(1) 작용/효과

- 폐포 팽창 (허탈 방지), 허탈된 기도 재개통(recruitment모집) → FRC↑, RV↑, compliance↑
  → ventilation 향상 → V/Q↑, oxygenation↑, work of breathing 감소
  (but, 폐포가 overdistension되면 오히려 dead space가 증가될 수 → 폐포 환기에는 별 도움×)
- 폐포내 액체를 혈관/간질로 이동시킴 → intrapulmonary shunt↓, oxygenation↑ (PaO2↑)
  → FiO2를 낮출 수 있음 (oxygen toxicity 위험 감소)
- central venous pr.↑ → venous return↓ → LV & RV preload (EDV)↓, RV afterload↑
  → CO↓ (hypotension, organ hypoperfusion), LV afterload↓, ventricular compliance↓

(2) 적응/목적

① atelectasis의 예방/치료 (∵ V/Q mismatching 개선)

② mechanical ventilation으로부터 weaning 촉진

③ low FiO_2 (<0.6)에서 arterial oxygenation의 향상 (PaO_2 55~60 mmHg 이상)
  (ARDS 등에서 low FiO_2를 유지하기 위해, O_2 toxicity 감소)

④ auto-PEEP을 가진 환자에서 기계호흡 유발과 관련된 work of breathing 감소

• 대개 0~10 cmH_2O가 안전하고 효과적 (12 cmH_2O 이상이면 합병증↑)

• 주로 hypoxic respiratory failure 환자에서 사용 (e.g., ARDS, cardiogenic pul. edema)

• COPD 환자에서 낮은 PEEP (3~5 cmH_2O)은 기도의 dynamic collapse를 방지하는데 도움

(3) 금기

① 일측성 폐질환

② 폐쇄성 폐질환 (e.g., asthma)

③ peak & mean airway pressure 상승

④ bronchopleural fistula

⑤ hypovolemia, IICP, pulmonary embolism

(4) 부작용

① volutrauma/barotrauma ; pneumothorax, pneumomediastinum, subcutaneous emphysema,
  pirmary alveolar damage ... (→ PCV mode로!)

② CO↓ (∵ venous return↓), renal blood flow↓ (→ oliguria, 심하면 renal failure)

③ IICP (뇌압상승)

④ GI trouble ; stress ulcer, cholestasis, bilirubin↑ (∵ hepatic congestion)

⑤ malnutrition, decubitus ulcer

* PEEP을 올렸는데 PaO_2가 오히려 감소한 경우의 원인

① CO 감소

② intracardiac or noncapillary shunt 증가

③ closed alveoli (more diseased area)로의 perfusion 증가

④ 정상 alveoli의 overdistension

* PEEP을 제거할 때는 천천히 단계적으로 해야 됨 (∵ PEEP의 갑작스런 중단으로 발생한 hypoxia는
  위험하고 교정이 어렵다)

(5) Modes of PEEP

① CPPV (continuous positive-pressure ventilation) ; 기계환기를 하는 환자에서

② CPAP (continuous positive airway pressure) ; 자발호흡을 하는 환자에서
  - 모든 호흡은 환자의 자발 노력에 의해 발생 (평균 기도압만 조절 가능한 변수임)
  - mask/nasal CPAP ; non-invasive ventilation의 형태로 OSA 환자 등에서 이용됨

③ BPAP (bilevel PAP) ; EPAP (expiratory PAP)보다 IPAP (inspiratory PAP)을 더 높게 설정
  ⇨ 심한 COPD (intubation 시기를 늦추고, 사망률도 감소시킴), chronic ventilatory failure,
    restrictive chest wall dz. nocturnal hypoventilation 등에서 사용

■ **Auto (intrinsic) PEEP**

• 자발 or 기계호흡 중 incomplete expiration으로 인해 air trapping (dynamic hyperinflation)
  → PEEP 발생 → venous return↓, CO↓, 저혈압, 기도내압↑, 호흡일(work of breathing)↑

• 기계호흡 중 auto-PEEP 발생 환자는 COPD/asthma처럼 기도 폐쇄를 가진 환자가 대부분임

• 측정방법
  ① end-expiratory occlusion : 호기가 끝났을 때 air flow를 중지하고 proximal airway pr. 측정
  ② extrinsic PEEP : auto-PEEP 존재 시엔 extrinsic PEEP을 걸어도 peak inspiratory airway
     pr.가 증가하지 않음

• 발견 즉시 교정해야 됨

• 원인 및 대책
  ① airway obstruction (호기시 기류 저항) ⇨ bronchodilator, 안정제(±근이완제), suction 등
  ② inflation volume↑ (large TV), minute ventilation↑ ⇨ TV (tidal volume)↓
  ③ fast RR (호기시간 부족) ⇨ RR↓, 호기시간↑ (I:E ratio↓, ≤1:2), TV↓,
     inspiratory flow rate↑ (60~100 L/min)
  ④ ACMV mode에서 호흡 충돌시 ⇨ IMV mode로

• 기계환기 중인 COPD/asthma 환자에서 auto-PEEP 발생하면, 환자가 흡기 시작을 위해서는
  auto-PEEP 만큼의 음압을 더 만들어야 됨 → 환자의 호흡일 증가
       (e.g., missed triggers, accessory muscles_부호흡근 사용 등으로 알 수 있음)
  ⇨ 대책 ; expiratory time↑, RR↓, ventilator의 PEEP을 auto-PEEP보다 약간 낮게 설정함
     ["applied PEEP", 약 5 cm H_2O or auto-PEEP level의 1/2]
     (→ baseline 호기말 압력↑ → 호기시 기도를 열린 상태로 유지 → 완전 호기↑, breath-trigger effort↓)

  * applied PEEP은 expiratory flow limitation을 가진 환자에서만 적용해야 됨
     (없는 환자에게 적용하면 barotrauma↑, CO & BP↓ 악화)

기계환기 중 감시/관리

1. 환기 및 호흡역학 감시

• 최고 기도압(peak inspiratory airway pr.) : 흡기 종료시 기도내 압력, 40 mmH2O를 넘지 않도록

• 고원부 기도압(plateau inspiratory airway pr.) : 흡기 정지시 기도내 압력, static compliance를
  구할 때 이용됨, 급성폐손상(ALI)에서는 30~35 mmH2O를 넘지 않도록

• 최대 기도압(maximal inspiratory airway pr.) : 충분한 호기 이후 막힌 튜브를 통해 최대한 흡기를
  할 때의 압력, 이탈(weaning) 지표로 이용됨, -30 mmH2O 이상이어야 성공 가능성 높음

• 탄성(compliance)
  - static compliance = TV / (plateau pr. - PEEP)
  - dynamic compliance = TV / (peak airway pr. - PEEP)

• 기도저항, auto-PEEP, 기도압의 모양 ...

2. 산소화(oxygenation) 감시

- ABGA
- pulse oximetry
- 호기말 CO_2 분압 측정 (capnography)

3. 인공호흡기의 조정 ★

(1) 산소화의 조정 (hypoxia 교정)

- 산소화 결정 요소 ; FiO_2, <u>MAP</u> (mean airway pr.)···→ 바람직한 평균 폐 용적을 유지하는데 필요한 압력
- 평균기도압(MAP)을 증가시키는 방법 ; inspiratory flow rate↑, peak inspiratory pr. (PIP)↑, I:E ratio↑ (흡기시간↑ or 호기시간↓), PEEP↑ (m/i)
- FiO_2 0.6 이상으로도 hypoxia가 교정 안 되는 경우에는 PEEP을 검

(2) 이산화탄소의 조정 (hypercarbia 교정)

- CO_2는 혈액에서 폐포로 쉽게 확산되므로 환기(ventilation) 총량에 비례하여 제거됨
- $PaCO_2$는 CO_2 생산에 비례, 폐포 환기에 반비례함
- $PaCO_2$↓ (ventilation↑) → tidal volume↑ or RR↑

4. 진정제(sedatives)

- <u>propofol</u> ; 작용이 빠르고 반감기가 짧음 (→ 중단/이탈이 쉬움), 뇌압 감소 효과, 장기간 투여는 권장 안됨 (주요 부작용은 저혈압, 서맥, 호흡억제 등)
- <u>dexmedetomidine</u> ; α_2-agonist, 호흡억제가 적어 얕은 진정으로 PSV, SIMV mode일 때 유용
- benzodiazepines (e.g., midazolam, lorazepam) ; 저혈압, 섬망, 내성, 이탈/발관 지연 등의 단점으로 최근에는 잘 권장 안됨 (c.f., 해독제 → flumazenil)

5. 진통제(analgesics)

- ICU 환자는 대개 마약성 진통제(opioid analgesics)의 IV가 권장됨
  - morphine : 호흡과 기침을 강력하게 억제, histamine 분비 촉진(→ 기관지 수축, 혈압 저하)
  - <u>fentanyl</u>, <u>remifentanil</u>, sufentanil, alfentanil, hydromorphone 등은 histamine 분비 촉진×
    ↳ 초속효성(ultra short-acting), 간부전이나 신부전 환자에서도 안전함
- non-opioid analgesics ; AAP, NSAID, ketamine 등
  - ketamine : morphine만큼 강력한 진통 효과 + 진정, 호흡억제가 적고 기관지 확장 효과, 교감신경계 활성화(→ 혈압↑, 심박↑, 심근산소 소모량↑ → 심혈관질환 환자는 피함), 환각/섬망/악몽 등 부작용에 주의 (c.f., 전에는 뇌압 상승 부작용이 있다고 했으나 최근 연구 결과 없음)

6. 기타

- 근이완제(neuromuscular blockers) ; suxamethonium, atracurium, vecuronium, rocuronium 등
- 분비물 제거/흡인(suction)
  ① open suction system : ventilator circuit을 분리한 뒤 흡인 시행 → 흡인 동안 산소공급 중단
    (Cx ; <u>hypoxemia</u>, atelectasis, 기도손상, 오염/교차감염, 부정맥, IICP, 기침, 기관지수축)
    ┌ 예방 ; 흡인 전 100% 산소 투여, 흡인 시간 최소화(10~15초)
  ② closed (in-line) suction system : suction catheter가 보호관에 싸여서 ventilator circuit에 내장
    → 분비물이 많아 흡인을 자주해야 하거나, <u>PEEP 유지</u>가 중요한 환자에서 유용
    ┌ 장점 ; 흡인 중 인공호흡 지속 가능 → PEEP 유지 가능, hypoxemia 등의 부작용 감소
    └ 단점 ; 흡인 효과↓, catheter 자체의 오염 위험, catheter 무게로 인한 불편함
      (c.f., VAP 감소 효과는 없음)
- 영양공급 ; TPN보다는 NG (or orogastric) tube를 통한 enteral feeding이 좋다

기계호흡의 합병증

1. 호흡기 합병증

- barotrauma (m/c) (→ PCV mode로 전환!)
  ; <u>tension pneumothorax</u>, pneumomediastinum, subcutaneous emphysema, interstitial emphysema
- atelectasis ; 폐 용적 감소, 기도 폐쇄(e.g., mucus plug) 등에 의해 흔히 발생
  - 70% 이상의 oxygen은 <u>absorption atelectasis</u>를 유발 가능 (∵ N_2 washout)
- auto-PEEP → dynamic hyperinflation → venous return↓(→ CO↓), 폐 용적↑(→ 호흡근 약화)
- respiratory alkalosis ; 심하면 confusion, seizure, arrhythmia 발생 가능
- oxygen toxicity ; oxygen free radical이 lung interstitium에 작용 diffuse alveolar damage (ARDS)
  유발 가능, 48시간 이상동안 FiO_2 0.6 이상이면 risk 증가 (→ PEEP으로 예방)
- deconditioning of respiratory muscle (compliance↓)
- <u>tracheal stenosis</u> (∵ intubation 때문 - 약 1%에서 발생) ; 흡기시 wheezing↑
  (→ 대개 3주 이상 인공호흡이 필요하면 tracheostomy를 고려)
- ventilator-associated pneumonia (VAP)   (→ 4장 폐렴/예방 부분 참조)
  - endotracheal tube cuff 주위의 작은 틈을 통해 aspiration 되어 감염
  - 흔한 원인균 ; P. aeruginosa, enteric GNB (e.g., Acinetobacter), MRSA ...
  - 진단 ; BAL or PSB & quantitative culture
  - 예방 ; 보조 내강(→ 성문하 분비물을 지속적으로 흡인)을 가진 endotracheal tube 사용 등
    (e.g., Hi-Lo Evac)

2. 순환기 합병증

- hypotension (∵ 흉곽내압 증가에 따른 venous return 감소로)
  - 우선 auto-PEEP을 R/O 해야!
  - 대부분 intravascular volume 보충으로 호전됨
- 기타 hypotension의 원인 ; dynamic hyperinflation, pneumothorax, sedation, preexisting volume depletion, 갑작스런 $PaCO_2$ 감소에 따른 sympathetic tone의 감소 ...

3. 소화기 합병증

- diffuse GI mucosal injury : stress ulcer (⇨ 예방 ; sucralfate (carafate), H_2-RA, PPI 등 투여)
- delayed gastric emptying → promotility agents (e.g., metoclopramide)
- cholestasis
  - mild (total bilirubin ≤4.0) : 흉곽내압 증가로 인한 portal vein pr. 증가 때문 (보통 자연 회복)
  - moderate : primary hepatic process에 의할 가능성이 많다

4. 기타

- DVT ; pul. thromboembolism (⇨ 예방 ; heparin, LMWH, pneumatic compression boots)
- malnutrition, muscle deconditioning, depression ...
- decubitus ulcer (pressure ulcer, bedsore)
  - 예방 ; 자주 체위변화, 부드러운 매트리스, 에어 매트리스 등
  - 관리/치료 ; moist dressing, 소독제(antiseptics), 괴사조직 제거 등
    c.f antiseptics ; iodine (e.g., povidone iodine[Betadine]), silver (e.g., silver sulfadiazine) 등
    (hydrogen peroxide, chlorhexidine gluconate 등은 독성으로 상처치유를 방해하므로 금기)
- endotracheal tube 내의 분비물 축적이나 acute bronchospasm으로 인해 기도저항이 증가되는 경우에는 peak inspiratory pr.가 갑자기 상승할 수 있음

이탈 (weaning)

1. 이탈의 조건 (적응)

- FiO_2 0.5 이하에서 PaO_2 >60 mmHg (SaO_2 >90%) : PaO_2/FiO_2 ≥200 mmHg
- PEEP ≤5 cmH_2O
- $PaCO_2$ ≤50 mmHg, pH 7.35~7.4 (permissive hypercapnia는 예외)
- 흡기 노력 시작 가능 : intact ventilatory drive
- cardiovascular stability : MI 無, HR <140 bpm, 혈압 거의 정상
- 정신상태 정상, 체온 정상, 영양상태 정상, major organ system failure 無

* 위 기준에 맞는 환자는 단기간 자발 호흡을 시도해 봄 (<u>weaning index로 평가</u>)
  ⇨ RSBI (rapid shallow breathing index) = RR/TV (정상: 40~50 breath/min/L)
    : 기계호흡의 보조 없이 100 이하이면 weaning 가능
      → <u>RR 35 bpm 이상</u>이거나 SaO_2 90% 미만이면 자발 호흡 시도 실패임 (→ weaning ×)
* 이탈 성공의 예측인자
  - vital capacity >10 mL/kg
  - maximum inspiratory pressure −30 cmH_2O 이상
  - minute ventilation <10 L/min
  - RSBI <100 ; RR (respiratory rate) <30 bpm, TV >5 mL/kg

2. 이탈 방법

① ventilator를 단기간 사용했고, 호흡근 reconditioning이 적게 필요한 경우
    ⇨ T-piece, CPAP
② ventilator를 장기간 사용했고, 단계적인 호흡근 reconditioning이 필요한 경우
    ⇨ SIMV, PSV, SIMV + PSV
      (weaning 중 RR 25 bpm 이상이면 호흡근 피로 → 운동과 휴식을 번갈아가며 weaning)
* 호흡기능이 호전되면 우선은 PEEP과 산소 공급량을 줄이고, PEEP 5 mmH_2O와 FiO_2 0.5 이하에서
  동맥산소분압이 적절히 유지되면 그때 ventilatory support를 줄여나간다

3. 이탈 실패시의 원인

내경이 작은 endotracheal tube 사용시
상기도 폐쇄가 남아있거나, 기도 분비물이 많을 때
Aspiration이 계속될 때
Auto−PEEP (만성 폐질환 환자에서 이탈 기간이 길 때 문제)
Respiratory drive가 부족할 때 (e.g., 호흡중추 억제 약물, 신경병증)
호흡근의 피로, 과도한 work of breathing
영양실조 (but, 탄수화물 과잉 섭취시 CO_2 생성 증가되므로 주의)
감염, 발열, 장기부전(e.g., hypothyroidism)
전해질 (K^+, Mg^{2+}, Ph, Ca) 감소, metabolic alkalosis
좌심실부전 (∵ pul. edema, myocardial ischemia 등 발생)

비침습적 (양압)환기
NIV/NIPPV (noninvasive positive-pressure ventilation)

- NIV (noninvasive ventilation) : endotracheal or tracheostomy tube와 같은 인공기도를 이용하지 않고 nasal mask, facial mask, helmet, hood 등을 이용하여 기계적 환기를 제공하는 것
  - nasal mask : 기침 및 말하는 능력↑ (단점 ; 구강으로 누출, 비강의 높은 저항, 비강 자극)
  - full facial mask : ventilation 효과 최고 (단점 ; dead space↑, aspiration↑, claustrophobia)
  - conventional ventilator (병원) or portable (+) pressure ventilator 이용 (e.g., CPAP, BiPAP)
  - 장점 : 기관삽관의 합병증(e.g., 폐렴, 기관손상) 감소, 편리하고 가정에서도 사용 가능
  - 단점 : 꽉 끼는 mask로 인한 환자의 불편함

- NIV의 mode (침습적 기계환기와 동일하지만, NIV에서 더 흔히 쓰이는 mode가 있음)
  - assist control (AC) : 확실한 minimal minute ventilation이 필요할 때 선호됨
  - pressure support ventilation (PSV) : 환자의 편안함과 synchrony가 중요할 때 선호됨
  - proportional assist ventilation (PAV) : PSV보다 더 synchrony 향상
  - CPAP (continuous PAP) : 생리적으로는 PEEP과 비슷한 개념, 폐쇄성 수면 무호흡 및
       cardiogenic pulmonary edema에 의한 급성호흡부전 환자에서 선호됨
  - BPAP (bilevel PAP) : m/c, 흡기시와 호기시 기도압을 다르게 하는 것, COPD 환자에서 선호됨
  c.f.) CMV, IMV, SIMV, PCV 등은 NIV에서는 거의 사용 안됨

- NIV의 효과
  ① vital signs : HR와 RR의 빠른 감소
       (1~2시간 뒤에도 RR가 감소하지 않으면 호흡부전이 임박했음을 시사)
  ② gas exchange : 1시간 이내에
       - hypercapnic RF → $PaCO_2$ 5~10 mmHg 감소
       - hypoxic RF → PaO_2 ↑↑
  ③ work of breathing, dyspnea sensation, anxiety 감소

- NIV의 적용 (환자가 의식이 있어야 됨)
  : moderate acidosis (pH 7.3~7.35) & hypercapnia ($PaCO_2$ 45~60 mmHg)
       (COPD 환자는 좀 더 심한 경우도 가능 → 8장 COPD 편 참조)
  ① obstructive dz. ; COPD, 급성 천식, cystic fibrosis, 상기도 폐쇄, OSAHS
  ② cardiogenic pulmonary edema ⇨ CPAP
  ③ parenchymal dz. ; pneumonia, ARDS
  ④ restrictive lung dz. ; neuromuscular dz., obesity-hypoventilation syndrome,
       kyphoscoliosis 등의 흉벽 변형

  c.f.) acute hypoxemic respiratory failure 때는 intubation & conventional MV가 더 효과적임!
  - intubation이 필요하지 않은 시기에는 NIV보다는 HFNC 사용이 더 예후가 좋음
  - NIV or HFNC 모두 intubation이 필요한 시기를 지나서 사용해서는 안됨

- COPD의 급성악화 ⇨ BPAP (or PSV)
  - intubation, ICU 재원 기간, 폐렴 발생 등을 감소시켜 사망률을 줄일 수 있는 것이 증명되었음
  ┌ acidosis가 심하면(pH <7.25) pH가 낮아질수록 NIV 실패율이 높아짐
  └ acidosis가 경미하면(pH >7.35) 기존의 산소 & 약물치료보다 더 예후를 개선시키지는 못함
  - 퇴원 이후 HMV (home mechanical ventilation)로 사용해도 급성악화 및 사망률 감소

NIV의 금기
응급 기관삽관이 필요한 경우는 절대 금기임!
Cardiac or respiratory arrest
심각한 장기부전 (폐 이외의)
심한 뇌병증/의식저하 (e.g., GCS <10)
심한 위장관 출혈
혈역학적 불안정, 불안정한 부정맥 등
안면부 수술/외상/변형
최근의 식도 수술
협조 불가능, 기도보호 불가능, 분비물 제거 불가능, 흡인 고위험군 등
장기간의 기계환기 예상

17

폐암

- 원발성 폐암 : 대개 호흡상피(기관, 기관지, 폐포)에 발생한 암을 의미함
- 우리나라 전체 암중 발생 빈도 4위 (남자 2위, 여자 5위)
- 암으로 인한 사망 원인 중 1위 (남녀 모두) - 우리나라 & 미국 모두
- 55~65세에 호발 (40~80세까지 유병률 증가), 남:여 = 2:1 (평생 발생률 남/여 = ~8%/~6%)
- 특이한 증상이 없으므로 초기 발견이 어려워, 진단시 localized dz.는 15% 뿐,
  25%는 regional LN 전이, 55% 이상은 원격 전이를 동반
  → 예후 나쁘다 (폐암 전체의 5YSR 약 16%)

원인/위험인자

1. Modifiable risk factors

(1) **smoking** (m/i)
- 폐암 환자의 85%가 현재/과거의 흡연자 (c.f., 나머지 15%의 비흡연자는 대부분 여성)
- 비흡연자 대비 흡연자는 폐암 발생 위험 10배 (지속 흡연자는 20배, 과거의 흡연자는 9배)
- 간접 흡연자도 폐암 발생 위험 20~30% 증가
- COPD 동반시 폐암 발생 위험 더욱 증가
- 모든 종류의 폐암이 흡연과 관련
  (폐암 세포에서 nicotine receptor 발현 → nicotine은 폐암 세포의 apoptosis를 방해)
- 총흡연연량(pack-years)에 따라 폐암 사망률 증가 (e.g., 하루 2갑씩 20년 피운 사람은 60~70배↑)
- 금연하면 폐암 발생 위험 감소 (but, 비흡연자 수준으로는 안 됨!)
  - 중년 이전에 금연하면 담배에 의한 폐암 발생 위험 90% 이상 감소
  - 폐암 진단 이후에도 금연하는 것이 중요함 (∵ 생존율↑, 치료부작용↓, 삶의 질↑)
- 최근에는 비흡연자의 폐암도 증가 추세 ; 전체의 30%↑, 남자의 1/12, 여자의 1/5(우리나라는 90%)

(2) 직업적인 노출 ; asbestos, arsenic, bischloromethyl ether, mustard gas, 중금속(6가 크롬, 니켈), beryllium, polycyclic aromatic hydrocarbons 등

(3) 방사능 ; ionizing radiation (e.g., 원폭), radon (장기간 노출시 간접흡연 이상으로 위험)

(4) 식이 : 과일과 야채를 적게 섭취하는 군에서 폐암 발생 위험 높음

　　(but, 무작위 연구에서는 retinoids [vitamin C]와 carotenoids의 폐암 예방 효과 증명 실패했음)

(5) 기존 폐질환 ; 미만성 폐섬유화 (14배↑), COPD (2배↑), 폐결핵, lung scar, asbestosis, silicosis, scleroderma, dermatomyositis ...　(COPD 환자는 담배를 끊어도 risk factor 임)

(6) 내기오염 : 화석 연료의 연소로 인해 발생하는 오염물질, 미세먼지 등

2. Nonmodifiable risk factors

(1) 성별, 민족 ; 같은 양의 흡연시 남성보다 여성이 1.5배 폐암 발생률 높음

(2) genetic susceptibility

- 일부에서 가족력을 보임
- 폐암 환자의 1차친적은 폐암 및 다른 암의 발생 위험 2~3배 증가 (상당수는 흡연과 관련 없음)
- *Rb, p53* 유전자 변이를 가진 경우 폐암 발생 증가
- 기타 폐암과 관련된 유전자들 ; 5p15.33 (*TERT-CLPTM1L*), 6p21.33 (*BAT3-MSH5*), 15q25.1 (*CHRNA5-CHRNA3*), nicotinic acetylcholine receptors (nAChRs) gene cluster, telomerase activity (e.g., *hTERT, NOVA1*), <u>*EGFR* T790M</u> germline mutation, 염색체 <u>6q</u> 등
　　　　　　　　　　　　　　　　　　　↳ 비흡연자에서 폐암 발생 증가 ↵

(3) 폐암 pathogenesis와 관련된 유전자 이상

	SCLC	NSCLC
종양유전자(oncogene) 활성화 [driver mutations]		
RAS mutation (대부분 *KRAS*)	<1%	15~25% (주로 adenoca.)
<u>*EGFR*</u> mutation	<3%	10~20% (주로 adenoca.)*
FGFR mutation/amplification	1%	5% (주로 SSC)
<u>*ALK*</u> rearrangement	1%	3~6% (주로 adenoca.)
MYC family overexpression	>50% (*MYC, MYCN, MYCL*)	10~35% (*MYC = c-myc*)
BCL-2 family overexpression	>75%	>50%
종양억제유전자(recessive oncogene, tumor suppressor gene) 불활성화 등		
3p allele loss (3p-)	100%	>90%
FHIT (fragile histidine triad) mutation	75%	75%
RASSF1A methylation	90%	40%
<u>*RB*</u> mutation	>90%	20%
17p (p53/<u>*TP53*</u>) mutation	>90%	>50% (SSC>adenoca.)
9p (p16/*CDKN2*) mutation/-	10%	>50%
Promotor hypermethylation	>80%	>80%

*우리나라(동아시아)는 약 40~60%로 서양보다 *EGFR* mutations이 많음

- 종양유전자(oncogene) 활성화 [driver mutations] ; *EGFR, ALK, RAS, ROS1, MET, RET* 등
- 종양억제유전자의 비활성화 ; *TP53, CDKN2A/RB, STK11, PTEN* 등
- 기타 ; 후성변경(epigenetic alteration), angiogenesis, microRNA, telomerase overactivity 등

■ 분류

참고: 폐 종양의 WHO 분류 (2015)

Epithelial tumors
　Adenocarcinoma (m/c, 거의 1/2)　　　Lepidic*, Acinar, Papillary, Solid, Micropapillary 등이 주요 형태
　　　　　　　　　　　　　　　　　　　기타 Invasive mucinous, Colloid, Fetal, Enteric, Minimally invasive

　Squamous cell carcinoma (SCC)　　　Keratinizing, Non-keratinizing, Basaloid

Neuroendocrine tumors
　Small cell carcinoma (SCLC)
　Large cell neuroendocrine carcinoma　　　c.f.) 과거의 large cell ca.는 여러 subgroup으로 나뉨
　Large cell carcinoma　　　　　　　　　　　 Bronchioloalvelar carcinoma (BAC)은 삭제됨
　Carcinoid tumors

Mesenchymal tumors, Lymphohistiocytic tumors, Tumors of ectopic origin, Metastatic tumors

　*Lepidic : 비침습적으로, 온전한 폐포 벽을 따라 한 층으로 선암세포(atypical cuboidal cells)가 자란 형태.
　　　　　과거의 bronchioloalveolar carcinoma (BAC) pattern

전통적인 폐암의 조직학적 분류

조직학적 type	빈도(%)	5YSR (%)
Non-small cell lung cancer (NSCLC)		
Adenocarcinoma (m/c)	32~40	17
Squamous cell (epidermoid) carcinoma	25~30	15
Large cell carcinoma	8~16	11
Bronchioloalveolar carcinoma	~3	42
Small cell lung cancer (SCLC)	15~18	5
Carcinoid	~1.0	83
Total	100	14

* 우리나라도 2007년경부터는
　SCC보다 adenocarcinoma가 많아졌음
　(adenoca. 34.8% > SCC 32.1%
　> SCLC 17%)

※ ┌ central ; squamous cell ca, SCLC (→ bronchoscopy로 발견)
　 └ peripheral ; adenocarcinoma, large cell ca. (→ chest X-ray상 nodules)

1. 비소세포폐암 (NSCLC, Non-small cell lung cancer)

(1) 편평상피세포암 (squamous cell carcinoma, SCC)
- central airway에서 발생 (type II epithelial cells or alveolar epithelial cells이 기원으로 추정)
- 흡연자에서 가장 흔하게 발생 → 흡연자의 감소로 빈도 지속적으로 감소
- cavity 형성 가능 (cavitary forming tumor의 95%) ; wall이 두껍고 불규칙
　(c.f., SCC와 large-cell ca.의 10~20%에서 cavity 형성)
- SCLC보다 천천히 자라며 전이를 늦게 함
- 조직학적 특징 ; keratinization (keratin "pearl") and/or intercellular bridges

(2) 선암 (adenocarcinoma)
- 수술로 절제된 폐 선암의 70~90%는 invasive adenocarcinoma임
　(c.f., 주로 lepidic pattern인 non-/minimally invasive adenocarcinoma는 5YSR 거의 100%)

- 비흡연 여성 or 45세 이하에서 호발, 계속 빈도 증가하여 폐암 중 m/c (거의 ~50%)
- 흡연과 가장 관련이 적지만, 흡연과 무관한 것은 아님
- periphery에서 발생, 증상이 없는 경우가 많음, 원격전이가 흔함
- 고립성폐결절(SPN) 형태로 발견된 폐암의 약 60% 차지
- 가끔 lung scar와 관련되어 빌생 (scar cancer)
- 조직학적 특징 ; glandular 분화 or mucin 생산 / lepidic, acinar, papillary, or solid patterns
  (good Px.)   (poor Px.)

(3) 세기관지폐포암 (bronchioloalveolar carcinoma, BAC)

- adenocarcinoma의 subtype (lepidic pattern), 남=여, 비흡연자에서 더 흔함
  → 현재는 안 쓰는 용어, adenocarcinoma에 포함됨 (AIS, MIA, invasive adenoca. 등)
- 폐포벽을 따라 증식하며 경계가 불분명, gas exchange의 장애를 일으킴
- Sx ; dyspnea, hypoxemia, sputum (→ 폐렴과의 감별이 어려울 수 있음)
- CXR/CT ; multiple small nodules or ground-glass 양상 (폐렴과 비슷)

(4) 대세포암 (large-cell carcinoma)

- SCC나 adenoca.의 형태학적 특징을 갖지 않으면서 세포질이 풍부한 종양
- 주로 periphery에서 발생하며, 원격전이(e.g., 뇌)가 흔함
- WHO 2015 분류에서는 다른 여러 아형으로 나뉘어졌음

2. 소세포폐암 (small cell lung cancer, SCLC)

- neutroendocrine cells에서 기원, 흡연과 관련성 높음 (비흡연자에서는 드뭄)
- central airway에서 발생, obstructive pneumonia 동반 가능
- 폐암 중 가장 악성도가 높고 증식 속도가 빠름! → high proliferative rate (Ki-67, MIB-1)
- 조기에 전이를 일으켜 진단 당시 약 2/3에서 흉부외 원격전이 존재 (간, 뇌, 뼈, 부신 등에 호발)
  → 다른 폐암과 달리 chemotherapy가 우선
- paraneoplastic syndromes이 흔함 ; ACTH, ADH (AVP, vasopressin), ANP, calcitonin,
  bombesin (gastrin-releasing peptide), neuronal autoAb. 등을 분비
- 신경내분비적 분화의 특징을 가짐 ; dense-core granules, neuron-specific enolase (NSE),
  CD56 (NCAM), synaptophysin, chromogranin, CD57 (Leu7) 등 (+)

폐암의 면역조직화학염색(IHC)

	TTF-1	Nap-A	CK7	CK20	기타
Adenoca.	+	+	+	−	세포질내 mucin, PAS-D 등 (+)
SCC	−	−	−	−	p40, p63, desmoglein 등 (+)
SCLC	+	−	+	+	Ki-67, CD56 (NCAM), NSE 등 (+)
Metastasis	−	−	유방, 난소, 전립선, 신장	대장, 전립선	유방→ER, 난소→ER, inhibin 전립선→PSA, 신장→CD10 등

TTF (thyroid transcription factor-1), Nap-A (Napsin-A), CK (cytokeratin)

c.f.) Mesothelioma ; CK7/20, CK5/6, calretinin, Wilms tumor gene-1 (WT-1) 등 양성

임상양상

* 5~15%는 무증상일 때 발견됨 (대개 routine CXR/CT 검사로)

1. Primary lesion에 의한 증상

(1) central or endobronchial tumors

; <u>cough</u> (m/c, 50~75%), <u>hemoptysis</u> (25~50%), <u>dyspnea</u> (25%), wheezing/stridor,
postobstructive pneumonitis (fever, productive cough) 등

(2) peripheral tumors

; <u>chest pain</u> (20%, 흉막 또는 흉벽 침범), dyspnea (∵ restrictive), 종양괴사에 의한 폐농양 등

2. Local invasion에 의한 증상

- tracheal obstruction → dyspnea
- esophageal compression → dysphagia
- recurrent laryngeal N. 침범 → 쉰소리(hoarseness), 성대마비 [→ T4]
  (좌측 폐암에 의한 aortic arch 근처의 Lt. R. laryngeal N. 침범이 대부분)
- phrenic N. 침범 → 편측 횡격막 상승, dyspnea
- inferior cervical sympathetic ganglion 침범 → <u>Horner's syndrome</u>
  (unilateral facial anhidrosis, enophthalmos, miosis, ptosis)
- *Pancoast's syndrome* (superior sulcus tumor) [→ T3]
  - apex에서 발생 (우상엽), 대개 squamous cell ca.
  - Sx ① inf. cervical sympathetic ganglion 침범 → *Horner's syndrome* 동반
      ② brachial plexus 침범 → upper extremity paralysis, paresthesia
      ③ intractable pain ; shoulder, scapula, upper chest, arm
          (ulnar distribution으로 radiating)
  - Tx : preop. RTx + 수술 + postop. RTx or intraop. brachytherapy
  - Px (3YSR) : SCC 42%, adenoca. & large cell ca. 21%
- *SVC (superior vena cava) syndrome*
  - 원인 : 악성 종양이 90% 이상, 주로 central type lung ca.   → 혈액종양내과 참조
    : SCLC (m/c)와 SCC가 전체 악성 종양의 85% 이상 차지
  - Sx : 호흡곤란, 두통, 안면홍조(plethora), 얼굴과 팔의 부종, 경정맥 확장
  - CXR : sup. mediastinum의 확장 (주로 우측), pleural effusion (25%)
  - Tx ① radiotherapy (즉시 치료해야!, medical emergency는 아님)
      ② 원래 cancer에 대한 CTx (e.g., SCLC, lymphoma)
      ③ stenting, bed rest with head elevation, 산소, 이뇨제, salt restriction 등
- 흉벽/흉막/뼈 침범 → pleural effusion, chest pain, bone pain (or fracture)
- 심장/심막 침범 → tamponade, arrhythmia, heart failure
- lymphatic obstruction → pleural effusion / lymphangitic spread → hypoxemia, dyspnea

3. Extrathoracic metastasis에 의한 증상

- 부검시 SCC의 50% 이상, adenoca.와 large cell ca.의 80%, SCLC의 95% 이상에서 원격전이 발견
- 증상이 있어 진단된 폐암 환자의 약 1/3에서 원격전이 존재 ; brain, bone, liver, BM, adrenal 등
- brain (10~20%) ; 두통, N/V, 경련, 신경장애, 의식장애 ...
  - 뇌는 primary tumor보다 metastatic tumor (lung, breast 등)가 훨씬 많음
  - 증상을 보이는 뇌 전이종양의 70%가 폐암
- bone (NSCLC의 20%, SCLC의 30~40%) [척추, 갈비뼈, 골반, 사지 등] ; 통증, 병적 골절, ALP↑
- liver ; 간비대, RUQ pain, 발열, 식욕부진 등 (간기능장애나 담도 폐쇄는 드묾)
- BM ; cytopenia, leukoerythroblastosis
- LN ; supraclavicular, axilla, groin 등에
- adrenal ; 흔하지만 증상이나 부신 부전이 나타나는 경우는 드묾
- spinal cord compression syndrome (∵ epidural or bone metz.) → Tx : RTx, steroid

4. 부종양 증후군 (paraneoplastic syndrom)

* 수술의 금기는 아니며, 수술/CTx. 후 호전되는 경우가 많음

(1) 원인을 모르는 증상

- 식욕부진, cachexia, 체중감소 (환자의 30%에서 동반), fever, 면역저하 ...
- 10% 이상의 체중감소는 poor Px. sign

(2) Hypercalcemia (& hypophosphatemia)

- PTH or PTH-related peptides (더 흔함) 생산 때문, 주로 SCC에서 발생
- Sx : N/V, constipation, polyuria, weakness, coma, shortening QT interval
- Tx : N/S으로 hydration (∵ 탈수 상태), bisphosphonate
  (euvolemia되면 furosemide를 추가할 수 있음)
- * bone 전이에 의한 hypercalcemia도 발생 가능

(3) SIADH (syndrome of inappropriate secretion of ADH) : hyponatremia

- vasopressin (AVP, ADH)의 ectopic secretion 때문, SCLC의 10~45%에서 동반
- hyponatremia, serum osmolarity ↓, urine osmolarity > serum osmolarity, urinary sodium excretion ↑
- 대부분 CTx. 시작 1~4주 뒤 호전됨
- Tx. ① 수분 제한, loop diuretics (furosemide) → serum Na⁺ 128 mEq/L 이상 유지
  ② hypertonic saline (3%) : 생명 위험시 (confusion, coma ...)
  ③ demeclocycline (ADH의 작용을 억제)
  ④ vasopressin receptor antagonists (e.g., tolvaptan) : 부작용 위험(간 손상, 신경 손상)
- * ANP (atrial natriuretic peptide) 분비에 의한 hyponatremia도 발생할 수 있음 (SCLC)

(4) Cushing's syndrome

- 주로 SCLC에서, ACTH의 ectopic secretion은 ~50%에서
- 급격히 발병하여, 전형적인 외형 변화는 나타나지 않고, hypokalemia같은 전해질 이상만 나타남

- 실제 Cushing's syndrome은 1~5%에서만 - poor Px. (CTx.로 인한 기회감염 증가도)
- Tx. ① SCLC 자체를 치료하는 가장 효과적
  ② bilateral adrenalectomy : 매우 심한 경우 고려
  ③ 일반적인 치료(e.g., metyrapone, ketoconazole)는 대개 효과 없음 (∵ cortisol level↑↑)

(5) skeletal-connective tissue syndrome
① clubbing ; 30%, 주로 NSCLC에서 발생
② hypertrophic pulmonary osteoarthropathy (HPOA)
  - 1~4%, 대개 adenocarcinoma에서 발생, VEGF의 overexpression 때문?
  - Sx ; nail clubbing, synovitis, long bones의 periosteal inflammation (→ 통증, 압통, 부종)
  - 주로 발목, 무릎, 손목, 팔꿈치 등을 침범 (metacarpal, metatarsal, phalangeal bones도 가능)
  - X-ray : periosteal new bone formation / bone scan : diffuse pericorticall linear uptake
  - Tx ; aspirin, NSAID

(6) neurologic-myopathic syndrome (1%)
┌ SCLC : Eaton-Lambert syndrome, retinal blindness
└ all type ; peripheral neuropathy, subacute cerebellar degeneration,
                cortical degeneration, polymyositis
- 대부분 자가면역(autoAb.)에 의해 발생
- **Eaton-Lambert syndrome** (Lambert Eaton myasthenic syndrome, LEMS)
  - SCLC의 1~3%에서 발생 (보통 Ca. 발견 4년 전부터 발생)
  - 기전 : anti-voltage-gated calcium channel (VGCC) autoAb. 생성 (SCLC의 5~8%에서)
    → neuromuscular junction 에서의 Ach. 분비 감소
  - Sx : proximal muscles의 progressive weakness (휴식시 심함, 운동시 호전 → MG와의 차이),
          DTR 감소 or 소실, automonic dysfunction (e.g., dry mouth)
  - myasthenia gravis (M.G.)와의 감별점
    ① DTR ↓
    ② minimal cranial nerve involvement
    ③ EMG : high rate stimulation에 점증형
    ④ Tensilon test (-) ⑤ Ach. receptor antibody (-)
  - Tx : plasmapheresis, IVIG, pyridostigmine, 3,4-diaminopyridine, guanidine
- neuronal autoAb. (e.g., anti-Hu [ANNA1], anti-Ri [ANNA2, Nova-1], anti-Yo [PCA-1],
    anti-ANNA3, anti-CV2 [CRMP5]) → 매우 다양한 신경 증상 ; sensory neuropathies,
    autonomic overactivity, cerebellar degeneration, brainstem encephalitis, limbic encephalitis...
    c.f.) anti-Hu ; SCLC의 ~20%에서 발견되지만 대부분은 무증상
- DM/PM : 폐암은 DM 진단 1년 내 발생 암의 약 18%, PM 진단 5년 내 발생 암의 20% 차지

(7) 기타
- 혈액학적 이상 (1~8%) ; migratory venous thrombophlebitis (Trousseau's syndrome)
    nonbacterial thrombotic (marantic) endocarditis + arterial emboli, DIC, anemia,
    leukocytosis, eosinophilia, thrombocytosis (혼함) ... (thrombotic Cx. → poor Px.)
- 피부증상(e.g., dermatomyositis, acanthosis nigricans)과 신장증상(e.g., NS, GN)은 드묾(<1%)

폐암의 Paraneoplastic syndromes ★

	Syndrome	흔한 조직형
Endocrine & metabolic	SIADH, Cushing's syndrome, hypercalcitoninemia Hypercalcemia Gynecomastia	SCLC SCC Large cell ca., adenoca.
Connective tissue & osseous	Clubbing Hypertrophic pulmonary osteoarthropathy	NSCLC Adenoca., large cell ca.
Neuromuscular	Myasthenia (Eaton-Lambert syndrome) Peripheral neuropathy (sensory, sensorimotor) Subacute cerebellar degeneration Dermatomyositis	SCLC 모두 모두 모두
Cardiovascular	Thrombophlebitis (Trousseau's syndrome) Nonbacterial thrombotic (marantic) endocarditis	Adenocarcinoma
Hematologic	Anemia, DIC, eosinophilia, thrombocytosis	모두
Cutaneous	Acanthosis nigricans, erythema gyratum repens	모두

■ 폐암에서 의식혼탁을 초래하는 원인
  ; SIADH, hypercalcemia, respiratory alkalosis, brain metastasis
    (→ electrolytes, ABGA, brain CT 등을 check 해야 함)

진단과 병기판정

1. 조기진단 (screening)

• sputum cytology & chest X-ray (1 cm 넘어야 발견 가능)
  – screening으로 폐암이 발견된 환자의 90%는 무증상
  – but, screening을 안한 군과의 폐암에 의한 사망률 차이가 없음! → 현재 권장되지 않음
• low-dose spiral CT (LDCT) : 조기 폐암의 진단 민감도가 높아 (특히 peripheral lesions에서),
  CXR보다 폐암 사망률을 20% 감소시키지만, 위양성률이 높고 비용이 많이 드는 것이 문제
  – 다른 더 뛰어난 방법은 없으므로 screening이 필요한 경우나 SPN의 evaluation에 많이 이용
  – 대상 ; 55~74세, 30갑년 이상의 흡연력 (금연했다면 15년 경과×) → 매년 1회 LDCT 시행
• 종양표지자 ; CEA, SCC-Ag, CYFRA 21-1, NSE 등 모두 진단 민감도와 특이도가 부족함
    → 폐암 screening 용으로는 권장 안됨

2. 조직학적 확진 (tissue diagnosis)

• 분자유전검사 등을 위해 충분한 양의 조직을 얻는 것이 좋음 (core [needle] biopsy가 가장 좋음)
• fiberoptic bronchoscopy (m/i) ; 특히 central (e.g., SSC, SCLC) or endobronchial lesions
  (e.g., carcinoid tumor)의 진단에 유용 → overall sensitivity 85~90%
  – cytology : washing, brushing, BAL, tranbronchial FNA (가장 sensitive)

- bronchial or transbronchial lung biopsy (TBLB, TBB)
- EBUS (endobronchial US)-guided transbronchial biopsy (TBB) or needle aspiration (TBNA)
  - sensitivity & specificity 높고, 안전하게 시행 가능
  - 종격동/폐문부 LN 및 기관지 주변 폐실질에 대한 조직학적 진단 가능
- peripheral lesions이라도 staging을 위해 필요할 수 있음
- (CT-guided) transthoracic needle biopsy (TTNB) or aspiration (TTNA) ; peripheral lesions
  (e.g., adenocarcinoma, large cell ca.)의 진단에 유용 (but, pneumothorax 합병 위험)
- 우선 원격전이가 R/O되면 LN 평가 실시 (imaging and/or FNA/조직검사)
- LN biopsy/cytology ; EBUS, mediastinoscopy, VATS (thoracoscopy), TBNA, TTNA, EUS 등
  - 정확한 N stage가 필요할 때는 반드시 시행 (e.g., stage I~III에서 N2 or N3 결정시)
  - 영상검사 만은 민감도/특이도 낮음 (위양성/위음성 많음) ; CT 55%/62%, PET-CT 81%/90%
  - CT or PET-CT에서 LN 전이 의심시 (NSCLC의 1/4~1/2) 조직검사로 확진 권장
- sputum cytology ; sensitivity 20~70% (크고 중앙에 위치한 SSC, SCLC에서 높음), 3회 이상 실시

3. 병기판정을 위한 검사 (staging procedures)

(1) 모든 환자에서 권장
- Hx, P/Ex ; performance status, weight loss, ENT examination ...
- CBC, electrolytes, glucose, calcium, phosphorus, renal & liver function tests
- EKG, chest X-ray, TB skin test (or IGRA)
- CT : chest, abdomen (liver와 adrenal 전이 여부 보기 위해)
  - SCLC에서는 RTx. 설계, 치료반응 평가, F/U에 매우 유용
  - 종격동 조직의 침범을 보는 데는 spiral chest CT or MRI가 좋음
    (but, 치료방침 결정에 영향을 미치는 병변은 조직검사가 필요)
- (PET or) PET-CT scan ; 종격동 LN 평가 및 원격전이 발견 위해 모든 환자에서 시행
  - 고립폐결절(SPN)의 진단 : sensitivity 90~95%, specificity 85~90%
  - 종격동 LN 전이 판정 : sensitivity & specificity 95% 이상
  - standardized uptake value (SUV) 2.5 이상이면 악성 가능성 높음
  - 위음성 ; DM, 병변 크기<8 mm, 천천히 자라는 종양(e.g., carcinoid, well-diff. adenoca.)
  - 위양성 ; 일부 감염 및 육아종성 질환(e.g., TB)
- MRI ; CNS (뇌, 척수), 부신, 종격동(혈관, 지방, 기관, 식도), 흉벽 등의 전이 확인에 m/g,
  superior sulcus tumors, brachial plexus 침범 R/O 때도 유용
- spinal cord compression or leptomeningitis 의심시 → spinal CT/MRI, CSF cytology
- radionuclide bone scan ; 골 전이 의심시 (e.g., 압통, ALP↑) → PET가 특이도 더 좋음
- PFT & ABGA : 호흡부전의 증상/징후 있을 때
- 의심되는 병변의 biopsy ; 조직학적 진단이 되지 않았거나, 치료 또는 병기판정에 영향을 미치는
  경우 반드시 시행! (e.g., mediastinal LN - NSCLC 진단시 1/4~1/2에서 전이 존재)

(2) 수술/방사선치료에 금기가 없는 NSCLC 환자
- stage III의 경우 PET-CT에 추가로 더 많은 검사 권장 (brain CT/MRI 등)
- PFT & ABGA, coagulation tests

- cardiopulmonary exercise test : performance status or PFT에서 경계군
  - 수술 예정인 환자 : mediastinoscopy 또는 개흉술시 mediastinal LN 평가
  - 수술 고위험군 or RTx 예정 환자 : bronchoscopy에서 음성이면 TTNA/TTNB or TBLB

(3) SCLC 또는 advanced NSCLC 환자

- SCLC가 증명된 환자
  - brain CT/MRI (약 10%에서 뇌 전이 존재)
  - BM biopsy (약 20~30%에서 전이) : isolated BM 전이는 드물어 routine으로는 권장 안됨
- NSCLC 또는 조직형을 모르는 경우
  - 의심되는 병변의 biopsy
  - transthoracic biopsy or TTNA : bronchoscopy에서 음성이고, 조직학적 진단을 위한 다른 검체를 얻을 수 없을 때
  - thoracentesis : pleural effusion 존재시 cytology 확인 (→ 음성이면 여러번 반복)

4. 생리학적 평가 (수술가능성 검토)

- 수술 전 폐기능 평가 : 폐활량검사(spirometry) – FEV_1 & 폐확산능검사(DL_{CO}) 필수
  - FEV_1 ≥2 L (or 80% predicted) & DL_{CO} ≥80% ⇨ Pneumonectomy(폐절제술) 포함한 수술 가능
    (FEV_1 >1.5 L ⇨ Lobectomy 가능)
  - FEV_1 <2 L (or 80% predicted) or DL_{CO} <80%
    ⇨ 절제 후 폐기능: predicted postoperative (PPO) FEV_1 & DL_{CO} 계산!
- 수술 후 감소되는 폐 % 평가 ; quantitative perfusion lung scan, CT, 해부학적 계산(segments 수)
  (= preop. FEV_1 or DL_{CO} × 수술 후 남을 폐 부위의 perfusion %)
- predicted postoperative (PPO) FEV_1, DL_{CO} 60%와 30%를 기준으로 위험도 분류, 필요시 추가로
  정식 심폐기능검사(cardiopulmonary exercise test, CPET)로 최대산소섭취량(VO_2max) 측정 or
  stair climb or shuttle walk test 시행

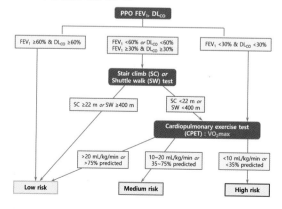

┌ low risk : 수술 관련 사망률(예상) 1% 미만
│ medium risk : 수술의 이득과 위험은 환자에 따라 평가
└ high risk : 사망률 10% 이상, minimally invasive surgery, minor resections, 비수술적 치료 고려

수술의 생리학적 절대 금기 (stage와 관계없이) ★
1. 거동이 불가능한 performance status (ECOG ≥2)
2. AMI후 3개월 이내 (6개월 이내의 MI는 relative C/Ix)
3. 조절되지 않는 major arrhythmia
4. Severe pulmonary HTN
5. CO_2 retention (PaCO$_2$ >45 mmHg) … hypoxemia보다 중요
6. FEV$_1$ <1 L, FVC <1.5 L, DL$_{CO}$ <40%
7. Maximal breathing capacity (MVV) <40% predicted

5. 폐암의 staging (⊂ NSCLC, SCLC, bronchopulmonary carcinoid tumors)

TNM classification (8th edition, 2016) ★

Tumor Size (T)

TX	원발종양을 평가할 수 없음 or 객담/기관지세척액에서 암세포는 존재하지만 영상검사/기관지내시경에서 보이지 않는 경우
T0	원발종양의 증거가 없는 경우
Tis	상피내 암종(carcinoma in situ) Squamous cell carcinoma in situ (SCIS) Adenocarcinoma in situ (AIS): 직경 ≤3 cm, pure lepidic pattern의 선암
T1	종양직경 ≤3 cm & 폐 또는 내장측 흉막에 둘러싸여있고 　기관지내시경상 lobar bronchus보다 상부(i.e., main bronchus)를 침범하지 않았을 때 T1a ≤1 cm, T1b 1<종양직경≤2 cm, T1c 2<종양직경≤3 cm T1mi (minimally invasive adenocarcinoma, MIA) : 종양직경 ≤3 cm, 　주로 lepidic pattern, stromal invasion ≤0.5 cm
T2	3<종양직경≤5 cm or 아래 중 하나 　크기에 관계없이 main bronchus를 침범(carina에서의 거리는 관계×, carina는 침범×) 　내장측 흉막(visceral pleura)을 침범 (PL1 or PL2) 　폐문부까지 퍼진 atelectasis 또는 obstructive pneumonitis 동반 T2a 3<종양직경≤4 cm, T2b 4<종양직경≤5 cm
T3	5<종양직경≤7 cm or 아래 중 하나 이상을 직접 침범(direct invasion) 　벽측 흉막(parietal pleura, PL3), 흉벽(superior sulcus tumor 포함), phrenic nerve, 벽측 심장막 or 원발종양과 같은 폐엽의 separate tumor nodule(s)
T4	종양직경 >7 cm or 크기에 관계없이 아래 중 하나 이상을 침범 　횡격막, 종격동, 심장, 대혈관, 기관, 식도, 척추, 기관분지부(carina), recurrent laryngeal nerve or 원발종양과 동측 폐의 다른 폐엽에 separate tumor nodule(s) 존재

Regional Lymph Nodes (N)	
NX	Regional LN 평가 불가능
N0	Regional LN에 전이 없음
N1	동측 peribronchial LN *and/or* hilar LN 전이 (원발종양의 직접 침범 포함)
N2	동측 mediastinal LN *and/or* subcarinal LN 전이
N3	반대측 mediastinal LN *and/or* hilar LN, 동측/반대측 scalene *or* supraclavicular LN 전이

Distant Metastasis (M)	
M0	Distant metastasis 없음
M1a	원발종양과 반대측 폐에 separate tumor nodule(s) 존재 *or* Pleural/pericardial nodules *or* malignant pleural/pericardial effusion을 동반한 종양
M1b	흉곽외 한 장기의 단일 전이 (단일 non-regional LN 전이 포함)
M1c	흉곽외 한 장기의 다발성 전이 *or* 여러 장기의 전이

* satellite nodules (multiple pul. nodules)
→ 확진을 위해 경피적 세침생검(FNA) or VATS를 이용한 조직검사 필요

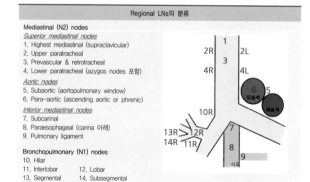

Regional LNs의 분류

Mediastinal (N2) nodes
Superior mediastinal nodes
1. Highest mediastinal (supraclavicular)
2. Upper paratracheal
3. Prevascular & retrotracheal
4. Lower paratracheal (azygos nodes 포함)
Aortic nodes
5. Subaortic (aortopulmonary window)
6. Para-aortic (ascending aortic or phrenic)
Inferior mediastinal nodes
7. Subcarinal
8. Paraesophageal (carina 아래)
9. Pulmonary ligament
Bronchopulmonary (N1) nodes
10. Hilar
11. Interlobar 12. Lobar
13. Segmental 14. Subsegmental

*EBUS-TBNA : (5) Subaortic, (8) Paraesophageal, (9) Pul. ligament LN는 불가능
*EUS-FNA : (8), (9)에 적합 / (4), (7)은 EBUS-TBNA or EUS-FNA / (5)는 논란

* mediastinal N2 dz.는 임상적으로 2 groups으로 구분
┌ nonbulky (minimal) N2 : 수술전(clinical) N2 미만 & 수술후 조직검사로 진단된 N2 nodes(+)
│ (mediastinoscopy 상에서는 음성이었더라도)
└ bulky (advanced, clinical) N2 : 수술 전 조직/영상검사에서 확인된 LN 전이(>2~3 cm) or
multiple smaller LNs group, 피막외 침범, 2개 이상의 LN 부위(station) 침범

폐암의 TNM staging 및 예후(5YSR)

Stage	T	N	M	5YSR
I A1	T1a			90~92%
I A2	T1b	N0	M0	83~85%
I A3	T1c			77~80%
I B	T2a	N0	M0	68~73%
II A	T2b	N0	M0	60~65%
II B	T1a~T2b T3	N1	M0	53~56%
III A	T1~T2b T3 T4	N2 N1 N0~1	M0	36~41%
III B	T1~T2b T3~4	N3 N2	M0	24~26%
III C	T3~4	N3	M0	12~13%
IVA	Any T	Any N	M1a,b	~10%
IVB	Any T	Any N	M1c	0%

	N0	N1	N2	N3
T1a	I A1			
T1b	I A2			
T1c	I A3			
T2a	I B			
T2b	II A	II B	III A	III B
T3	II B			
T4		III A	III B	III C

- 진단시...
  - 약 1/3은 localized dz. (I, II, 일부 IIIA) ··· 수술/RTx로 완치가 가능
  - 약 1/3은 locally advanced dz. (일부 IIIA, IIIB)
  - 약 1/3은 (약 40%) advanced dz. : distant metastasis (IV)

6. SCLC의 staging

- NSCLC와 생물학적 특성이 많이 다르므로 간단한 2-stage system이 선호됨

(1) LD : limited stage dz. (약 35%) : tumor 및 LN 침범이 one hemithorax 내에 존재
   - mediastinal, contralateral hilar & supraclavicular LN 침범 포함
   - SVC syndrome, recurrent laryngeal nerve 침범 등도 포함됨

(2) ED : extensive stage dz. (약 65%) : limited stage를 벗어난 것 (양쪽 폐실질 침범) or
   - distant metastasis, cardiac tamponade, malignant pleural effusion
   - cervical, axillary LN 침범도 포함됨

- limited stage는 curative chemoRTx. or RTx. 가능 (∵ single tolerable RTx. port)
- 최근에는 연구, 등록, 미래의 변화 대비 등을 위해 TNM system도 같이 이용함,
  특히 curative resection이 가능한 경우 가장 유용 → stage I (T1~2N0)

치료

1. Occult & stage 0 carcinoma

- 정의 : sputum or bronchial washing에서는 암세포가 보이나, 영상검사는 정상 (TX stage)
- localization : fiberoptic broncoscopy (90% 이상 가능)
  - differential brushing or washing cytology, biopsys
  - carcinoma in situ or multicentric lesions이 흔히 발견됨
- Dx, W/U시 ENT exam.도 해야! (∵ sputum cytology가 꼭 lung origin의 세포만은 아니므로)
- Tx : conservative surgical resection (가능한 폐실질을 적게 절제) → 5YSR >90%
- 2ndary primary lung ca. 발생위험이 높으므로 (매년 5%), 주의 깊게 F/U 해야
- hematoporphyrin 투여 후 bronchoscopic phototherapy도 연구 중

2. NSCLC

■ Stage I, II

- <u>수술</u>(surgical resection)이 원칙 (TOC)
  - <u>adjuvant CTx</u> : stage II~IIIA에서 권장 → survival 약간 증가 (5YSR 약 5~6% ↑)
    - ┌ stage I A에서는 오히려 survival↓, I B는 이득 논란
    - └ high-risk stage I B (e.g., 절제 병변 ≥4 cm, lymphovascular invasion)는 권장
    - * cisplatin-based doublet 사용 : platinum + vinorelbine (SSC) or pemetrexed (non-SSC)
      (↳ 독성으로 사용 못하면[e.g., 신기능저하, 신경병, 청력장애] carboplatin)
      ⇨ 수술 6~12주 뒤 시작, 4 cycles 이하로
  - adjuvant targeted therapy나 immunotherapy는 시행 안함
  - postop. RTx는 (−)margins에서는 효과 없고, intraoperative brachytherapy도 효과 없음!
  - neoadjuvant CTx : 일부에서 survival 약간 증가 → 절제 가능한 stage IIIA의 일부에서 고려
    (특히 superior sulcus tumors or chest wall invasion의 N1, single-station N2 dz.)
- 수술을 거부하거나 불가능하면 curative RTx. 시행

■ Stage IIIA

- limited (nonbulky) N2 이하 ⇨ <u>수술</u>(surgical resection) + adjuvant CTx ± PORT
  - PORT (postop. RTx) : N2에서는 survival 향상에 큰 도움 (N0~1에서는 도움×)
- bulky N2~3 ⇨ concurrent <u>chemoRTx</u> (platinum-based CTx + full-dose RTx)_{동시항암화학방사선치료}
  : 순차치료(sequential CTx→RTx)보다 효과 좋음
  - performance status (PS) 좋은 경우에만 시행 (PS 나빠서 CTx가 어려우면 RTx만 시행)
  - neoadjuvant chemoRTx : chemoRTx 뒤에 수술, lobectomy로 완전절제 가능하면 survival↑
    (완전절제를 위해 pneumonectomy가 필요한 경우엔 수술이 도움 안됨)
- T4N0~1 ⇨ 완전절제 가능하면, 수술 + adjuvant CTx ± PORT
  (완전절제 불가능 or T4N2 [IIIB]면 수술 금기)

- 일부 T3 stage tumors의 치료
  ① chest wall 침범 ⇨ 수술(종양과 침범된 흉벽의 en bloc resection) + postop. RTx
  ② superior sulcus (Pancoast's) tumor ⇨ neoadjuvant chemoRTx : chemoRTx 이후에 수술
     (종양 침범부위[폐, 흉벽]의 en bloc resection) … N2 미만이면 예후 좋음 (5YSR >50%)
     - N2 이상이면 수술이 도움 안되므로 chemoRTx만 시행
- 수술 불가능한 ⅢA ; 완전 절제 불가능, multistation or bulky N2~3, extracapsular nodal dz.

■ Stage IIIB
- concurrent chemoRTx (CCRT) : performance status 좋으면
     (performance status 나쁘면 RTx만 or sequential CTx 뒤에 RTx 시행)

■ Stage IV (advanced NSCLC)
- performance status가 좋은 경우 (ECOG ≤2) combination CTx and/or immunotherapy,
  targeted therapy 등 → survival 증가 (PS 나쁘면 supportive care만)
- Sx-based palliative therapy (RTx, pain control 등) → dyspnea 등의 증상 완화, 삶의 질 향상
- 특정 전이 부위의 치료
  - oligometastatic dz. : 원발 폐암의 완전절제가 가능한 일부 isolated metastasis 또는
     단일 부위의 재발은 수술(surgical resection) and/or RTx가 도움 (e.g., 뇌, 부신)
  - bone metz. : 원래의 치료 + RTx 혹은 수술
     (osteoclast inhibitor ; denosumab or zoledronate → 골격계 증상 발생 감소)
  - leptomeningeal metz. : RTx and/or intrathecal CTx는 별 도움 안됨

Advanced NSCLC의 치료

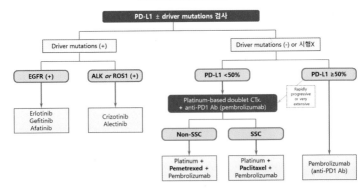

(1) 수술(resection)

• 전체 폐암 환자의 약 40%에서 개흉술(thoracotomy) 시행

┌ 75% : definite resection 시행 (→ 5YSR stage Ⅰ 60~80%, stage Ⅱ 40~50%)

├ 12% : palliative procedure 시행

└ 12% : exploration만 시행

• 수술 방법

① 전폐적출술(pneumonectomy) : 아주 중심부 or 여러 엽 침범시, 수술 사망률 6~8%

　* sleeve lobectomy : 폐엽과 함께 main stem bronchus의 일부도 절제하는 것,

　　　　제한된 폐기능 때문에 pneumonectomy를 시행하기 어려운 경우 고려, 사망률 2~11%

② 폐엽절제술(lobectomy) : 가장 선호됨 (국소재발↓, 사망률 2~4%), VATS로도 가능

③ limited resection (wedge resection, segmentectomy) : 제한된 폐기능 때문에 full

　lobectomy를 시행하기 어려운 경우 고려, VATS로 가능, 사망률 1.4%

　→ 재발률이 높으므로 폐기능이 나쁜 작은(≤3 cm) 말초 병변에서만 시행

④ chest wall invasion (stage ⅡB, T3N0) → en-bloc resection

⑤ complete mediastinal LN dissection : stage Ⅰ~ⅢA에서 LN sampling에 비해 survival 향상

• NSCLC에서 resection margins (+)면 (R1) postop. RTx.도 시행 → survival 향상

근치적(curative) 수술의 주요 금기 ★
1. SCLC (mediastinal LN을 침범하지 않은 stage Ⅰ or Ⅱ SCLC는 수술할 수도 있음)
2. 원격전이, 광범위한 chest wall 침범, malignant pleural effusion
3. 반대측 폐, 반대측 mediastinal LN, 동측/반대측 scalene or supraclavicular LN 침범
4. Recurrent laryngeal N. (쉰소리, 성대마비) or phrenic N. 침범
5. Carina, trachea, esophagus, pericardium (cardiac tamponade), 대혈관 등의 침범
6. SVC syndrome (→ RTx), Horner's syndrome
7. Proximal main stem bronchi 침범 종양 (<2 cm from carina) (→ ChemoRTx)
8. Bilateral endobronchial tumor (→ RTx)
9. Spinal cord compression syndrome (→ RTx, steroid)

(2) 방사선치료

① 근치적 방사선치료 (curative RTx.)

• stage Ⅰ or Ⅱ에서 수술을 거부하거나 불가능할 때, stage Ⅲ 일부

• SBRT (stereotactic body radiation therapy, 정위적체부방사선치료)

　; 5 cm 이하의 단일 폐 종양에서 시행 → dz. control rate >90%, 5YSR ~60%

• conventionally fractionated RTx. ; SBRT의 적응을 넘는 폐암, 5YSR 13~39%

② 고식적 방사선치료(palliative RTx.)가 효과가 있는 경우

Disseminated NSCLC or CTx에 반응이 없는 SCLC 환자에서
Dyspnea, cough, hemoptysis
Endobronchial obstruction (atelectasis, pneumonia)
SVC syndrome, Painful bone metastasis
Cardiac tamponade (→ RTx + pericardiocentesis)
Brain metastasis or spinal cord compression (→ RTx + steroid)
Brachial plexus 침범
Stage Ⅰ~Ⅲ중 physiologic staging상 수술이 불가능할 때

• 증상이 없는 환자에서 brain CT screening 및 prophylactic cranial irradiation은 효과 없음

③ radiation pneumonitis (방사선 폐렴)

- RTx 1~6개월 (주로 2~3개월) 후에 주로 발생 (5%에서)
- 발생 위험인자 ; RTx 기간, 방사선조사 총량 (일회 방사선량은 아님)

  ┌─ MLD (mean lung dose) : 폐 용적당 평균 방사선량, 20 Gy 이상이면 발생 위험↑
  └─ V$_{20}$: 20 Gy 이상을 조사받는 정상 폐 용적, 30% 이상이면 발생 위험↑

  – 방사선 총량이 4000 Gy를 넘으면 100% 발생
  – 고령, performance status↓, 폐기능↓, 흡연, COPD, ILD, 유방암에 대한 호르몬치료 등
  – bleomycin, adriamycin, mitomycin 등의 항암제에 의해 폐손상이 더 악화될 수 있음

- 임상양상 ; dyspnea, dry cough, chest fullness/pain, weakness, fever,
  fine high-pitched "Velcro rales" / leukocytosis, ESR↑ / PFT에서 DL$_{CO}$↓
- CXR/CT : 주로 방사선 조사 부위에 발생 (but, 다른 부위나 반대편 폐에서도 발생 가능)

  ① alveolar / nodular infiltrate : 경계가 선명 (↔ 다른 dz.와 D/Dx)
  ② ground-glass opacification (GGO)
  ③ air bronchograms

- Tx. (증상이 없거나 경미하면 경과관찰)

  ① aspirin, cough suppressants, bed rest
  ② steroid : 효과 좋음, 심한 경우엔 가능한 빨리 투여해야 (예방적 투여는 효과는 없음!)
  ③ 항생제는 감염의 증거가 없을 때는 투여할 필요 없다

* 기타 RTx.의 부작용 ; acute radiation esophagitis (m/c, 대개 self-limited), pulmonary fibrosis
  (수개월~수년 뒤, radiation pneumonitis 없이도 발생 가능), spinal cord injury (영구적일 수 있음)

(3) 세포독성 항암화학요법(cytotoxic CTx.) ··· advanced NSCLC

- initial CTx. (4~6 cycles) ··· "platinum-based doublet CTx."가 표준

  ⇨ cisplatin/carboplatin + paclitaxel, docetaxel, pemetrexed, gemcitabine, vinorelbine 등
  ┌─ non-SCC → carboplatin + pemetrexed 권장
  └─ SCC → carboplatin + paclitaxel (or nabpaclitaxel, docetaxel) 권장

  – cisplatin이 효과는 약간 더 좋지만, 독성이 심해 일반적으로 carboplatin이 더 선호됨
  – SSC에서는 pemetrexed의 표적 중 하나인 thymidylate synthase (TS)의 농도가 높아 반응↓

- maintenance CTx. (nonprogressing) ; single-agent CTx., bevacizumab, or pembrolizumab 등

  – platinum의 장기간 사용은 독성 증가와 삶의 질 저하 (→ 보통 single-agent CTx.로)
  – switch maintenance Tx. ; 완전히 새로운 약제 사용
  – continuation maintenance Tx. ; platinum은 제외하고 initial Tx.의 항암제 계속 사용

(4) 분자표적치료(molecular targeted therapy) 및 면역치료(immunotherapy)

■ somatic driver mutations

① *EGFR* mutations (→ PCR, NGS [c.f., 혈액의 cell-free DNA로도 검사 가능: "liquid biopsy"])

- NSCLC 환자의 약 15%에서 존재 (동양인에서는 더 높음, 22~62%),
  여성/비흡연자/adenoca.의 약 70%에서 (+) (but, 남성/흡연/adenoca.의 약 30%에서도 (+))
- exon 19 deletion (45%)과 exon 21의 L858R point mutation (40~45%)이 m/c

  ⇨ EGFR-TKI 1세대(gefitinib [Iressa®], erlotinib [Tarceva®]) 2세대(afatinib [Gilotrif®]
  or anti-EGFR Ab (e.g., cetuximab [Erbitux®])에 반응 좋음

- 기존의 platinum-based doublet CTx보다 반응률 및 생존율 약 2~3배 높고, 부작용도 적음
  (c.f., EGFR-TKI의 부작용 ; skin rash, diarrhea, 드물게 interstitial pneumonitis)
- but, 대부분 10~14개월 뒤에 병이 다시 진행 → 약제 내성 발생 때문
  ; exon 20의 T790M (약 50%) or exon 20 insertion이 흔함
  ⇨ 3세대 EGFR-TKI (e.g., osimertinib [Tagrisso®])가 효과적 ⋯ 초치료부터 권장되기도 함
    ↳ EGFR과 T790M이 target (부작용도 매우 적음)

② *EML4-ALK*(anaplastic lymphoma kinase) gene rearrangement (→ FISH, IHC, NGS로 검사)
  - NSCLC의 3~7%, adenoca. (signet ring cells↑), 젊은 연령, 흡연력 적거나 없음, 남≥여
  - ALK inhibitors에 반응 좋음 ; alectinib (Alecensa®), crizotinib (Xalkori®), ceritinib 등
  - 차세대 ALK inhibitors (brigatinib, lorlatinib) : 기존의 ALK inhibitors보다 반응 더 좋음
    (brigatinib은 특히 뇌 전이에 효과적, lorlatinib은 기존의 ALK inhibitors 실패시 사용)

③ *ROS1* fusion (rearrangement) (→ FISH, NGS로 검사)
  - NSCLC의 ~1%, 젊은 연령, 흡연력 적거나 없음
  - ALK & ROS1 kinase inhibitor에 반응 좋음 ; crizotinib (Xalkori®)

■ **PD-L1** (programmed death ligand-1) protein expression
- immune checkpoint inhibitors : T cells과 암세포의 상호작용을 차단하여 T cells 활성화↑
  ┌ anti-PD-1 Ab ; pembrolizumab (Keytruda®), nivolumab (Opdivo®)
  └ anti-PD-L1 Ab ; atezolizumab, avelumab, durvalumab
- IHC로 검사, 모든 폐암 환자에서 검사 권장 (∵ PD-L1의 genomic alterations과는 관련 없음)
  ┌ ≥50% ⇨ anti-PD-1 Ab (pembrolizumab) monotherapy가 표준
  │   - 종양이 크거나 급격히 진행하는 경우엔 doublet CTx. + pembrolizumab [triple Tx.]
  └ <50% ⇨ doublet CTx. + anti-PD-1 Ab (pembrolizumab) [triple Tx.]
- 조직형(SCC, non-SCC)에 관계없이 효과적이고 (수명↑), 대부분의 연구에서 PD-L1 발현에
  큰 관련 없이 효과적이었지만, 우리나라는 PD-L1 (+)시에만 보험 적용됨 (약 30%가 해당됨)
- 다른 면역관문억제제인 anti-CTLA-4 (ipilimumab [Yervoy®])와의 복합요법
  - nivolumab + ipilimumab : 1ˢᵗ line으로 사용시 기존 치료보다 반응↑ & 장기 생존율↑
  - 면역관문억제제의 치료반응 예측 biomarker로 TMB (tumor mutational burden) 사용
    ┌ TMB : targeted NGS로 검사 (c.f., TMB와 MSI는 반비례 관계로 나옴)
    └ TMB-high ⇨ anti-PD-1/PD-L1 및 anti-CTLA 치료에 반응 좋음!
  - NSCLC 환자에서 TMB-high면 nivolumab + ipilimumab 치료 권장 가능

■ angiogenesis inhibitor
- anti-VEGF mAb (bevacizumab, Avastin®), anti-VEGFR-2 mAb (ramucirumab, Cyramza®)
- doublet CTx에 추가시 survival 더욱 향상
  → 최근엔 대신 anti-PD1 Ab (pembrolizumab)를 추가하는 것이 더 효과적으로 보임
- Cx ; 출혈(m/i), 고혈압, 단백뇨
- C/Ix ; SCC (∵ 출혈↑), 뇌 전이, 객혈, 출혈 경향, 항응고제 필요 환자

(5) 기타

- malignant pleural effusion (RTx는 안함!)

① chest tube drainage (thoracentesis) & intrapleural sclerosing agent
   (e.g., talc, bleomycin, TC)

② indwelling pleurex catheter

③ VATS : large malignant effusion의 경우

- central airway obstruction의 치료

(1) acute ┌ extrinsic compression → stent placement
        └ endobronchial obstruction → laser therapy (80~90% 반응),
                electrocautery, photodynamic therapy, rigid bronchoscopic debulking

(2) subacute ; 위의 치료 외에 brachytherapy (local RTx)도 고려할 수 있음

3. SCLC

* <u>combination CTx.가 TOC</u> : cisplatin (or carboplatin) + etoposide (or irinotecan)

- 성장속도가 매우 빠르기 때문에 CTx/RTx에 반응이 좋음, LD stage라도 micrometastasis 존재
- 일단 CTx에 반응이 있으면 CTx를 더 오래해도 이점은 없다
- 3주마다 4 cycles 시행 뒤 (90일 뒤), initial response 파악 (restaging)

① CR (complete response/remission) : 종양 및 부종양증후군의 완전 소실

② PR (partial response/remission) : 종양이 50% 이상 감소

③ no response or progression (10~20%) : CTx-resistant dz.
   ⇨ 2nd-line CTx. 시도 (e.g., topotecan ± paclitaxel)

(1) performance status가 좋은 경우 (0~1)

① <u>limited stage</u> ⇨ <u>concurrent</u> CTx (cisplatin + etoposide) + thoracic RTx (TRT)
   └ CTx 초기(1st or 2nd cycle)에 TRT 시행

- TRT : accelerated hyperfractionation (총 45 Gy를 1.5-Gy fractions으로 하루에 2번씩, 30일 동안)
- clinical stage Ⅰ (invasive mediastinal LN 평가 이후) ⇨ 수술 + adjuvant CTx

② <u>extensive stage</u> ⇨ CTx만 시행

- RTx는 주로 palliative 목적(e.g., bone pain, bronchial obstruction)

③ prophylactic cranial irradiation (PCI)

- 모든 stage에서 CTx로 CR/PR된 이후 권장 (PCI 안하면 약 2/3에서 전이 발생)
- brain metastasis 발생 감소 (약 1/2로) 및 survival 약간 향상 (5.4% ↑)

(2) performance status가 나쁜 경우 (≥2)

- modified-dose combination CTx
- palliative RTx

(3) 예후

- CTx에 반응률은 높지만 예후는 매우 나쁨
- 5YSR ┌ limited stage : 6~12%
       └ extensive stage : 2%

Performance status (ECOG) grade	
0	무증상
1	증상은 있지만 가벼운 정상 활동 가능
2	하루 50% 이하로 bed rest 필요, 노동 불가능
3	하루 50% 이상 bed rest 필요
4	bed ridden (완전 무능력)

• median survival ┌ limited stage : 12~20개월
                  └ extensive stage : 7~11개월
• 치료 3개월 이내에 재발한 경우 특히 예후 나쁨 (CTx-resistant dz.)

■ 폐암의 예방

(1) 금연 : 가장 효과적 (but, 지원자의 5~20%만 성공) → 1장 참조
(2) 조기 진단법 (screening) : 고위험군에서만 LDCT 고려 → 앞부분 참조
(3) chemoprevention : 현재는 효과적인 것 없음, 연구 중
    (c.f., vitamin E와 β-carotene은 흡연자에서 오히려 폐암 발생 위험을 증가시킴)

■ 전이성 폐암 (Metastatic lung cancer)

• 폐 전이가 흔한 암 : 신세포암, 융모막 암종, Wilms 종양, 골육종, 흑색종, Ewing 육종, 고환암 ...
• CXR 소견
  - sharp margin의 multiple spherical nodules
  - 대부분 직경 5 cm 이하
  - 보통 bilateral, 위치는 폐 하부 말초(peripheral or subpleural)에 호발
  ┌ cavity → primary가 squamous cell ca. 시사
  └ calcification → primary가 osteosarcoma 시사
  - lymphangitic carcinomatosis의 경우는 interstitial pattern도 보일 수 있음
• 신장암, 대장암 등이 폐로 전이하는 경우엔 기관지내 병변을 잘 만듦
• 폐 이외의 원발암이 있으면서 폐에 SPN 존재시 (특히 35세 이상 흡연자인 경우)
  → 원발성 폐암의 가능성도 있으므로 반드시 폐암에 준하여 W/U (∵ 보통 폐암이 경과 더 나쁨)
• 원발암 외에 유일하게 폐 전이만 있다면 resection도 가능
• 완치를 목적으로 폐 전이를 성공적으로 resection할 수 있는 종양
  ① osteogenic & soft tissue sarcoma
  ② colon, rectal, uterine, cervix, corpus tumors
  ③ head & neck, breast, testis, salivary gland cancers
  ④ melanoma
  ⑤ bladder & kidney tumors
• 5YSR는 대개 20~30% (특히 osteogenic sarcoma의 경우는 치료 성적이 매우 좋다)

폐의 양성 종양

1. 기관지 선종 (bronchial adenoma)

- 폐 양성 종양의 50% 차지 (endobronchial, 80%가 central)
  - carcinoids : 80~90%
  - adenocystic tumors (cylindromas) : 10~15%
  - mucoepidermoid tumors : 2~3%
- 15~60세(평균 45세)에 발생하고, 보통 몇 년 동안 증상을 호소
- chronic cough, recurrent hemoptysis, localized wheezing, atelectasis, pneumonia, abscess …
- carcionoids : SCLC와 같이 APUD system (Kulchitsky cell) 유래
  - SCLC와 같은 paraneoplastic syndrome을 일으킬 수 있음 (e.g., ACTH, AVP 분비)
  - 드물게(약 5%) 전이되어 (대개 간) carcinoid syndrome 유발 가능 (↔ SCLC는 안 일으킴)
  - 조직형이 나쁜 atypical carcinoids는 약 70%에서 전이 (국소 LN, 간, 뼈 등)
  - 일반적인 CTx에 반응 없음
- Dx : broncoscopy & biopsy (hypervascular 하므로 출혈에 주의)
- Tx : surgical excision (∵ potentially malignant!)

2. 과오종 (hamartoma)

- 60대에 호발, 남>여, peripheral, clinically slient & benign
- 특징적인 방사선 소견 ("popcorn" calcification)을 보이는 경우를 제외하고는, 감별진단을 위해 resection (e.g., VATS) 시행 (특히 흡연자인 경우)
- 약 60%에서 macroscopic fat을 보이며, 일부에서만 popcorn calcification을 보임
  - ↳ central fat attenuation (대개 −40 ~ −120 HU의 저음영)

고립성 폐결절 (Solitary pulmonary nodule, SPN)

1. 정의

- 정상 폐실질로 둘러싸인 **3 cm** 이하의 영상검사상 density (3 cm 이상은 mass → resection)
- 성인에서는 35%가 악성이지만, 35세 미만 비흡연자의 경우는 1% 미만만 악성

2. 악성 위험이 있는 소견 (⇨ 조직검사)

① 남자, 45세 이상 (특히 60세 이상)
② 흡연 (또는 발암물질에 노출된 과거력/직업력) ; 특히 하루 한 갑 이상
③ 결절 직경이 1.5 cm 이상 (특히 2.3 cm 이상)
④ 지난 2년 동안에 크기가 커졌을 때 (m/i)
⑤ calcification이 없거나 / stippled or eccentric calcification

⑥ 불규칙한 형태 (<u>spiculated margin</u> [corona radiata sign], lobulated shape, peripheral halo)

⑦ cavity : 불규칙한 내면, 두꺼운 벽(≥15 mm)

⑧ GGO (ground-glass opacities) → AAH, AIS, adenoca. 등일 가능성 높음

    – partial (semiopaque) GGO ; slow-growing, atypical adenomatous hyperplasia (AAH)

    – solid GGO ; fast-growing, 대개 typical adenocarcinoma

⑨ PET scan (+)

⑩ chest Sx, atelectasis, pneumonitis, adenopathy 등을 동반

⑪ 암의 과거력 (가족력은 아님)

3. 양성을 시사하는 소견

① 35세 이하, 담배 및 다른 발암물질에 노출된 과거력 없음

② well-defined smooth margin

③ doubling time이 4주 미만 (→ infection) or 18개월 이상 (→ benign)

④ 지난 2년 동안 크기의 증가가 없음 ★

⑤ 특징적인 calcification ★

    ┌ central dense nidus

    │ multiple punctate foci

    │ "Bull's eye" (granuloma)

    └ "Popcorn ball" (hamartoma)

    • peripheral calcification은 양성이 많으나, 악성의 가능성도 있다

⑥ CT상 SPN 내의 <u>지방조직</u> (−40 ~ −120 HU의 저음영)

    → 다른 악성을 시사하는 다른 소견이 없으면 hamartoma로 추정할 수 있음

      (c.f., 드물게 liposarcoma나 RCC의 전이일 수도 있음)

⑦ PET scan (−)

⑧ satellite lesions : 양성에서 더 흔하지만 큰 도움은 안됨

* SPN의 80~90%는 양성 ; infectious granuloma (m/c, 결핵 등), 양성 종양은 5% 미만

4. 감별진단

• chest CT : 20 HU 이상으로 조영 증강되면 악성 가능성 높음

    * noncalcified nodules의 분류 : nodule attenuation (density)

    ┌ solid (m/c) : dense & homogeneous, 8 mm 이상이면 악성 위험

    └ subsolid : 지속되면 solid보다 악성 가능성 높음

        ┌ pure GGO (GGN, ground-glass nodule) : solid component 없음, AAH가 흔함

        └ part-solid (mixed GGO) : solid component 동반 → 전암성/악성 가능성 높음

          (nodule 중심부 solid part의 크기가 클수록 악성 확률↑: invasive adenoca.)

• MRI는 대개 필요 없다

• PET : 크기가 7~8 mm 이상인 경우 유용, SUV 2.5 이상이면 악성

• sputum cytology, sputum AFB stain & culture

• bronchoscopy : 중심성 병변의 진단에 이용 (말초 병변은 진단율 떨어짐)
  → TBB, TBNA, EBUS-guided TBB (transbronchial biopsy) 등
• CT-guided transthoracic needle biopsy (TTNB) : 말초 병변의 진단에 이용

5. 처치 or F/U

(1) Solid SPN

① old X-ray (or CT)와 비교 (m/i)
  ┌ 2년 이상 변화가 없거나, CT에서 benign 소견 ⇨ Benign lesion, No F/U
  └ new or growing lesion ⇨ Malignant 의심 → biopsy or resection

② old X-ray (or CT)가 없고, 특징적인(benign) 석회화 소견이 안 보이는 경우
  • nodule <6 mm ⇨ Malignancy likelihood 계산 (통일된 계산법은 없음) ; 연령, 성별, 가족력,
      과거력(e.g., COPD), 흡연력/기간, 객혈, nodule 크기/모양, 위치, 성장속도 등 반영
    ┌ Low probability (<5%) → No F/U (or 18~24개월 뒤 CT 시행)
    └ Intermediate (5~65%) & High probability (>65%) → No F/U or
        크기 평가가 불분명하거나 고위험군은 12개월 뒤 CT
        ┌ 변화가 없거나 작아짐 → No F/U
        └ 커짐 (2 mm 이상의 크기 증가) → biopsy or resection
  • nodule 6~8 mm ⇨ 6~12개월 뒤 CT 시행
    ┌ 커짐 (2 mm 이상의 크기 증가) • biopsy or resection
    └ 변화 없음 → Malignancy likelihood 계산 ; Low → No F/U,
        Intermediate/High → 18~24개월 뒤 CT 시행 → 커지면 biopsy or resection
  • nodule >8 mm ⇨ Malignancy likelihood 계산, PET 고려
    ┌ Intermediate/High → biopsy or resection
    └ Low → 3개월 뒤 CT 시행
        ┌ 커짐 (2 mm 이상의 크기 증가) → biopsy or resection
        └ 변화 없음 → 9개월 뒤 CT ; 커지면 biopsy/resection, 변화 없으면 24개월 뒤 CT

(2) Subsolid SPN

• <6 mm GGO or part-solid → No F/U
• ≥6 mm GGO → 6~12개월 뒤 CT 시행 (이후 2년 마다, 5년 동안), 커지면 biopsy/resection
   (20 mm 이상의 GGO는 resection도 고려할 수)
• ≥6 mm part-solid → 3~6개월 뒤 CT 시행 (solid portion >8 mm면 PET도 고려)
   ┌ 커짐 (2 mm 이상의 크기 증가) → biopsy or resection
   └ 변화 없음 ┌ solid portion >8 mm → biopsy or resection
              └ solid portion ≤8 mm → 매년 CT F/U ; 커지면 biopsy/resection

(3) Multiple pulmonary nodules

- 가장 큰 nodule <6 mm → No F/U
- 가장 큰 nodule ≥6 mm → 3~6개월 뒤 CT 시행

  - 커짐 (2 mm 이상의 크기 증가) → biopsy or resection
  - 변화 없음 & solid → Malignancy likelihood Intermediate/High면 9개월, 24개월 뒤 CT
  - 변화 없음 & subsolid nodules

    - GGO → 6~12개월 뒤 CT 시행 (이후 2년 마다, 5년 동안), 커지면 biopsy/resection
    - part-solid → 3~6개월 뒤 CT ; 커지거나 solid portion >8 mm면 biopsy/resection

■ Atypical adenomatous hyperplasia (AAH)

- AIS와 함께 전암성 병변임, 폐암 수술 뒤 우연히 발견되는 경우가 흔함 (빈도 5~20%)
- pure GGO, 대부분 5 mm 미만, 폐 말초 부위에 호발, multiple이 흔함
- nonmucinous AIS, MIA, lepidic-predominant adenocarcinoma 등과 감별해야 됨
- 다른 소견의 동반 없이 단독으로 발견된 AAH → close F/U

  (폐암 수술 뒤 발견된 AAH는 대부분 예후에 영향 없고, 기존 폐암의 치료 진행)

c.f.) doubling time (직경이 아니라, 부피가 2배가 되는 시간)
- SCLC : 약 30일 … 성장 속도 매우 빠름~
- SCC, large cell ca. : 약 100일
- adenocarcinoma : 약 180일
- 400일 이상이면 대부분 benign

18
흉막 및 종격동 질환

흉막 삼출 (Pleural effusion)

1. Pleural fluid
- 정상 : 5~15 mL, 생성 속도 0.01 mL/hr
- 생성
  ① parietal pleura의 capillaries에서 여과되어 (主)
  ② lung의 interstitial space로부터 (visceral pleura를 통해)
  ③ peritoneal cavity로부터 (diaphragm의 작은 구멍을 통해)
- 흡수 : parietal pleura의 lymphatics로 (정상 생성양의 20배까지 흡수 가능)
- pleural effusion의 발생 : pleural fluid의 생성 > 흡수

2. 발생기전
- microvascular circulation의 수압 증가 (e.g., CHF)
- microvascular circulation의 oncotic pr. 감소 (e.g., LC, hypoalbuminemia)
- microvascular circulation의 permeability 증가 (e.g., pneumonia)
- pleural space로부터의 lymphatic drainage 장애 (e.g., malignant effusion)
- pleural space 내 압력 감소 (e.g., complete lung collapse)
- peritoneal space로부터 fluid의 이동 (e.g., ascites)

3. 증상
- pleuritic chest pain ; 보통 unilateral, 기침이나 흡기시 악화
- dyspnea, cough (sputum은 거의 없음)

4. 진찰소견
- 흉막삼출의 양에 따라 다양 (300 mL 이하면 대개 특별한 소견이 없음)
- chest wall motion lag (호흡운동 감소)
- breath sound 감소 or 소실
- pleural friction rub (흉막삼출의 양이 증가하면 소실됨)
- percussion : dull or flat
- 성음진탕(vocal fremitus) 감소

5. 영상 소견

- 300 mL 이상 고여야 chest PA view에서 판독 가능
- 위로 오목한 fluid level : "meniscus sign" (c.f., hydropneumothorax시는 편평)
- CPA (costophrenic angle)의 둔화/소실
- 다량(>1 L)의 흉막삼출시 종격동의 반대쪽으로의 이동
- subpulmonic (infrapulmonic) effusion
  - hemidiaphragm elevation
  - 위장내 가스와 좌하엽 간의 거리 증가 (>2 cm)
- pseudotumor : fluid가 interlobar fissure에 고여서 tumor처럼 보이는 것

* 소량의 pleural fluid를 확인하는 방법
  ① lateral decubitus view (150 mL만 고여도 확인 가능) → 대부분 US로 대치되었음
  ② chest US, CT
    - localization에 이용하면 thoracentesis시 안전, 편리 (특히 US : 응급실, ICU 등에서)
    - loculated pleural effusion 찾는데 유용

6. 흉강천자(Thoracentesis) & pleural fluid analysis

- diagnostic thoracentesis : 30~50 mL 뽑음
  - 늑골 상연을 따라 조심히 실시 (∵ 늑골 하연에는 신경과 혈관이 통과)
  - diagnostic approach ; 제일 먼저 transudate or exudate를 구분!
  - relative C/Ix ; bleeding diathesis, anticoagulation, small volume, mechanical ventilation, low benifit-to-risk ratio... (absolute C/Ix은 없다)
- therapeutic thoracentesis
  - 1회에 1000~1500 mL 이상은 안됨 (∵ re-expansion pul. edema 발생 위험)

■ Exudate의 감별(Light's criteria)

  ① 흉수/혈청 protein >0.5 (m/i) (절대값 >3.0 g/dL)
  ② 흉수/혈청 LD >0.6 (절대값 >200 IU/L)
  ③ 흉수 LD가 혈청 정상 상한치의 2/3 (약 200) 이상

┌exudate : 3개중 1개 이상에 해당되면
└transudate : 3개중 아무것도 해당되지 않아야

* 위 기준을 따르면 transudate의 약 ~25%가 exudate로 잘못 분류됨
  ⇨ 임상양상은 transudate가 의심되는데 exudate criteria에 1개 이상 해당되면
    <u>혈청 - 흉수 protein gradient</u> 측정
      ↳ 차이가 3.1 g/dL 이상이면 위 기준에 관계없이 transudate로 분류함
    (c.f., <u>혈청 - 흉수 albumin gradient</u> → 차이가 1.2 g/dL 이상이면 transudate)

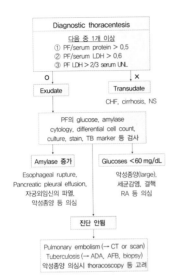

흉수검사의 참고치

세포	1000~5000
중피세포	3~70%
단핵구	30~75%
림프구	2~30%
과립구	10%
Protein	1~2 g/dL
Glucose	= serum
LDH	< $\frac{1}{2}$ × serum

* ADA : 암   14.4 ±8.6
　　　　세균 38.0 ±11.9
　　　　결핵 65.5 ±17.9

* 흉수가 혼탁하면 원심분리 시행
　┌ 상층액이 맑으면 (cells or debris가 원인)
　│　⇨ empyema (pyothorax)
　└ 상층액이 혼탁하면
　　　⇨ chylothorax or pseudochylothorax

■ Pleural effusions의 원인

Transudates (여출성 흉막액)	Exudatives (삼출성 흉막액)
CHF (m/c)	감염 ; 세균성 폐렴, 결핵, viral or mycoplasma 폐렴
LC (hepatic hydrothorax)	종양 ; lung ca., metastatic ca., lymphoma, mesothelioma
Hypoproteinemia	Pulmonary infarction/embolism
(e.g., nephrotic syndrome)	류마티스 질환 ; RA, SLE, DLE, immunoblastic lymphadenopathy,
Glomerulonephritis	Sjögren's syndrome, Wegener's granulomtosis, Churg-Strauss
Pericardial disease	syndrome ...
Peritoneal dialysis	위장관 질환 ; 식도 파열, 췌장 질환, 복강내 농양, 복부 수술,
SVC obstruction	diaphragmatic hernia, endoscopic variceal sclerotherapy ...
Myxedema	Post-cardiac injury syndrome
Pulmonary embolism (PE)	Asbestos에의 노출, Sarcoidosis
Urinothorax	Uremia, Meigs' symdrome, Yellow nail syndrome
Sarcoidosis	Trapped lung, Radiation therapy, Electrical burns
	Hemothorax, Chylothorax, Iatrogenic injury
	Ovarian hyperstimulation syndrome (PCOD)
	약물 ; Nitrofurantoin, Dantrolene, Methysergide, Bromocriptine,
	Procarbazine, Amiodarone ...

* 흔한 순서 : CHF > 세균성폐렴 > 악성종양(폐암, 유방암, lymphoma 등) > 폐색전증 ...
* bilateral pleural effusion의 원인 : CHF (m/c), 악성종양, SLE, RA, NS, LC, PE, 결핵, 식도파열, 약물

Pleural fluid (exudate)의 소견과 원인 질환

소견	원인 질환
pH <7.2	부폐렴성 흉수, 암, 식도파열, SLE, RA, 결핵, 폐렴, 혈흉, urinothorax, paragonimiasis, 췌장늑막누공, Churg-Strauss syndrome (CSS, EGPA), systemic acidosis
Glucose <60 mg/dL	부폐렴성 흉수, 암, 감염, 결핵, SLE, RA, 식도파열, 혈흉, urinothorax, paragonimias, CSS (EGPA)
Amylase >200 μ/dL	식도파열, 췌장염, 췌장늑막누공, 암, 자궁외 임신의 파열
LDH >1000 IU/L	세균성 농흉, paragonimias, 아메바, septic emboli, RA
RF, ANA, LE cells, Complement↓	SLE, RA
RBC >5000/μL	외상, 암, 폐경색
Neutrophil 증가	세균성폐렴, 폐색전증, 췌장염, 복강내 농양, 초기 결핵
Eosinophil 증가 (>10%) (8~35%는 idiopathic)	흉막강 내 공기(m/c) ; 이전의 흉강천자, 기흉 흉막강 내 혈액 ; 혈흉, 폐색전증, 폐경색 기타 ; 암(폐암이 m/c), 감염, 결핵, 기생충, 호산구성 폐렴, 폐석면증, RA, CSS (EGPA), sarcoidosis, 약물(warfarin, propylthiouracil, nitrofurantoin, dantrolene 등)
Lymphocyte 증가	결핵, sarcoidosis, lymphoma, leukemia, 전이암
ADA 증가 (>40 μg/L)	결핵, 일부 농흉, 암, RA
Chylous effusion (TG >110 mg/dL)	Thoracic duct의 손상 ; 외상, 암
Biopsy (+)	암, 결핵

7. Invasive procedures

(1) percutaneous needle pleural biopsy
- 악성종양이나 결핵성 흉수의 진단에 중요
  - 악성종양 : 조직검사상 40~60%에서 양성 (but, cytology에서도 50~90% 양성)
  - 결핵 : granuloma (50~80%) + 조직 배양검사 → 진단율 약 95%
- 금기 ; small or loculated effusion, anticoagulation or 출혈성 질환, 비협조적인 환자
- 합병증 ; 기흉, 혈흉

(2) thoracoscopy
- 악성 흉수의 진단에 효과적 (진단율 85%)
- 악성 종양이 의심되나 cytology에서 음성이면 시행
  (thoracoscopy가 없거나 불가능하면 needle biopsy 시행)
- 장점 ; 직접 흉막을 관찰 가능, 많은 양의 조직을 채취 가능, 폐조직도생검 가능, 흉막유착술(pleurodesis)도 시행 가능

(3) bronchoscopy
: 폐실질의 병변이 있거나 객혈이 있는 경우만 시행

8. CHF (LV failure)

- pleural effusion의 m/c 원인, CHF 입원 환자의 50~90%에서 동반
- 대개 양측성으로 발생(60~85%), 단측성인 경우에는 우측:좌측 = 2:1
- LV failure → LA pr.↑ → pulmonary edema → 폐간질액이 흉막강으로 누출
  ; visceral pleura를 통해 빠져나오는 fluid의 양이 parietal pleura의 흡수 용량을 초과할 때 발생
- 심부전 환자에서 diagnostic thoracentesis의 적응
  ① unilateral effusion
  ② bilateral이지만 크기가 서로 많이 다른 경우
  ③ fever, pleuritic chest pain
  ④ cardiomegaly가 없을 때
  ⑤ 심부전 치료(e.g., 이뇨제)에 반응이 없을 때
- 흉수의 Light's criteria에 따르면 ~30%는 exudate로 분류됨 (→ 앞부분 참조)
  - 이유 ; exudate의 원인 공존(m/c, 폐렴), 이뇨제 치료(→ 흉수의 LDH와 단백질 농축) 등
- 흉수의 NT-pro BNP가 1500 pg/mL 이상이면 CHF에 의한 이차성 흉수로 진단 가능
- 대개 CHF 치료(e.g., 이뇨제)를 하면 호전됨, 호전되지 않으면 therapeutic thoracentesis 시행

9. 간경변증

- 복수를 동반한 LC 환자의 최대 5%에서 pleural effusion 발생
- 황경막의 작은 구멍을 통한 복수의 직접 이동이 주요 기전
- 오른쪽에 호발하며, 호흡곤란을 일으킬 정도로 다량인 경우가 흔함

10. 부폐렴성 흉수 (Parapneumonic effusion)

(1) 정의

- 폐렴, 폐농양, 기관지확장증 등 폐 감염과 관련되어 발생한 모든 종류의 exudative fluid
- 폐렴 환자의 약 40%에서 동반, exudative pleural effusion의 m/c 원인

  ┌ uncomplicated parapneumonic effusion : 폐렴의 항생제 치료만으로 호전되는 경우 (대부분)
  │ complicated parapneumonic effusion : 관배를 위해 tube thoracostomy가 필요한 경우
  └ empyema : 부폐렴성 흉수의 말기 단계로 흉강에 gross pus가 고인 상태
  　　　　(aspiration pneumonia에 동반되는 경우가 흔함, 대개 혐기성 & 호기성 혼합감염)

(2) 원인균

- 혐기성균보다 호기성균이 좀 더 많이 배양됨
- 호기성균 : *S. pneumoniae, S. aureus, S. milleri, Klebsiella, Pseudomonas, Haemophilus* 등
- 혐기성균 : 존재해도 36~76%만 배양됨, 부패성 냄새가 나면 Gram stain이 도움
  (*Fusobacterium nucleatum, Prevotella* spp, *Peptostreptococcus* spp, *Bacteroides fragilis* 등)

(3) 진단 및 치료

- thoracentesis (흉강천자/가슴천자) : 대개 US-guided로 시행
  - lateral decubitus view, CT 등에서 fluid가 (폐~흉벽 사이) <u>1 cm</u> 이상 고이면 시행
  - diagnostic thoracentesis : 21~22G needle, 병기와 치료방침 결정에 가장 중요
  - therapeutic thoracentesis : 16~18G needle
- <u>tube thoracostomy drainage</u> (가슴관삽입/가슴창냄술/흉강삽관 배액) 적응★ (아래로 갈수록 중요)
  ① loculated pleural effusion
  ② pH <7.2
  ③ glucose <60 mg/dL
  ④ Gram stain or culture에서 균 발견
  ⑤ gross pus의 존재
  - pH가 7.2~7.3이거나 LD >1000 U/L일 때도 강력히 고려
  - WBC count나 protein 농도는 이때는 별 의미 없음 (∵ empyema가 심하면 WBC가 분해됨)
- tube thoracostomy의 적응이 아니거나 결정하기 어려운 경우
  → 항생제를 투여하면서, 천자를 반복하면 F/U (serial thoracentesis)
- tube thoracostomy로 잘 치료되지 않을 때
  ① intrapleural fibrinolysis (e.g., t-PA 10 mg) + DNase (deoxyribonuclease 5 mg, 점성↓)
  ② 흉강경(thoracoscopy, VATS)을 이용한 adhesion lysis, debridement
  ③ 흉막 박피술(decortication) : 위의 치료 실패시 매우 규모가 큰 수술임)
  ④ 개방 배액법(open drainage)

11. 결핵성 흉막염/흉수 (tuberculous pleuritis/pleurisy)

- exudative pleural effusion의 흔한 원인중 하나
- 폐결핵 환자의 ~30%에서 동반, 결핵성 흉막염 환자의 대부분은 폐결핵을 가지고 있음
  ① <u>소수</u>의 결핵균이 흉막강으로 유출 → 항원(tuberculin protein) 분비
    → intrapleural delayed hypersensitivity response에 의해 흉막염 발생
    ⇒ 흉수 AFB 양성은 드물고, 배양도 50% 미만에서만 양성 (액체배지로 배양하면 ~63-75%)
    (c.f., 객담에서의 배양 양성률이 더 높음)
  ② 드물게 흉막 파열로 다량의 결핵균이 흉막강으로 유출되어 결핵성 농흉을 일으킬 수 있음
- 흉수(PF) 검사
  - WBC 1000~6,000/μL : lymphocyte가 주(60~90%), mesothelial cell은 5% 이하
    (eosinophilia도 동반될 수 있지만 드묾)
  - protein↑, glucose↓ ~N
  - <u>ADA↑(>43 IU/L)</u>, IFN-γ↑(>140 pg/mL), PCR (+)
- 흉막 조직검사(granuloma : 50~80%), 흉막/흉수 AFB 염색 & 배양검사, thoracoscopy
  (조직검사 + 객담/흉수 배양검사로 결핵 진단율 95%까지 가능)
- 폐결핵과 똑같이 치료, adjuvant steroid는 논란 (증상이 매우 심하면 고려 가능, AIDS에서는 금기)
- ~50-70%에서 1년 뒤 mild pleural thickening (fibrosis) 합병됨

→ 6장 결핵 편 참조

12. 악성 흉수 (malignant effusion)

(1) 개요

- exudative pleural effusion의 2nd m/c 원인
- 원인 ; lung ca. (m/c, 30%), breast ca. (25%), lymphoma (20%), ovarian ca.
- 대부분 dyspnea를 호소 (흉수의 양에 비해 심한 경우가 흔함)
- 종양이 크면 glucose level 감소 가능 (<60 mg/dL), pH <7.3, CEA↑

(2) 진단

- 흉수 cytology : 50~60%에서 양성 (→ 3회 시행하면 ~90%)
  - needle biopsy보다는 sensitivity 높음 (∵ 흉막의 암세포가 떨어져 나옴)
  - 암의 종류에 따라 sensitivity 다름 (e.g., 폐선암은 >90%, HD는 <25%)
  - specificity는 문제될 수 (e.g., reactive mesothelial cells or atypical lymphocytes와 혼동 가능)
    → 정확한 진단을 위해 특수염색, FISH, PCR 등 고려
- thoracoscopy : cytology에서 음성이거나 애매하면 시행 (sensitivity >90%)
  - 진단 및 pleurodesis도 가능 (pleurodesis 효과를 높이기 위해 pleural abrasion도 시행)
  - thoracoscopy가 없거나 불가능하면 needle biopsy 시행

(3) 치료

- 대증적 치료 (∵ 흉수의 존재는 대부분 원격전이 때문으로 curable CTx 불가능을 의미)
- 양이 적고 증상이 없으면 경과관찰만
- 치료적 흉강천자(thoracentesis) : 흉수가 천천히 발생되고, 기대수명이 짧거나 PS가 낮으면 권장
- 반복적인 흉강천자로도 계속 흉수가 발생되는 경우 ⇨ indwelling catheter, pleurodesis, pleurectomy, pleuroperitoneal shunt 등 고려 (흉막의 RTx는 효과는 거의 없음)
- indwelling pleural catheter (e.g., PleurX™)
  - 덜 침습적이라 선호됨, 환자/보호자도 조절 가능
  - 기대수명 짧은 경우(<6개월), 외래 치료 원할 때, 다른 치료(pleurodesis 포함) 실패시 권장
  - 27~70%에서는 2~12주 뒤 자연 pleurodesis 됨 (catheter로 sclerosant도 주입 가능)
- 흉막유착술(pleurodesis, chemosclerosis) : lung entrapment 없으면 90% 이상에서 성공
  - 흉강삽관(tube thoracostomy), VATS, thoracoscopy 등으로 폐를 팽창시킨 후 유착술 시행
    (chest tube or catheter로 나오는 배출액이 100 cc/day 미만일 때 시행 가능)
  - 적응 : dyspnea 심하고, thoracentesis로 증상 호전이 있고, mediastinal shift는 없는 환자에서
    6개월 이상의 생존 가능성이 있을 때 (→ 증상 호전이 목적이며, 생명 연장 효과는 없음)
  - pleurodesis가 성공할 확률이 낮은 경우 ⇨ pleurodesis 금기
    ① thoracentesis로 증상의 호전이 없는 경우
    ② thoracentesis로 lung expansion이 되지 않을 때(entrapped or trapped lung)
      ; 종양에 의한 bronchus 폐쇄, 흉막에 대량의 종양 전이, bronchopulmonary fistula 등
  - pleurodesis 시행시 사용하는 agents (sclerosant) ; talc or doxycycline을 흔히 이용
    ① antibiotics : tetracycline, doxycycline (효과와 안전성은 우수하지만, 재발이 많음)
    ② anti-cancer drug : bleomycin, nitrogen mustard
    ③ sclerosing agent : talc (가장 효과적이지만, 독성 위험 및 드물게 호흡곤란/폐렴 발생 가능)

13. Meigs' syndrome

- benign fibroma or other ovarian tumors
- ascites
- large pleural effusions

14. 폐색전증 (pulmonary embolism)

- pleural effusion의 감별진단 중 가장 간과하기 쉬운 질환
- 흉수는 대개 exudate (약 25%는 transudate)
- 대개 PE의 치료로 7일 이내에 흉수는 소실됨
- 치료 후에도 흉수의 양이 증가하거나 반대쪽에 새로 생길 때의 원인
  ; PE의 재발, hemothorax or pleural infection 등의 합병증 발생...

15. 유미흉/암죽가슴증 (chylothorax)

- 흉관(thoracic duct)이나 부행 림프관의 파열로 chyle (lymph + TG)이 유출되어
  pleural space에 고인 것 (막걸리, 우유색)
- 원인 ┌ 외상 (m/c, 약 50%) : 대부분 iatrogenic (e.g., cardiothoracic surgery)
  │ 악성 종양 (20~46%) ; 대부분 lymphoma (기타 lung ca., mediastinal ca. 등)
  └ 기타 ; 선천성, 결핵, AIDS, LC, CHF, NS, filariasis, SVC syndrome, goiter ...
- 흉수(pleural fluid) 소견
  - TG >110 mg/dL
  - cholesterol ≤200 mg/dL, 흉수 cholesterol/혈청 cholesterol <1
  - chylomicron 양성 (cholesterol crystal은 없다)
  - lymphocytes >70%, protein↑(→ Light's criteria로는 대부분 exudate로 분류됨), LDH↓
- 외상이 원인이 아닌 경우에는 lymphangiogram 및 chest CT 시행
- 치료 (치료 안하면 사망률 높음)
  ① 흉관삽입 배액 & octreotide (or somatostatin) 투여 (TOC) : chyle leaks 적을 때(<1 L/day)
    - octreotide (or somatostatin) → thoracic duct로 유입되는 chyle의 양을 감소시킴
    - but, 장기간의 흉강삽관은 금기 (∵ Ig, 영양분 들이 빠져나가 면역/영양 결핍 초래)
  ② 보존적 치료(흉관 배액)에 반응이 없거나 적을 때 ⇨ minimally invasive therapies ; pleurodesis,
    경피적 TDE/TDD (thoracic duct embolization/disruption), TDL (thoracic duct ligation)
  ③ pleuroperitoneal (or pleurovenous) shunt : 위 치료들에 실패시 (chylous ascites 없을 때)
  ④ iatrogenic, chyle leaks 많을 때(>1 L/day) ⇨ 조기에 thoracic duct repair 수술
  ⑤ TPN (hyperalimentation) or 저지방 식이요법 (e.g., medium-chain TG)
    → thoracic duct로 유입되는 chyle의 양을 감소시킴

■ 가성유미흉(pseudochylothorax)

- effusion이 오래되어 cholesterol만 남은 것
- 원인 ; tuberculosis, rheumatoid effusion 등의 만성 염증
- 흉수 소견 ; cholesterol↑(>200 mg/dL), cholesterol crystal (+), TG <50 mg/dL

16. 혈성흉수/혈흉 (hemothorax)

- 정의 : pleural fluid의 hematocrit가 말초혈액의 50% 이상일 때
- 원인
  ① trauma (m/c)
  ② iatrogenic (e.g., cardiothoracic surgery, catheter insertion, thoracentesis, biopsy)
  ③ spontaneous hemothorax (nontraumatic, non-iatrogenic)
  - 악성종양 ; pleural malignancy (e.g., mesothelioma), lung ca., breast ca. ...
  - pulmonary embolism or infarction (항응고요법의 부작용으로)
  - dissecting aorta (← Lt-sided pneumothorax) or HCC 등 복강 내 장기의 rupture
  - TB, collagen vascular dz., hematologic disorder
- 치료
  ① 흉관삽관(tube thoracostomy) : 36 Fr 이상의 큰 chest tube로
  - 흉강내 혈액을 완전히 배출 가능
  - 흉막 손상에 의한 출혈은 재팽창된 폐가 흉막을 압박하여 지혈 (혈관 출혈도 지혈 가능)
    → 전체 혈흉의 약 85% 정도가 치료됨
  - 합병증(pyothorax, fibrothorax 등) 예방
  - 흉관으로 배출된 혈액을 다시 수혈 가능
  ② 개흉술(thoracotomy), thoracoscopy, angiographic embolization 등의 적용
  ┌ 출혈량이 시간당 200 mL 이상
  ├ 흉관 삽입 직후 배출되는 혈액량이 1000 mL 이상
  └ 흉관으로 잘 배출이 되지 않는 응고된 혈액

■ 기흉/공기가슴증(Pneumothorax)

* 정의 : 흉막강(pleural space)에 공기가 찬 것

1. 자연/자발 기흉 (spontaneous pneumothorax)

: trauma 없이 자연적으로 발생한 기흉

(1) 원인

① 원발성 자연기흉(primary spontaneous pneumothorax, PSP) : m/c
- 기저 폐질환 없이, high (−) intrapleural pr.에 의해 subpleural apical bleb이 파열되어 발생
- 위험인자 : 흡연, 키 크고 마른 젊은 남자, 가족력
- Rt. lung에 더 잘 발생
- 약 50%에서 재발 : 남자, 흡연자에서 더 재발이 흔함
- initial Tx → observation (O_2) or needle aspiration

② 속발성 자연기흉(secondary spontaneous pneumothorax, SSP)
- 기저 폐질환이 있을 때 발생한 자연기흉
- COPD (emphysema; m/c), tuberculosis, asthma, ILD, cystic fibrosis, pneumonia, neoplasm 등 거의 모든 폐질환에서 발생 가능
- 기저 폐질환으로 인해 더 치명적 : initial Tx → tube thoracostomy

(2) 임상양상
- 흉통 및 호흡곤란이 주증상 (보통 증상의 정도는 기흉의 크기와 비례)
- 운동이나 일할 때 보다는 안정시에 주로 발생
- 환측의 호흡운동↓, 호흡음↓, vocal fremitus ↓, hyperresonance (tympanic)
- 환측 흉부의 expansion, 종격동은 병변 반대쪽으로 이동

(3) 진단 : chest X-ray
- 흉막선(visceral pleural line)을 찾아 봄, 기흉 공간은 검은색의 공기 음영
- 반드시 호기로 촬영할 필요는 없음
- 기흉의 크기 = total hemithorax volume - 남아있는 lung volume
  = (hemithorax의 반지름)^3 - (collapsed lung의 반지름)^3
- chest CT ; 작거나 복잡한 기흉도 발견 가능, 기립 CXR 촬영이 어려운 환자에서 유용, 지속/재발생 기흉의 원인 파악에 도움 → 점점 더 많이 이용

(4) 치료
① 관찰(observation) 및 산소 공급
- 적응 : new small (<15~20%) unilateral pneumothorax, stable (asymptomatic) 환자
  ↳ interpleural distance ≤3 cm (apex), ≤2 cm (anywhere)
- 24시간 F/U 이후 퇴원, 보통 7~12일 뒤면 공기 흡수됨
- high oxygen ; 흉강내 공기의 absorption 촉진
  (기전 : 혈중의 산소 분압↑, 질소 분압↓ → 흉강내 공기(질소가 80%)의 흡수 속도 증가)
  * 속발성 자연기흉(SSP)도 매우 작고 stable하면 ⇨ close observation 가능
  　　　　　　　　　　　　　　　　(or needle aspiration 이후 작은 catheter 유지)

② 단순 공기흡인법(simple needle aspiration) = 흉강천자(thoracentesis), 바늘흉강감압술
- 15~20% 이상 크기의 stable 원발성 자연기흉의 initial Tx.
- midclavicular line 2번째 늑간에 작은(16~18 G) catheter-over-the-needle 삽입 후 공기 흡인
  ; Seldinger technique (guidewire 사용), one-way valve (e.g., Heimlich flutter valve) 등
- 자연기흉의 60~70%는 이 방법으로 치료 가능 (but, 재발은 예방×)

③ 흉관삽입법(tube thoracostomy) : clinically unstable하면 크기에 관계없이
- 적응 ┌ 원발성 자연기흉 : 40~50% 이상이거나, 단순 공기흡인법이 실패하거나, 재발한 경우
　　　 └ 속발성 자연기흉에서는 initial Tx.!
- 대개 water seal device (3-bottle system)에 연결, suction은 지속성 기흉의 경우에만 시행
- 흉관은 폐가 팽창하고 공기누출이 멈춘 뒤 24시간 관찰 후 CXR로 재발 없음을 확인하고 제거
- 속발성 자연기흉 및 재발한 원발성 자연기흉(1st relapse)은 재발이 흔하므로 공기누출이 멈추고 폐가 완전히 팽창되었으면 VATS and/or 흉막유착술(pleurodesis)도 시행(e.g., DC)

④ thoracoscopy (VATS) : bleb stapling/suture/resection & pleurodesis → 95% 이상 예방 가능

자연 기흉에서 thoracoscopy (VATS)의 적응증

1. Aspiration or tube thoracostomy 실패시
   - air leak 지속 or 3일 이후에도 lung reexpansion 안될 때
   - 3일 이후에도 bronchopleural fistula 존재시
2. Recurrent (3회 이상) pneumothorax
3. Bilateral pneumothorax
4. Chest X-ray에서 bullae, cyst 보일 때
5. 75% 이상 collapse 시
6. 등산가, 잠수부, pilot 등 압력변화가 많은 직업 종사자

⑤ 개흉술(open thoracotomy) : VATS가 불가능하거나 VATS에 실패한 경우, 거의 100% 예방

2. 외상성 기흉 (traumatic pneumothorax)

- trauma에 의해 발생한 기흉
- 대부분 누워서 처음 CXR을 찍으므로 작은 기흉은 놓치는 경우가 많고,
  기흉과 혈흉을 감별하기 어렵다 → 심한 외상 환자는 CT가 진단에 유용
- 매우 작은 기흉을 제외하고는, 반드시 흉관삽입법(tube thoracostomy)으로 치료
- hemopneumothorax의 경우에는 2개의 chest tubes를 이용
  - hemithorax 상부의 tube → air 배출
  - hemithorax 하부의 tube → blood 배출
- 응급 개흉술이 필요한 경우 ; 기관/기관지 파열, 식도 천공

■ 의인성 기흉(iatrogenic pneumothorax)

- 원인 ; transthoracic FNA, thoracentesis, subclavian catheter insertion, (+) pr. ventilation ...
- 증상이 경미하고 기흉이 작으면(<15%) observation 가능
- 증상이 있거나, 기흉이 크거나 계속 증가하는 경우에는 대개 simple aspiration 시행
  → 실패하면 흉관삽입법(tube thoracostomy)
- mechanical ventilation에 의해 발생한 경우는 응급 흉관삽입술! (∵ 긴장성 기흉 발생 예방)
- 자연기흉과 달리 재발 위험이 적으므로 흉막유착술은 안해도 됨

3. 긴장성 기흉 (tension pneumothorax)

- 정의 : 호흡 주기 전기간 동안 pleural pressure가 양압 (대기압보다 높음)
- 보통 mechanical ventilation이나 trauma (e.g., CPR) 때 발생
- Sx ; 심한 dyspnea, tachycardia, 청색증, 저혈압, 의식저하, 피하기흉(→ crepitus), 경정맥확장
  ((+) pleural pressure → venous return ↓ → CO ↓ → 死)
- P/Ex ; 기흉이 생긴쪽 가슴이 반대쪽보다 커짐 & 호흡음 감소/소실,
  mediastinum or trachea는 반대쪽으로 shift
- ABGA ; severe hypoxia, respiratory acidosis
- ventilator 사용 중 기흉 발생하면...
  - volume ventilation ⇨ 기도내압(PIP)↑ (더 심한 기흉 발생)
  - pressure ventilation (기도내압 일정) ⇨ tidal volume↓ (확인이 어려울 수)

- Tx - medical emergency!
  ① large-bore (12~16 G) needle aspiration (2nd ICS, midclavicular line에서)
  ② 이후에 흉관삽입법(tube thoracostomy) 시행

■ **기흉 환자의 일차 치료**

자연기흉				외상성 기흉	의인성 기흉			긴장성 기흉
원발성(PSP)			속발성 (SSP)		인공 호흡기 사용	무증상 or <15%	심한 증상 or >15%	
<15%	>15%	>50% or 심한 증상	재발					
경과관찰 산소투여	Simple aspiration	흉관삽입			경과관찰 산소투여	Simple aspiration	응급 aspiration 이후 흉관삽입	
		+ Pleurodesis						

■ **흉관 삽입의 부작용**

; re-expansion pul. edema, lung trauma or infarction, subcutaneous emphysema,
  bleeding, infection ...

* **재팽창성 폐부종(re-expansion pulmonary edema)**
  - 기흉 또는 흉막삼출액에 의해서 허탈되었던 폐가 급격히 재팽창 되었을 때 주로 동측에 폐부종이
    발생되는 것, 이차성 기흉보다 원발성 기흉에서 흔함
  - 원인 : reperfusion injury
    (재관류에 의해 O_2 free radical 생성 → 폐손상 → <u>폐혈관의 투과성 증가</u> → 폐부종 발생)
  - 증상 : cough, dyspnea, PaO_2↓
  - 치료 : O_2 투여
    - 때때로 기계호흡이 필요하기도 하며 심하면 사망도 가능 (사망률 약 20%)
    - 저혈압/oliguria시 이뇨제는 금기!
  - 예방 : 흉관삽관시 음압펌프 없이 under-water seal drainage 시행
    (24~48시간 동안 재팽창성 폐부종 없으면, 그 때 흉강내 음압을 가할 수 있음)
  - 실제로 흉관삽관 후 나타나는 음영의 상당수는 재팽창성 폐부종보다는 울혈성 무기폐
    (→ 대부분 경과 양호)가 더 흔하다

* **피부밑공기증, 피하기종(subcutaneous emphysema)**
  - 갑자기 가슴 상부, 목, 얼굴 등이 부으면서 만지면 crepitus가 들림
  - 치료 : 보통 self-limited, ventilatory pressures 감소 등
    (매우 심해 compartment syndrome이 발생한 경우엔 surgical decompression)

종격동 종괴 (Mediastinal mass)

1. 개요

- 종격동의 3 compartments
  ① anterior mediastinum ; thymus, internal mammary A. & V.
  ② middle mediastinum ; heart, ascending aorta, aortic arch, vena cavae, brachiocephalic
      A. & V., phrenic N., trachea, main bronchi, pulmonary A. & V.
  ③ posterior mediastinum ; descen. aorta, esophagus, thoracic duct, azygous & hemiazygous V.
- 전체적 빈도 (순서)
  ① neurogenic tumor (19~39%, m/c) : 대부분 post. mediastinum에서 발생
      (소아에서는 종격동 종양의 약 35%를 차지)
  ② thymoma (20%) : 대부분 ant. mediastinum에서 발생
  ③ lymphoma (17%) : ant. mediastinum에 많이 발생하나 어느 부위에도 가능,
      Hodgkin lymphoma가 더 흔함 (예후는 NHL가 나쁨)
  ④ germ cell tumor/teratogenic tumor (10%) : ant. mediastinum에서 호발
  c.f.) 노인에서는 metastatic cancer가 m/c 원인 (bronchogenic carcinoma가 m/c)
- 진단 : CT (m/g), barium swallow (post. mediastinal lesion시), ^{131}I scan (갑상선 의심시)
- 확진 : VATS (mass 제거도 가능), mediastinoscopy, ant. mediastinotomy, percutaneous FNA,
  endoscopic transesophageal or endobronchial US-guided biopsy

Mediastinal mass의 원인

Anterior	Middle	Posterior
Thymoma & benign thymic d/o	Lymphoma	Neurogenic tumors
Lymphoma	Germ cell tumors (teratoma,	Lymphoma
Germ cell tumors (teratoma,	teratocarcinoma, seminoma)	Diaphragmatic hernias (Bochdalek)
teratocarcinoma, seminoma)	Benign LN enlargement	Meningocele, meningomyelocele
Thyroid tumors	Cancer	Mediastinal cysts (bronchogenic,
Soft tissue tumors (benign	Mediastinal cysts (bronchogenic,	gastroenteric, thoracic duct)
tumors, sarcomas)	enteric, pericardial)	Pheochromocytoma
Pericardial cysts	Aneurysms & vascular	Esophageal ca. & diverticula
Benign LN enlargement	malformations	Aortic aneurysms
Parathyroid aneurysms	Hernia (Morgagni), Lipoma	Soft tissue tumors

2. 흉선종/가슴샘종 (thymoma)

- 30~40대에 호발, 남=여, 소아에서는 드물지만 증상 발생은 흔함
- ant. mediastinum의 primary tumor중 m/c ; ant. superior mediastinum에 발생
  (c.f., ant. mediastinum의 m/c 종양은 metastatic tumor)
- 주위 구조물로의 invasion 정도에 의해 malignancy 결정 (조직 소견으로는 양성-악성 구별 못함)
- paraneoplastic (parathymic) syndrome
  ① myasthenia gravis (MG) : 40~50%에서 동반 ; 안검하수, 복시, 연하장애, 근무력증 ...

- 증상은 아침에 가장 경미하고, 시간이 지날수록 심해짐
- MG가 동반된 환자는 없는 환자보다 상대적으로 초기임 (∵ 신경근육증상으로 조기에 발견)
- MG 환자의 5~15%에서만 thymoma, 85%에서 thymic hyperplasia 동반

② 기타 ; pure red cell anemia (5~15%), hypogammaglobulinemia, SLE, Cushing's syndrome, thymoma-associated multiorgan autoimmunity (TAMA) 등

- 진단 : chest X-ray (심장 위쪽의 large smooth mass), CT (m/g)
- 치료 : 수술이 TOC (대부분 흉강경으로 시행)
  - PORT (postop. RTx) : stage Ⅱ 이상 thymoma 또는 thymic carcinoma에서 권장
  - hypogammaglobulinemia는 치료해도 호전 안 됨
- 예후 : 성장이 느린 종양이라 좋은 편임, complete resectability와 invasion 정도가 가장 중요
  (5YSR ; stage Ⅰ~Ⅱ는 70~90%, stage Ⅲ~Ⅳ는 35~55%)
- 사인 : cardiac tamponade 등의 심폐 합병증

3. 신경(원)성종양 (neurogenic tumor)

- 성인에서 m/c mediastinal primary tumor, 척추 주변에 발생 (post. mediastinal tumor 중 m/c)
- peripheral nerves, nerve sheaths, sympathetic ganglion 등에서 유래
  (성인의 75% 이상은 nerve sheaths 유래, 소아의 85%는 ganglion 유래)
- schwannoma (neurilemmoma)와 neurofibroma가 m/c ; benign, slow-growing, 대개 무증상

4. 생식/배아 세포 종양 (germ cell tumor)

- 기형종(teratoma) ; solid or cyst, 외배엽 성분(피부, 털, 땀샘, 치아 등)이 주를 이룸

종격동염/세로칸염(Mediastinitis)

1. 급성 종격동염

(1) 원인

- 주변 장기 (식도, 기관, 기관지)의 파열에 따른 세균감염 (m/c)
- 다른 곳의 감염이 전파
- 외상 ; 심장수술(median sternotomy), 관통상

(2) 임상양상

- 오한, 발열, 탈진, 의식저하, 흉통, 호흡곤란, 빈백, 빈호흡 …
- 쇄골 상부 피하조직의 팽창
- 청진 ; 흉골하부 주위의 마찰음(Hamman's sign), mil wheel ⑩

(3) 진단

- chest X-ray/CT ; 광범위한 종격동 음영 확장, 종격동 기종, 지방층의 소실, 흉막염도 흔히 동반됨

- esophagography, mediastinal needle aspiration ...

(4) 치료
- 응급 수술(surgical debridement)
- 광범위 항생제 투여(2~6주), 수액요법 등의 보존적 치료
- 예후는 원인 및 수술시기에 따라 좌우, 사망률 >20% (수술이 늦어지면 사망률 >50%)

2. 만성 종격동염

- 원인 ; TB, histoplasmosis, sarcoidosis, silicosis, 기타 진균감염 등
- granulomatous inflammation (LN) : 대부분 무증상
- 심하면 fibrosing mediastinitis : 주변 장기 압박에 의한 증상
  → SVC syndrome, 기관지/폐혈관 폐쇄, 신경마비 (recurrent laryngeal N., phrenic N.) 등
- 대부분 특별한 치료법이 없으며, 압박증상이 심하면 airway or vascular stents, 수술

종격동기종 (Pneumomediastinum)

1. 원인

① 폐포의 파열에 의한 공기의 종격동 유입
② 식도, 기관, 기관지 등의 천공/파열
③ 목 또는 복부 공기의 종격동으로의 파급

2. 임상양상

- 심한 흉통(substernal) ± 목/팔로 radiation
- 쇄골 상부의 피하기종(subcutaneous emphysema)
- Hamman's sign : 심박동에 일치하는 crunching or clicking noise
  (Lt. lateral decubitus position에서 가장 잘 들림)

3. 진단

- CXR : 목 부위까지 포함하여 촬영, lateral chest X-ray가 좋음
- US : 응급 상황에서 유용
- chest CT : 기저 폐질환이 있는 경우에만

4. 치료

- 대개는 치료 필요 없음(observation)
- 고농도 산소 흡입 (→ 종격동 공기 흡수 촉진)
- needle aspiration : 종격동내 구조물이 압박되었으면